ELECTRICIDAD Y MAGNETISMO

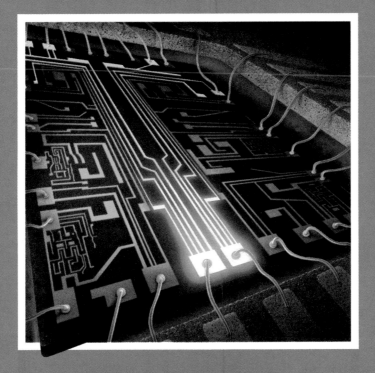

Anthea Maton
Ex coordinadora nacional de NSTA
Alcance, secuencia y coordinación del proyecto
Washington, DC

Jean Hopkins
Instructora de ciencias y jefa de departamento
John H. Wood Middle School
San Antonio, Texas

Susan Johnson
Profesora de biología
Ball State University
Muncie, Indiana

David LaHart
Instructor principal
Florida Solar Energy Center
Cape Canaveral, Florida

Charles William McLaughlin
Instructor de ciencias y jefe de departamento
Central High School
St. Joseph, Missouri

Maryanna Quon Warner
Instructora de ciencias
Del Dios Middle School
Escondido, California

Jill D. Wright
Profesora de educación científica
Directora de programas de área internacional
University of Pittsburgh
Pittsburgh, Pennsylvania

Prentice Hall
Englewood Cliffs, New Jersey
Needham, Massachusetts

Prentice Hall Science

Electricity and Magnetism

Student Text and Annotated Teacher's Edition
Laboratory Manual
Teacher's Resource Package
Teacher's Desk Reference
Computer Test Bank
Teaching Transparencies
Product Testing Activities
Computer Courseware
Video and Interactive Video

The illustration on the cover, rendered by Keith Kasnot, shows an integrated circuit board used in computers and many other electronic devices.

Credits begin on page 143.

SECOND EDITION

© 1994, 1993 by Prentice-Hall, Inc., Englewood Cliffs, New Jersey 07632.
All rights reserved. No part of this book may be reproduced in any form or by any means without permission in writing from the publisher. Printed in the United States of America.

ISBN 0-13-402017-0

1 2 3 4 5 6 7 8 9 10   97 96 95 94 93

Prentice Hall
A Division of Simon & Schuster
Englewood Cliffs, New Jersey 07632

STAFF CREDITS

Editorial:	Harry Bakalian, Pamela E. Hirschfeld, Maureen Grassi, Robert P. Letendre, Elisa Mui Eiger, Lorraine Smith-Phelan, Christine A. Caputo
Design:	AnnMarie Roselli, Carmela Pereira, Susan Walrath, Leslie Osher, Art Soares
Production:	Suse F. Bell, Joan McCulley, Elizabeth Torjussen, Christina Burghard
Photo Research:	Libby Forsyth, Emily Rose, Martha Conway
Publishing Technology:	Andrew Grey Bommarito, Deborah Jones, Monduane Harris, Michael Colucci, Gregory Myers, Cleasta Wilburn
Marketing:	Andrew Socha, Victoria Willows
Pre-Press Production:	Laura Sanderson, Kathryn Dix, Denise Herckenrath
Manufacturing:	Rhett Conklin, Gertrude Szyferblatt

Consultants

Kathy French	National Science Consultant
Jeannie Dennard	National Science Consultant

Prentice Hall Science

Electricidad y magnetismo

Student Text and Annotated Teacher's Edition
Laboratory Manual
Teacher's Resource Package
Teacher's Desk Reference
Computer Test Bank
Teaching Transparencies
Product Testing Activities
Computer Courseware
Video and Interactive Video

La ilustración de la portada, de Keith Kasnot, muestra un tablero de circuito integrado que se usa en computadoras y muchos otros aparatos electrónicos.

Procedencias de fotos e ilustraciones empiezan en la página 143.

SEGUNDA EDICIÓN

ISBN 0-13-802109-0

1 2 3 4 5 6 7 8 9 10   97 96 95 94 93

Prentice Hall
A Division of Simon & Schuster
Englewood Cliffs, New Jersey 07632

PERSONAL

Editorial:	Harry Bakalian, Pamela E. Hirschfeld, Maureen Grassi, Robert P. Letendre, Elisa Mui Eiger, Lorraine Smith-Phelan, Christine A. Caputo
Diseño:	AnnMarie Roselli, Carmela Pereira, Susan Walrath, Leslie Osher, Art Soares
Producción:	Suse F. Bell, Joan McCulley, Elizabeth Torjussen, Christina Burghard
Fotoarchivo:	Libby Forsyth, Emily Rose, Martha Conway
Tecnología editorial:	Andrew G. Black, Deborah Jones, Monduane Harris Michael Colucci, Gregory Myers, Cleasta Wilburn
Mercado:	Andrew Socha, Victoria Willows
Producción pre-imprenta:	Laura Sanderson, Kathryn Dix, Denise Herckenrath
Manufactura:	Rhett Conklin, Gertrude Szyferblatt

Asesoras

Kathy French	National Science Consultant
Jeannie Dennard	National Science Consultant

CONTENTS

ELECTRICITY AND MAGNETISM

CONTENIDO

ELECTRICIDAD Y MAGNETISMO

Activity Bank/Reference Section

Features

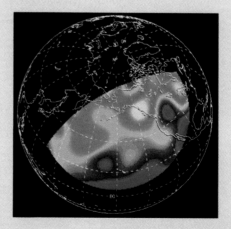

Pozo de actividades/Sección de referencia

Artículos

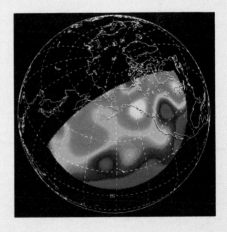

CONCEPT MAPPING

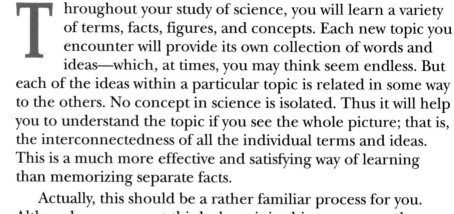

Throughout your study of science, you will learn a variety of terms, facts, figures, and concepts. Each new topic you encounter will provide its own collection of words and ideas—which, at times, you may think seem endless. But each of the ideas within a particular topic is related in some way to the others. No concept in science is isolated. Thus it will help you to understand the topic if you see the whole picture; that is, the interconnectedness of all the individual terms and ideas. This is a much more effective and satisfying way of learning than memorizing separate facts.

Actually, this should be a rather familiar process for you. Although you may not think about it in this way, you analyze many of the elements in your daily life by looking for relationships or connections. For example, when you look at a collection of flowers, you may divide them into groups: roses, carnations, and daisies. You may then associate colors with these flowers: red, pink, and white. The general topic is flowers. The subtopic is types of flowers. And the colors are specific terms that describe flowers. A topic makes more sense and is more easily understood if you understand how it is broken down into individual ideas and how these ideas are related to one another and to the entire topic.

It is often helpful to organize information visually so that you can see how it all fits together. One technique for describing related ideas is called a **concept map**. In a concept map, an idea is represented by a word or phrase enclosed in a box. There are several ideas in any concept map. A connection between two ideas is made with a line. A word or two that describes the connection is written on or near the line. The general topic is located at the top of the map. That topic is then broken down into subtopics, or more specific ideas, by branching lines. The most specific topics are located at the bottom of the map.

To construct a concept map, first identify the important ideas or key terms in the chapter or section. Do not try to include too much information. Use your judgment as to what is

really important. Write the general topic at the top of your map. Let's use an example to help illustrate this process. Suppose you decide that the key terms in a section you are reading are School, Living Things, Language Arts, Subtraction, Grammar, Mathematics, Experiments, Papers, Science, Addition, Novels. The general topic is School. Write and enclose this word in a box at the top of your map.

SCHOOL

Now choose the subtopics—Language Arts, Science, Mathematics. Figure out how they are related to the topic. Add these words to your map. Continue this procedure until you have included all the important ideas and terms. Then use lines to make the appropriate connections between ideas and terms. Don't forget to write a word or two on or near the connecting line to describe the nature of the connection.

Do not be concerned if you have to redraw your map (perhaps several times!) before you show all the important connections clearly. If, for example, you write papers for Science as well as for Language Arts, you may want to place these two subjects next to each other so that the lines do not overlap.

One more thing you should know about concept mapping: Concepts can be correctly mapped in many different ways. In fact, it is unlikely that any two people will draw identical concept maps for a complex topic. Thus there is no one correct concept map for any topic! Even though your concept map may not match those of your classmates, it will be correct as long as it shows the most important concepts and the clear relationships among them. Your concept map will also be correct if it has meaning to you and if it helps you understand the material you are reading. A concept map should be so clear that if some of the terms are erased, the missing terms could easily be filled in by following the logic of the concept map.

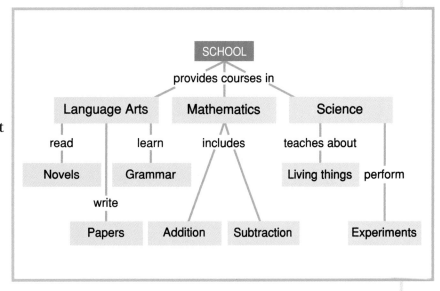

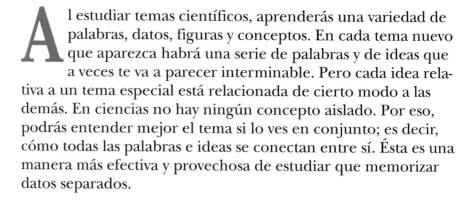

Al estudiar temas científicos, aprenderás una variedad de palabras, datos, figuras y conceptos. En cada tema nuevo que aparezca habrá una serie de palabras y de ideas que a veces te va a parecer interminable. Pero cada idea relativa a un tema especial está relacionada de cierto modo a las demás. En ciencias no hay ningún concepto aislado. Por eso, podrás entender mejor el tema si lo ves en conjunto; es decir, cómo todas las palabras e ideas se conectan entre sí. Ésta es una manera más efectiva y provechosa de estudiar que memorizar datos separados.

En realidad, este proceso debe serte familiar. Aunque no te des cuenta, analizas muchos de los elementos de la vida diaria, considerando sus relaciones o conexiones. Por ejemplo, al mirar un ramo de flores, lo puedes dividir en grupos: rosas, claveles y margaritas. Después, asocias colores con las flores: rojo, rosado y blanco. Las flores serían el tema general. El subtema, tipos de flores. Un tema tiene más sentido y se puede entender mejor si comprendes cómo se divide en ideas y cómo las ideas se relacionan entre sí y con el tema en su totalidad.

A veces es útil organizar la información visualmente para poder ver la correspondencia entre las cosas. Una de las técnicas usadas para organizar ideas relacionadas es el **mapa de conceptos**. En un mapa de conceptos, una palabra o frase recuadrada representa una idea. La conexión entre dos ideas se describe con una línea donde se escriben una o dos palabras que explican la conexión. El tema general aparece arriba de todo. El tema se divide en subtemas, o ideas más específicas, por medio de líneas. Los temas más específicos aparecen en la parte de abajo.

Para hacer un mapa de conceptos, considera primero las ideas o palabras claves más importantes de un capítulo o sección. No trates de incluir mucha información. Usa tu juicio para decidir qué es lo realmente importante. Escribe el tema general arriba

de tu mapa. Un ejemplo servirá para ilustrar el proceso. Decides que las palabras claves de una sección son Escuela, Seres vivos, Artes del lenguaje, Resta, Gramática, Matemáticas, Experimentos, Informes, Ciencia, Suma, Novelas. El tema general es Escuela. Escribe esta palabra en un recuadro arriba de todo.

ESCUELA

Ahora, elige los subtemas: Artes del lenguaje, Ciencia, Matemáticas. Piensa cómo se relacionan con el tema. Agrega estas palabras al mapa. Continúa así hasta que todas las ideas y las palabras importantes estén incluídas. Luego, usa líneas para marcar las conexiones apropiadas. No dejes de escribir en la línea de conexión una o dos palabras que expliquen la naturaleza de la conexión.

No te preocupes si debes rehacer tu mapa (tal vez muchas veces), antes de que se vean bien todas las conexiones importantes. Si, por ejemplo, escribes informes para Ciencia y para Artes del lenguaje, te puede convenir colocar estos dos temas uno al lado del otro para que las líneas no se superpongan.

Algo más que debes saber sobre los mapas de conceptos: pueden construirse de diversas maneras. Es decir, dos personas pueden hacer un mapa diferente de un mismo tema. ¡No existe un único mapa de conceptos! Aunque tu mapa no sea igual al de tus compañeros, va a estar bien si muestra claramente los conceptos más importantes y las relaciones que existen entre ellos. Tu mapa también estará bien si tú le encuentras sentido y te ayuda a entender lo que estás leyendo. Un mapa de conceptos debe ser tan claro que, aunque se borraran algunas palabras se pudieran volver a escribir fácilmente, siguiendo la lógica del mapa.

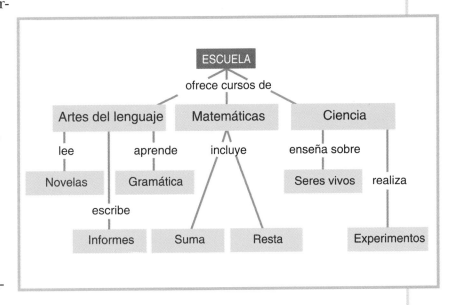

ELECTRICITY
AND MAGNETISM

▲ As if made of flesh and blood, these computer-controlled dinosaurs appear to be munching on assorted fruits.

Huge dinosaurs roar wildly as they tower over your head. Some cause the ground to tremble merely by walking past you. Have you been transported back in time? No. You are at Epcot Center in Walt Disney World where animated creatures are designed and controlled by computers.

Although this computer application is specifically designed to amuse and entertain you, other computer applications have more scientific and informational uses. Researchers can enter available data into computers in order to build complete, moving models of subjects that can only be imagined—not observed. For example, computers have enabled scientists to design a wide range of new products, simulate various aspects of prehistoric life, and hypothesize about the features of distant planets and galaxies. The beauty of such applications is that designers—whether they are interested in the past, present, or future—can build, experiment with, and improve upon models with the speed, accuracy, and safety of a computer and its display devices.

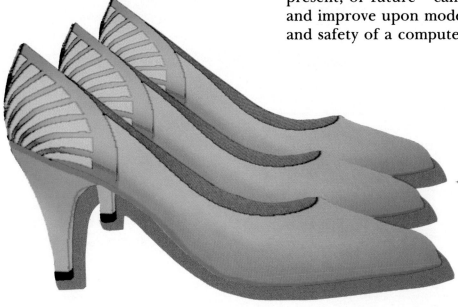

◀ The design of many new products is aided by computers. In this way designers can observe a new product, such as this shoe, and test various features of the product before it is manufactured.

CHAPTERS

1 Electric Charges
   and Currents
2 Magnetism

3 Electromagnetism
4 Electronics and
   Computers

Much of the technology that makes computer applications possible is more familiar than you might think. In this textbook you will discover that the phenomona of electricity and magnetism reach far beyond household appliances and industrial devices. They reach into the heart of present and future technology.

It would be quite costly for automobile manufacturers to constantly build test models of new cars. Instead, computers enable designers to create models on a screen. This computer model is being tested for aerodynamic efficiency. ▶

Discovery *Activity*

Flying Through Air With the Greatest of Ease

1. Inflate a balloon and tie the end.

2. Bring the balloon within centimeters of a plate filled with a mixture of salt and pepper. Observe for 3 to 5 minutes.

3. Take the balloon away from the plate. Rub the balloon with a piece of wool. Repeat step 2.

    ■ How is the behavior of the salt and pepper different before and after you rub the balloon with wool?

4. Arrange small piles of each of the following materials: paper clips, rubber bands, pieces of paper, assorted metal and plastic buttons. Make sure that each of the piles is separated from the others.

5. Hold a magnet above the first pile without touching it. Observe what happens. Repeat this procedure over each of the remaining piles.

    ■ What happens to each of the materials when you place the magnet above it? What can you conclude about how different materials are affected by a magnet?

ELECTRICIDAD Y MAGNETISMO

Como si fueran de carne y hueso, estos dinosaurios controlados por computadoras aparentan comer frutas.

Enormes dinosaurios rugen sobre tu cabeza. Cuando pasan por tu lado algunos hacen que el suelo tiemble. ¿Has retrocedido en el tiempo? No. Estás en Epcot Center de Walt Disney World donde las computadoras diseñan y controlan criaturas como éstas.

Esta aplicación específica está diseñada para divertirte; otras aplicaciones de computadoras tienen usos científicos e informativos. Los investigadores pueden entrar datos en las computadoras para construir modelos móviles de sujetos imaginarios que no se pueden observar. Por ejemplo, las computadoras permiten a los científicos diseñar una amplia gama de productos nuevos, imitar aspectos de la vida prehistórica y formular hipótesis sobre las características de planetas y galaxias distantes. La belleza de estas aplicaciones es que permiten a los diseñadores—interesados en el pasado, el presente o el futuro— construir, experimentar y mejorar sus modelos con la rapidez, precisión y seguridad que brindan las computadoras y sus pantallas.

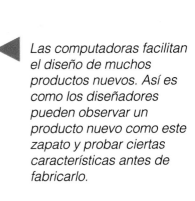

Las computadoras facilitan el diseño de muchos productos nuevos. Así es como los diseñadores pueden observar un producto nuevo como este zapato y probar ciertas características antes de fabricarlo.

Gran parte de la tecnología que posibilita las aplicaciones de las computadoras es más familiar de lo que se cree. En este libro vas a descubrir que la electricidad y el magnetismo son fenómenos que van más allá de los electrodomésticos y los aparatos industriales. Llegan al corazón de la tecnología actual y futura.

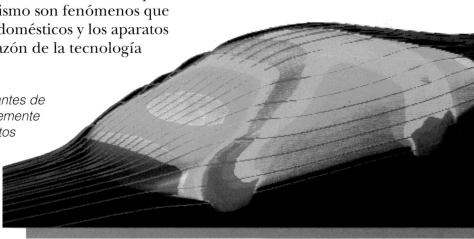

Sería muy caro para los fabricantes de automóviles construir constantemente modelos experimentales de autos nuevos. Las computadoras permiten crear modelos sobre una pantalla. Aquí se mide la eficiencia aerodinámica de este modelo creado por una computadora.

Para averiguar *Actividad*

Volar por el aire sin esfuerzo

1. Infla un globo y anuda su extremo.

2. Acércalo a pocos centímetros de un plato con una mezcla de sal y pimienta. Obsérvalo de 3 a 5 minutos.

3. Aleja el globo del plato. Frota el globo con un trozo de lana. Repite el paso 2.

   ■ ¿En qué se diferencia la conducta de la mezcla de sal y pimienta antes y después de frotar el globo con la lana?

4. Forma montones con cada uno de los siguientes materiales: sujetapapeles, gomas, pedazos de papel, varios trozos de metal y botones plásticos. Asegúrate que los montones estén separados.

5. Sin tocar el primer montón sujeta un imán sobre él. Observa qué pasa. Repite el procedimiento con cada uno de los montones restantes.

   ■ ¿Qué pasa con cada uno de los materiales cuando pones el imán sobre ellos? ¿Qué conclusión puedes sacar del efecto del imán sobre distintos materiales?

Electric Charges and Currents

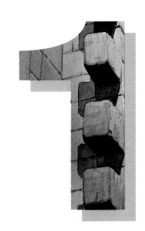

Guide for Reading

After you read the following sections, you will be able to

1–1 Electric Charge
- Relate electric charge to atomic structure.
- Describe the forces that exist between charged particles.

1–2 Static Electricity
- Describe the effects of static electricity.

1–3 The Flow of Electricity
- Describe the nature of current electricity.

1–4 Electric Circuits
- Identify the parts of an electric circuit.
- Compare a series and a parallel circuit.

1–5 Electric Power
- Explain how electric power is calculated and purchased.

Creepy characters . . . dark nights . . . thunder and lightning crashing in the background . . . castles with trap doors and secret laboratories. Do these descriptions sound familiar to you? Perhaps you have seen them in monster movies such as *Frankenstein* and *The Bride of Frankenstein*. These exciting movies often express people's hidden hopes and fears about a world in which scientific knowledge can be used for either good or evil. Usually, electricity is used at some point in the movie to mysteriously create life or to destroy it.

For hundreds of years, many people were frightened by electricity and believed it to have mysterious powers. Today a great deal is known about electricity. And although it is not mysterious, electricity plays a powerful role in your world. Electricity is involved in all interactions of everyday matter—from the motion of a car to the movement of a muscle to the growth of a tree. Electricity makes life easier and more comfortable. In this chapter you will discover what electricity is, how it is produced and used, and why it is so important.

Journal *Activity*

You and Your World Did you switch on a light, shut off an alarm clock, listen to the radio, or turn on a hair dryer today? In your journal, describe the importance of electricity in your daily life. Include any questions you may have about electricity.

◄ *Dr. Frankenstein at work in his laboratory.*

Cargas y corrientes eléctricas

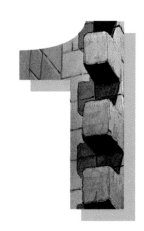

Guía para la lectura

Después de leer las secciones siguientes, vas a poder

1–1 Carga eléctrica

- Relacionar la carga eléctrica con la estructura atómica.
- Describir las fuerzas que hay entre partículas cargadas.

1–2 Electricidad estática

- Describir los efectos de la electricidad estática.

1–3 El flujo eléctrico

- Describir la naturaleza de la corriente eléctrica.

1–4 Circuitos eléctricos

- Identificar las partes de un circuito eléctrico.
- Comparar los circuitos en serie y en paralelo.

1–5 Potencia eléctrica

- Explicar cómo se calcula y se adquiere la potencia eléctrica.

Personajes espeluznantes . . . noches oscuras . . . rayos y truenos estallan en el trasfondo . . . castillos con trampas y laboratorios secretos. ¿Te resultan familiares estas descripciones? Quizás las hayas visto en películas como *Frankenstein* o *La Novia de Frankenstein*. A menudo estas películas expresan las esperanzas secretas y los temores de la gente respecto a un mundo donde el conocimiento científico puede usarse para bien o para mal. Por lo general, en algún punto de la película se usa la electricidad para crear misteriosamente una vida o para destruirla.

Por cientos de años, mucha gente le temía a la electricidad y creía que tenía poderes misteriosos. Hoy se conoce mucho sobre la electricidad y aunque no es misteriosa, juega un papel muy importante en tu mundo. La electricidad es parte de las interacciones de cualquier tipo de materia usada en la vida diaria—desde un carro en marcha hasta el movimiento de un músculo y el crecimiento de un árbol. La electricidad simplifica y hace la vida más cómoda. En este capítulo vas a descubrir qué es la electricidad, cómo se produce y se usa y por qué es tan importante.

Diario *Actividad*

Tú y tu mundo ¿Encendiste una luz, apagaste un despertador, escuchaste el radio o usaste el secador de pelo hoy? En tu diario, describe la importancia de la electricidad en tu vida. Incluye cualquier pregunta que tengas sobre la electricidad.

El doctor Frankenstein, trabajando en su laboratorio.

1–1 Electric Charge

Have you ever rubbed a balloon on your clothing to make it stick to you or to a wall? Or have you ever pulled your favorite shirt out of the clothes dryer only to find socks sticking to it? How can objects be made to stick to one another without glue or tape? Believe it or not, the answer has to do with electricity. And the origin of electricity is in the particles that make up matter.

Atoms and Electricity

All matter is made of **atoms.** An atom is the smallest particle of an element that has all the properties of that element. An element contains only one kind of atom. For example, the element lead is made of only lead atoms. The element gold is made of only gold atoms.

Atoms themselves are made of even smaller particles. Three of the most important particles are **protons, neutrons,** and **electrons.** Protons and neutrons are found in the nucleus, or center, of an atom. Electrons are found in an area outside the nucleus often described as an electron cloud. **Both protons and electrons have a basic property called charge.** Unlike many other physical properties of matter, **charge** is not something you can see, weigh, or define. However, you can observe the effects of charge—more specifically, how charge affects the behavior of particles.

The magnitude, or size, of the charge on the proton is the same as the magnitude of the charge on the electron. The kind of charge, however, is not the same for both particles. Protons have a positive charge, which is indicated by a plus symbol (+). Electrons have a negative charge, which is indicated by a minus symbol (−). Neutrons are neutral, which means that they have no electric charge. The terms positive and negative, which have no real physical

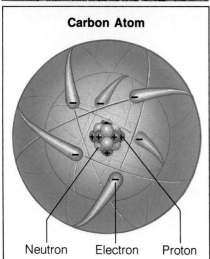

Carbon Atom

Neutron   Electron   Proton

Figure 1–1 *The diagram of the carbon atom shows the arrangement of subatomic particles known as protons, neutrons, and electrons. Carbon is found in all living organisms, including this hungry hippo.*

1–1 Carga eléctrica

¿Has frotado alguna vez un globo contra tu ropa para pegarlo a tu cuerpo o a la pared? ¿Has visto alguna vez unos calcetines pegados a tu camisa favorita al sacarla de la secadora? ¿Cómo se pueden pegar los objetos sin usar goma de pegar o cinta adhesiva? Aunque no lo creas, la respuesta está en la electricidad cuyo origen se encuentra en las partículas que componen la materia.

Los átomos y la electricidad

Toda la materia está hecha de **átomos**. Un átomo es la partícula más pequeña de un elemento que tiene todas las propiedades de ese elemento. Un elemento contiene un sólo tipo de átomo. Por ejemplo, el elemento plomo está formado sólo por átomos de plomo. El elemento oro se compone sólo de átomos de oro.

Los átomos están hechos de partículas aún más pequeñas. Tres de las partículas más importantes son los **protones**, los **neutrones** y los **electrones**. Los protones y los neutrones están en el núcleo, es decir, en el centro de un átomo. Los electrones se encuentran fuera del núcleo en un área que se llama la nube del electrón. **Los protones y los electrones tienen una propiedad básica llamada carga.** A diferencia de otras propiedades físicas de la materia, la **carga** no se puede ver, pesar ni definir. Sin embargo, se pueden observar sus efectos—específicamente cómo la carga afecta la conducta de las partículas.

La magnitud, o tamaño, de la carga de un protón es igual a la de un electrón. El tipo de carga, en cambio, es diferente. Los protones tienen una carga positiva indicada por un símbolo (+). Los electrones tienen una carga negativa indicada por un símbolo (–). Los neutrones son neutros, es decir, no tienen carga eléctrica. Los términos positivo y negativo no tienen un

Átomo de carbono

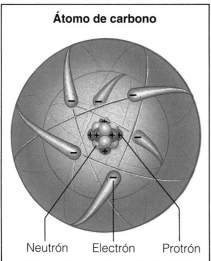

Neutrón   Electrón   Protrón

Figura 1–1 *El diagrama del átomo de carbono muestra cómo se ordenan sus protones, neutrones y electrones. El carbono se encuentra en todos los organismos vivos, incluso en este hambriento hipopótamo.*

significance, were originally decided upon by Benjamin Franklin when he first discovered charge. They have been used ever since.

Charge and Force

The difference between the two charges has to do with how they behave and the **forces** they exert. A force is a pull or push on an object. You are already familiar with various types of forces. Your foot exerts a force (a push) on a ball when you kick it. An ocean wave exerts a force (a push) on you when it knocks you over. The Earth exerts a force (a pull) on the moon to keep it in its orbit. Charged particles exert similar pushes and pulls.

When charged particles come near one another, they give rise to two different forces. A force that pulls objects together is a force of attraction. **A force of attraction exists between oppositely charged particles.** So negatively charged electrons are attracted to positively charged protons. This force of attraction holds the electrons in the electron cloud surrounding the nucleus.

A force that pushes objects apart is a force of repulsion. **A force of repulsion exists between particles of the same charge.** Negatively charged electrons repel one another, just as positively charged protons do. Electric charges behave according to this simple rule: *Like charges repel each other; unlike charges attract each other.*

ACTIVITY
DOING

Electric Forces

1. Take a hard rubber (not plastic) comb and rub it with a woolen cloth.

2. Bring the comb near a small piece of cork that is hanging from a support by a thread.

3. Allow the comb to touch the cork, and then take the comb away. Bring the comb toward the cork again.

4. Repeat steps 1 to 3 using a glass rod rubbed with silk. Then bring the rubber comb rubbed with wool near the cork.

Record and explain your observations.

Figure 1–2 *When charged particles come near each other, a force is produced. The force can be either a force of attraction or a force of repulsion. What is the rule of electric charges?*

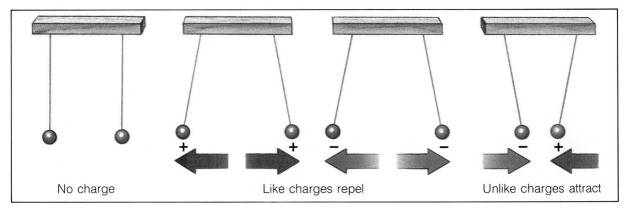

No charge   Like charges repel   Unlike charges attract

verdadero significado físico. Fueron usados originalmente por Benjamín Franklin cuando descubrió la carga y se usan desde entonces.

La carga y la fuerza

La diferencia entre dos cargas se debe a cómo se comportan y las **fuerzas** que ejercen. Una fuerza es lo que empuja o tira de un objeto. Tú ya conoces varios tipos de fuerzas. Cuando pateas una pelota ejerces una fuerza (empuje). Una ola del mar ejerce una fuerza (empuje) sobre ti y te hace caer. La Tierra ejerce una fuerza (tira de) sobre la Luna para mantenerla en su órbita. Las partículas cargadas ejercen fuerzas similares.

Al acercarse partículas cargadas, se generan dos tipos de fuerzas. La fuerza que junta dos objetos es una fuerza de atracción. **Existe una fuerza de atracción entre partículas con cargas opuestas.** Así, los electrones de cargas negativas son atraídos por los protones de cargas positivas. Esta fuerza de atracción sujeta los electrones en la nube de electrón que rodea el núcleo.

La fuerza que separa los objetos es una fuerza de repulsión. **Existe una fuerza de repulsión entre partículas con cargas iguales.** Los electrones de cargas negativas se repelen entre sí tal como ocurre con los protones de cargas positivas. Las cargas eléctricas actúan de acuerdo a esta simple regla: *Cargas iguales se repelen; cargas opuestas se atraen.*

Figura 1–2 *Al acercarse partículas cargadas se produce una fuerza. La fuerza puede ser de atracción o de repulsión. ¿Cuál es la regla que rige las cargas eléctricas?*

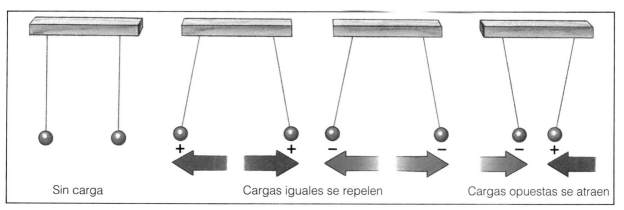

Sin carga   Cargas iguales se repelen   Cargas opuestas se atraen

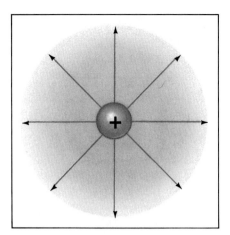

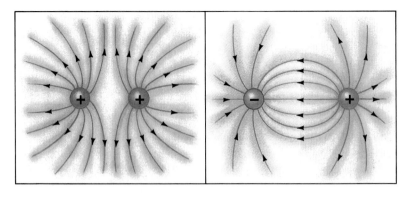

Figure 1-3 *Lines of force show the nature of the electric field surrounding a charged particle. When two charged particles come near each other, the electric fields of both particles are altered as shown.*

Electric Field

The attraction and repulsion of charged particles occurs because charged particles have electric fields around them. An **electric field** is an area over which an electric charge exerts a force. When a charged particle moves into the electric field of another charged particle, it is either pushed or pulled depending on the relationship between the two particles.

The electric field is the strongest near the charged particle. As the distance from the charged particle increases, the strength of the electric field decreases. As shown in Figure 1-3, the electric field can be visualized by drawing lines extending outward from a charged particle.

1-1 Section Review

1. Describe the charged particles in an atom.
2. What is a force? Give some examples.
3. What is the rule of electric charges?
4. What is an electric field?

Critical Thinking—*Drawing Diagrams*
5. A positively charged particle is placed 1 centimeter from positively charged particle X. Describe the forces experienced by each particle. Compare these forces with the forces that would exist if a negatively charged particle were placed 10 centimeters from particle X. Draw the electric field surrounding each particle.

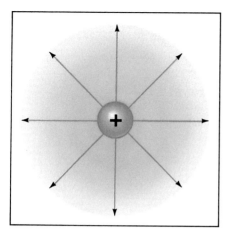

Figura 1–3 *Las líneas de fuerza revelan la índole del campo eléctrico que rodea una partícula cargada. Al acercarse dos partículas cargadas, sus campos eléctricos reaccionan tal como se muestra.*

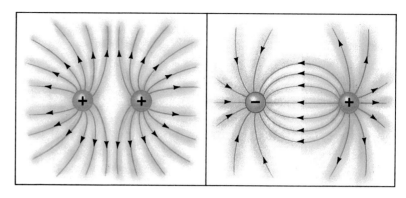

El campo eléctrico

La atracción y la repulsión de las partículas cargadas se debe a los campos eléctricos que las rodean. Un **campo eléctrico** es un área sobre la cual una carga eléctrica ejerce una fuerza. Cuando una partícula cargada penetra el campo eléctrico de otra, es atraída o repelida según la relación que hay entre las dos.

El campo eléctrico es más fuerte cuanto más cerca se encuentre de la partícula cargada. Cuando la distancia a ésta se va aumentando, disminuye la fuerza del campo eléctrico. Tal como se ve en la figura 1–3, el campo eléctrico se puede visualizar dibujando líneas que se extienden desde una partícula cargada hacia afuera.

1–1 Repaso de la sección

1. Describe las partículas cargadas en un átomo.
2. ¿Qué es una fuerza? Piensa en algunos ejemplos.
3. ¿Cuál es la regla de las cargas eléctricas?
4. ¿Qué es un campo eléctrico?

Pensamiento crítico—*Dibujar diagramas*
5. Una partícula de carga positiva se coloca a 1 centímetro de la partícula X de carga positiva. Describe las fuerzas que experimentan cada una. Compara estas fuerzas con las que existirían si una partícula de carga negativa fuera colocada a 10 cm de la partícula X. Dibuja el campo eléctrico que rodea a cada partícula.

1–2 Static Electricity

From your experience, you know that when you sit on a chair, pick up a pen, or put on your jacket, you are neither attracted nor repelled by these objects. Although the protons and electrons in the atoms of these objects have electric charges, the objects themselves are neutral. Why?

An atom has an equal number of protons and electrons. So the total positive charge is equal to the total negative charge. The charges cancel out. So even though an atom contains charged particles, it is electrically neutral. It has no overall charge.

How then do objects such as balloons and clothing develop an electric charge if these objects are made of neutral atoms? The answer lies in the fact that electrons, unlike protons, are free to move. In certain materials, some of the electrons are only loosely held in their atoms. Thus these electrons can easily be separated from their atoms. If an atom loses an electron, it becomes positively charged because it is left with more positive charges (protons) than negative charges (electrons). If an atom gains an electron, it becomes negatively charged. Why? An atom that gains or loses electrons is called an ion.

Figure 1–4 *Is it magic that makes these pieces of paper rise up to the comb? No, just static electricity. Have you ever experienced static electricity?*

Guide for Reading

Focus on these questions as you read.

▶ *How do neutral objects acquire charge?*

▶ *What is static electricity?*

ACTIVITY

DISCOVERING

Balloon Electricity

1. Blow up three or four medium-sized balloons.

2. Rub each balloon vigorously on a piece of cloth. Wool works especially well.

3. "Stick" each balloon on the wall. Record the day, time, and weather conditions.

4. Every few hours, check the position of the balloons.

5. Repeat your experiment on a day when the weather conditions are different—for example, on a dry day versus on a humid or rainy day.

How long did the balloons stay attached to the wall? Why did they eventually fall off the wall?

■ Does weather have any effect? Explain.

1–2 Electricidad estática

Tu experiencia te ha demostrado que cuando te sientas en una silla, levantas un lapicero o te pones tu chaqueta, no eres atraído ni repelido por estos objetos. A pesar de que los protones y los electrones de sus átomos tienen cargas eléctricas, los objetos en sí son neutros. ¿Por qué?

Un átomo tiene igual número de protones y electrones, de manera que el total de carga positiva es igual al total de carga negativa. Sus cargas se anulan. Por lo tanto, aunque un átomo contiene partículas cargadas, es eléctricamente neutro. No tiene carga sobrante.

¿Cómo entonces, objetos como un globo y la ropa, tienen cargas eléctricas si están hechos de átomos neutros? Es así porque los electrones, a diferencia de los protones, se pueden mover libremente. En ciertos materiales algunos de los electrones apenas están fijos a sus átomos y pueden separarse fácilmente de éstos. Si un átomo pierde un electrón, se carga positivamente porque se queda con más cargas positivas (protones) que negativas (electrones). Si un átomo gana un electrón, se carga negativamente. ¿Por qué? Un átomo que gana o pierde electrones se llama ion.

Figura 1–4 *¿Es magia la que hace que estos papeles suban hasta el peine? No, es electricidad estática. ¿Has sentido alguna vez la electricidad estática?*

Guía para la lectura

Piensa en estas preguntas mientras lees.

▶ *¿Cómo adquieren carga los objetos neutros?*

▶ *¿Qué es la electricidad estática?*

Actividad

PARA AVERIGUAR

La electricidad de un globo

1. Infla 3 ó 4 globos medianos.

2. Frótalos vigorosamente con un paño. La lana es muy apropiada.

3. "Pega" cada globo a la pared. Anota el día, la hora y las condiciones del tiempo.

4. Cada pocas horas controla la posición de los globos.

5. Repite el experimento un día cuando el tiempo esté diferente—por ejemplo, en un día seco en vez de uno lluvioso o húmedo.

¿Cuánto tiempo se quedaron los globos pegados a la pared? ¿Por qué se cayeron eventualmente?

■ ¿Tiene el clima algún efecto? Explica.

Spark, Crackle, Move

1. Comb your hair several times in the same direction. Then bring the comb near your hair, but do not touch it.

2. Repeat step 1 but now bring the comb near a weak stream of water from a faucet.

3. In a darkened room, walk across a wool carpet and then touch a doorknob with a metal pen or rod.

Provide an explanation for each observation.

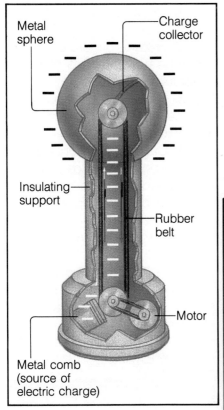

Metal sphere

Charge collector

Insulating support

Rubber belt

Motor

Metal comb (source of electric charge)

Just as an atom can become a negatively or positively charged ion, so can an entire object acquire a charge. **A neutral object acquires an electric charge when it either gains or loses electrons.** Remember, only electrons move. Also remember that charge is neither being created nor destroyed. Charge is only being transferred from one object to another. This is known as the Law of Conservation of Charge.

Methods of Charging

When you rub a balloon against a piece of cloth, the cloth loses some electrons and the balloon gains these electrons. The balloon is no longer a neutral object. It is a negatively charged object because it has more electrons than protons. As the negatively charged balloon approaches a wall, it repels the electrons in the wall. The electrons in the area of the wall nearest the balloon move away, leaving that area of the wall positively charged. See Figure 1–6. Using the rule of charges, can you explain why the balloon now sticks to the wall?

Rubbing two objects together is one method by which an object can become charged. This method is known as the **friction** method. In the previous example, the balloon acquired a charge by the friction method. That is, it was rubbed against cloth.

Figure 1–5 *A Van de Graaff generator produces static electricity by friction. Electrons ride up a rubber belt to the top of the generator, where they are picked off and transferred to the metal sphere. The charge that has built up on the generator at the Ontario Science Center is large enough to make this girl's hair stand on end.*

Centelleo, chisporroteo, movimiento

1. Peina tu pelo varias veces en la misma dirección. Luego, acerca el peine a tu pelo pero no lo toques.

2. Repite el paso 1 pero ahora acerca el peine a un grifo de agua apenas abierto.

3. En un cuarto oscuro camina sobre una alfombra de lana y luego toca la manija de una puerta con una barra de metal o lapicero.

Da una explicación para cada observación.

Tal como un átomo puede convertirse en un ion de carga negativa o positiva, también un objeto puede adquirir una carga. **Un objeto neutro adquiere una carga eléctrica cuando gana o pierde electrones.** Recuerda, sólo los electrones se mueven y la carga no se crea ni se destruye. Sólo se transfiere de un objeto a otro. Esto se conoce como la Ley de la conservación de cargas.

Métodos de carga

Cuando frotas un globo con un paño, la tela pierde algunos electrones y el globo los gana. El globo deja de ser un objeto neutro. Es un objeto con carga negativa porque tiene más electrones que protones. El globo repele los electrones de la pared al acercarse a ella. Los electrones en el área de la pared más cercana al globo se alejan, dejando ese área con una carga positiva. Mira la figura 1–6. Por medio de la regla de cargas, ¿puedes explicar por qué se pega ahora el globo a la pared?

Frotar dos objetos es un método para cargar uno de ellos. Este método se conoce como **fricción**. En el ejemplo anterior el globo adquirió una carga mediante el método de fricción. Es decir, se frotó con un paño.

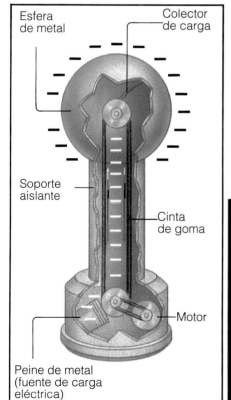

Esfera de metal

Colector de carga

Soporte aislante

Cinta de goma

Motor

Peine de metal (fuente de carga eléctrica)

Figura 1–5 *Un generador Van de Graaff produce electricidad estática por fricción. Los electrones suben por una cinta de goma y son transferidos a una esfera de metal. La carga creada por el generador en el Ontario Science Center basta para erizarle los pelos a esta muchacha.*

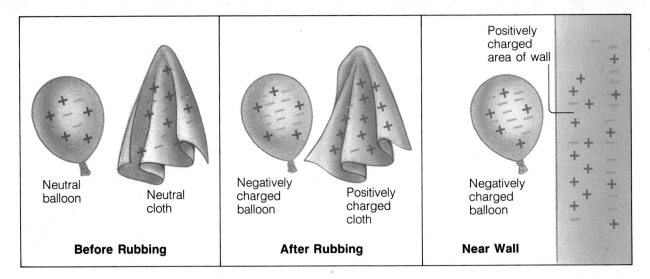

| Before Rubbing | After Rubbing | Near Wall |

Neutral balloon — Neutral cloth

Negatively charged balloon — Positively charged cloth

Positively charged area of wall — Negatively charged balloon

Another method of charging is **conduction.** In conduction, which involves the direct contact of objects, electrons flow through one object to another object. Certain materials permit electric charges to flow freely. Such materials are called **conductors.** Most metals are good conductors of electricity. This is because some electrons in the atoms are free to move throughout the metal. Silver, copper, aluminum, and mercury are among the best conductors. The Earth is also a good conductor.

Materials that do not allow electric charges to flow freely are called **insulators.** Insulators do not conduct electric charges well because the electrons in the atoms of insulators are tightly bound and cannot move throughout the material. Good insulators include rubber, glass, wood, plastic, and air. The rubber tubing around an electric wire and the plastic handle on an electric power tool are examples of insulators.

Figure 1–6 *Rubbing separates charges, giving the cloth a positive charge and the balloon a negative charge. When the negatively charged balloon is brought near the wall, it repels electrons in the wall. The nearby portion of the wall becomes positively charged. What happens next?*

Give It a Spin, p.122

Figure 1–7 *A metal rod can be charged negatively (left) or positively (right) by conduction.*

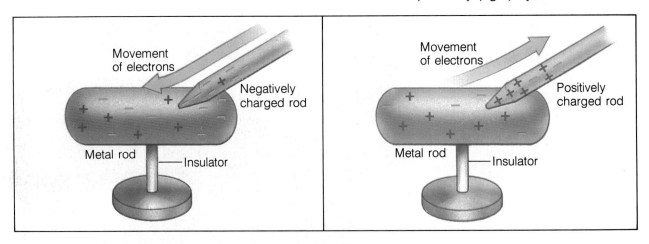

Movement of electrons — Negatively charged rod — Metal rod — Insulator

Movement of electrons — Positively charged rod — Metal rod — Insulator

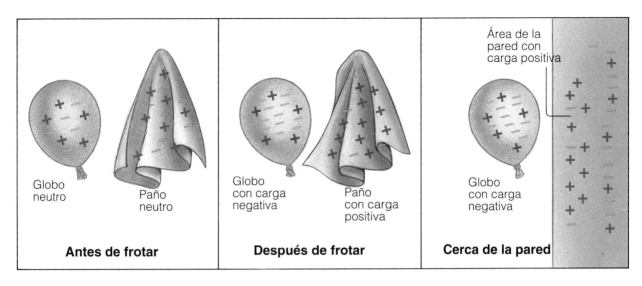

| Antes de frotar | Después de frotar | Cerca de la pared |

Globo neutro | Paño neutro

Globo con carga negativa | Paño con carga positiva

Área de la pared con carga positiva

Globo con carga negativa

Otro método de carga es la **conducción**. En la conducción hay contacto directo entre los objetos y los electrones fluyen entre ellos. Ciertos materiales permiten el flujo libre de las cargas eléctricas. Tales materiales se llaman **conductores**. La mayoría de los metales son buenos conductores de electricidad porque ciertos electrones se pueden mover libremente en sus átomos. Entre los mejores conductores están la plata, el cobre, el aluminio y el mercurio. La Tierra también es un buen conductor.

Los materiales que no permiten el flujo de las cargas eléctricas se llaman **aislantes**. Los aislantes no conducen bien las cargas eléctricas porque los electrones están estrechamente unidos en sus átomos y no pueden moverse a través del material. Los buenos aislantes son la goma, el vidrio, la madera, el plástico y el aire. El tubito de goma que rodea un alambre eléctrico y el mango plástico de una herramienta eléctrica son ejemplos de aislantes.

Figura 1–6 *Al frotar se separan las cargas, dándole al paño una carga positiva y al globo una negativa. Al acercar el globo a la pared, éste repele los electrones que hay en ella. Esa parte de la pared se carga positivamente. ¿Qué sucede después?*

Pozo de actividades

Dale una vuelta, p. 122

Figura 1–7 *Una varilla de metal es cargada negativamente (izquierda) o positivamente (derecha) por conducción.*

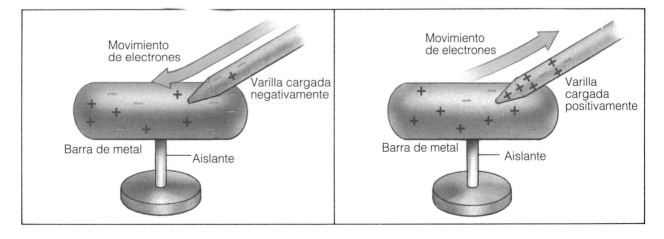

Movimiento de electrones

Varilla cargada negativamente

Barra de metal

Aislante

Movimiento de electrones

Varilla cargada positivamente

Barra de metal

Aislante

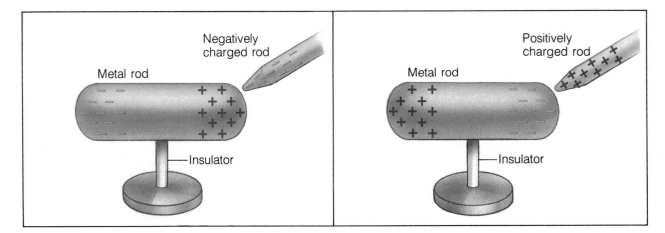

Figure 1-8 *A charged rod brought near a conductor induces an electric charge in the conductor. How is this different from conduction?*

ctivity Bank

Snake Charming, p.123

Figure 1-9 *The discharge of static electricity from one metal object to another can be seen as a spark.*

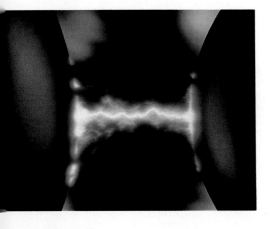

The third method of charging is by **induction.** Induction involves a rearrangement of electric charges. For induction to occur, a neutral object need only come close to a charged object. No contact is necessary. For example, a negatively charged rubber rod can pick up tiny pieces of paper by induction. The electric charges in the paper are rearranged by the approach of the negatively charged rubber rod. The electrons in the area of the paper nearest to the negatively charged rod are repelled, leaving the positive charges near the rod. Because the positive charges are closer to the negative rod, the paper is attracted. Does this description sound familiar? What method of charging made the wall positive in the area nearest the balloon?

The transfer of electrons from one object to another without further movement is called **static electricity.** The word static means not moving, or stationary. **Static electricity is the buildup of electric charges on an object.** The electric charges build up because electrons have moved from one object to another. However, once built up, the charges do not flow. They remain at rest.

Electric Discharge—Lightning

Electrons that move from one object to another and cause the buildup of charges at rest, or static electricity, eventually leave the object. Sometimes they move onto another object. Usually, these extra electrons escape onto water molecules in the air. (This is why static electricity is much more noticeable on dry days. On dry days the air contains fewer water molecules. Objects are more easily charged

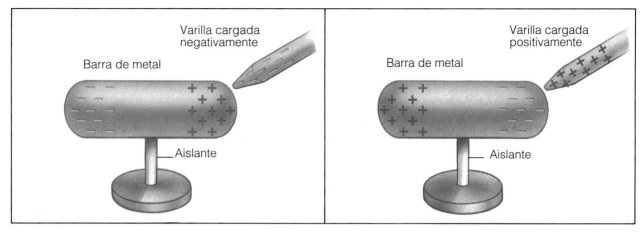

Figura 1–8 *Al acercar una varilla cargada a un conductor se induce una carga eléctrica en el conductor. ¿En qué se diferencia esto de la conducción?*

El tercer método de carga es por **inducción.** La induccción consiste en el reordenamiento de las cargas eléctricas. Para que ocurra la inducción sólo se necesita que un objeto neutro se acerque a un objeto cargado. No es necesario que haya contacto. Por ejemplo, una varilla de goma con carga negativa recoge trocitos de papel por medio de la inducción. Las cargas eléctricas del papel se reordenan al acercarse la varilla. Los electrones del papel más cercanos a ella son repelidos dejando las cargas positivas cerca de la varilla. Debido a que estas cargas están más cerca de la varilla negativa, el papel es atraído. ¿Te es familiar esta descripción? ¿Cuál método le dio una carga positiva al área más cercana al globo?

La transferencia de electrones de un objeto a otro sin otro movimiento se llama **electricidad estática.** La palabra estática significa que no se mueve o que está estacionaria. **La electricidad estática es una acumulación de cargas eléctricas en un objeto.** Éstas se acumulan porque los electrones se mueven de un objeto a otro. Pero una vez que se acumulan, las cargas no fluyen. Se quedan quietas.

Pozo de actividades

Encantamiento de serpientes, p. 123

Figura 1–9 *La descarga de la electricidad estática de un objeto de metal a otro parece un centelleo.*

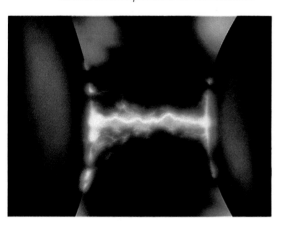

La descarga eléctrica—los rayos

Los electrones que se mueven de un objeto a otro y causan la acumulación de cargas o electricidad estática eventualmente dejan el objeto. A veces se mueven a otro objeto pero generalmente estos electrones extras se van a las moléculas de agua del aire. (Por esto la estática se nota mucho más durante los días secos cuando el aire tiene menos moléculas

because charges cannot escape into the air.) When the charged object loses its static electricity, it becomes neutral once again. The balloon eventually falls off the wall because it loses its charge and there is no longer a force of attraction between it and the wall.

The loss of static electricity as electric charges move off an object is called **electric discharge.** Sometimes electric discharge is slow and quiet. Sometimes it is very rapid and accompanied by a shock, a spark of light, or a crackle of noise.

One of the most dramatic examples of the discharge of static electricity is lightning. During a storm, particles contained in clouds are moved about by the wind. Charges may become separated, and there are buildups of positive and negative charges

Figure 1–10 *Lightning is a spectacular discharge of static electricity between two areas of different charge. Lightning can occur between a portion of a cloud and the ground, between different clouds, or between different parts of the same cloud. Benjamin Franklin's famous experiments provided evidence that lightning is a form of static electricity.*

de agua. Los objetos se cargan fácilmente porque las cargas no pueden escaparse al aire.) Cuando el objeto cargado pierde su electricidad estática, se vuelve neutro otra vez. El globo eventualmente se cae de la pared porque pierde su carga y no hay fuerza de atracción entre éste y la pared.

La pérdida de electricidad estática cuando las cargas eléctricas se van de un objeto se llama **descarga eléctrica**. A veces la descarga eléctrica es lenta y quieta. A veces es muy rápida y produce un golpe, un centelleo o un chisporroteo ruidoso.

Uno de los ejemplos más dramáticos de descarga de electricidad estática es el rayo. Durante una tormenta, el viento mueve las partículas de las nubes. Las cargas se separan y se acumulan cargas positivas y negativas en diferentes partes de la nube. Si una parte de la nube

Figura 1–10 *El rayo es una descarga espectacular de electricidad estática entre dos áreas con cargas diferentes. Puede ocurrir entre una parte de la nube y el suelo, entre nubes diferentes o entre partes de la misma nube. Los experimentos de Benjamín Franklin constataron que el rayo es una forma de electricidad estática.*

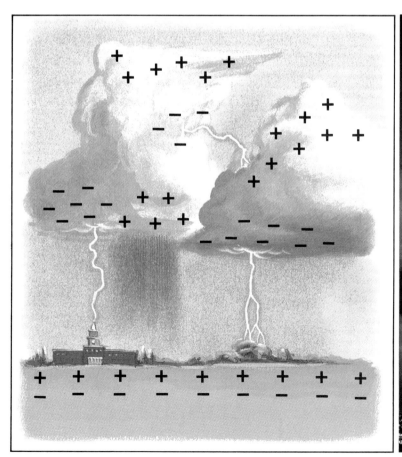

in different parts of the cloud. If a negatively charged edge of a cloud passes near the surface of the Earth, objects on the Earth become electrically charged by induction. Negative charges move away from the cloud, and positive charges are left closest to the cloud. Soon electrons jump from the cloud to the Earth. The result of this transfer of electrons is a giant spark called lightning.

Lightning can also occur as electrons jump from cloud to cloud. As electrons jump through the air, they produce intense light and heat. The light is the bolt of lightning you see. The heat causes the air to expand suddenly. The rapid expansion of the air is the thunder you hear.

One of the first people to understand lightning as a form of electricity was Benjamin Franklin. In the mid-1700s, Franklin performed experiments that provided evidence that lightning is a form of static electricity, that electricity moves quickly through certain materials, and that a pointed surface attracts electricity more than a flat surface. Franklin suggested that pointed metal rods be placed above the roofs of buildings as protection from lightning. These rods were the first lightning rods.

Lightning rods work according to a principle called grounding. The term grounding comes from the fact that the Earth (the ground) is extremely large and is a good conductor of electric charge.

Figure 1–11 *Lightning rods, such as this one on the Canadian National Tower, provide a safe path for lightning directly into the ground. Scientists studying lightning build up large amounts of electric charge in order to create their own lightning.*

con carga negativa pasa cerca de la superficie de la Tierra, los objetos en ella se cargan eléctricamente por inducción. Las cargas negativas de la Tierra se alejan de la nube y las positivas quedan cerca. Pronto los electrones de la nube saltan hacia la Tierra. El resultado de esta tranferencia de electrones es una chispa gigante llamada rayo.

Los rayos también ocurren cuando los electrones saltan de una nube a otra. Cuando saltan en el aire producen luz y calor intenso. La luz es el destello del rayo que ves. El calor causa que el aire se expanda repentinamente. Esta expansión del aire es el trueno que oyes.

Uno de los primeros en comprender que el rayo es una forma de electricidad fue Benjamín Franklin. A mediados del siglo XVIII, sus experimentos probaron que el rayo es una forma de electricidad estática, que la electricidad se mueve rápidamente a través de ciertos materiales y que una superficie en punta atrae electricidad más que una plana. Franklin sugirió poner varas de metal punteagudas sobre los tejados de los edificios para protegerlos de los rayos. Estas varas fueron los primeros pararrayos.

Los pararrayos funcionan de acuerdo con un principio llamado conexión a tierra. Este término proviene del hecho que la Tierra es grande y buena conductora de carga eléctrica. La Tierra recibe y transmite cargas

Figura 1–11 *Pararrayos, como éste sobre el Canadian National Tower, brindan el paso seguro de los rayos hacia el suelo. Los científicos que estudian los rayos acumulan grandes cantidades de carga eléctrica para crear sus propios rayos.*

The Earth can easily accept or give up electric charges. Objects in electric contact with the Earth are said to be grounded. A discharge of static electricity usually takes the easiest path from one object to another. So lightning rods are attached to the tops of buildings, and a wire connects the lightning rod to the ground. When lightning strikes the rod, which is taller than the building, it travels through the rod and the wire harmlessly into the Earth. Why is it dangerous to carry an umbrella during a lightning storm?

Unfortunately, other tall objects, such as trees, can also act as grounders. That is why it is not a good idea to stand near or under a tree during a lightning storm. Why do you think it is dangerous to be on a golf course during a lightning storm?

The Electroscope

An electric charge can be detected by an instrument called an **electroscope.** A typical electroscope consists of a metal rod with a knob at the top and a pair of thin metal leaves at the bottom. The rod is inserted into a one-hole rubber stopper that fits into a flask. The flask contains the lower part of the rod and the metal leaves. See Figure 1–12.

In an uncharged electroscope, the leaves hang straight down. When a negatively charged object

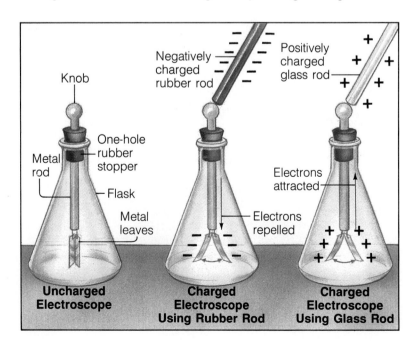

Figure 1–12 *An electroscope is used to detect electric charges. Why do the leaves in the electroscope move apart when either a negatively charged rubber rod or a positively charged glass rod makes contact?*

eléctricas fácilmente. Se dice que los objetos en contacto eléctrico con la Tierra tienen conexión a tierra. Una descarga de electricidad estática generalmente sigue la ruta más fácil entre los objetos. Los pararrayos se colocan sobre los edificios y un cable los conecta a la tierra. Cuando el rayo toca el pararrayos, se desplaza por él y por el cable hasta la Tierra sin causar daño. ¿Por qué es peligroso llevar un paraguas durante una tormenta de rayos?

Desgraciadamente, otros objetos altos tales como los árboles, también hacen conexiones a tierra. Por eso no es buena idea pararse cerca o debajo de un árbol durante una tormenta de rayos. ¿Por qué es peligroso estar en una cancha de golf durante una de estas tormentas?

El electroscopio

Una carga eléctrica se detecta con un instrumento llamado **electroscopio**. Un electroscopio consiste de una barra de metal con una perilla en la parte superior y un par de láminas de metal en la parte inferior. La barra se mete a través de un tapón de goma de un frasco. El frasco contiene la parte inferior de la barra y las láminas de metal. Mira la figura 1–12.

En un electroscopio sin carga las láminas cuelgan. Cuando un objeto con carga negativa toca la perilla de

ACTIVIDAD

PARA HACER

Observar la electricidad estática

1. Coloca dos libros a 10 cm de distancia sobre una mesa.

2. Corta muñequitos o cualquier otro objeto de papel tisú y ponlos sobre la mesa, entre los libros.

3. Coloca un trozo de vidrio de 20 a 25 centímetros cuadrados sobre los libros cubriendo los muñequitos de papel.

4. Con un trozo de seda, frota vigorosamente el vidrio. Observa qué pasa.

Mediante la regla de las cargas eléctricas y tu conocimiento sobre la electricidad estática, explica lo que observaste.

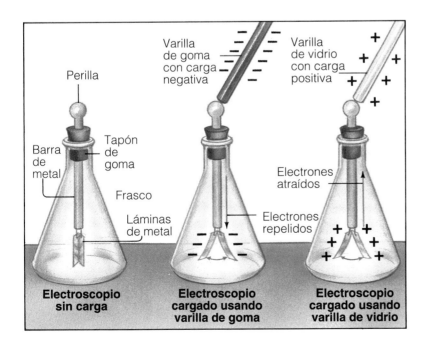

Figura 1–12 *Un electroscopio se usa para detectar cargas eléctricas. ¿Por qué se separan sus láminas cuando hace contacto con una varilla de goma con carga negativa o una de vidrio con carga positiva?*

touches the metal knob, electric charges travel down the rod and into the leaves. The leaves spread apart, indicating the presence of an electric charge. Since the charge on both leaves is the same, the leaves repel each other and spread apart.

If a positively charged object touches the knob of the electroscope, free electrons in the leaves and metal rod are attracted by the positive object. The loss of electrons causes the leaves to become positively charged. Again, they repel each other and spread apart.

1–2 Section Review

1. What are three ways an object can acquire an electric charge?
2. What is static electricity?
3. What is electric discharge? Give an example.
4. If the body of a kangaroo contains millions of charged particles, why aren't different kangaroos electrically attracted to or repelled by one another?

Critical Thinking—*Making Inferences*
5. What would happen if a lightning rod were made of an insulating material rather than of a conducting material?

Guide for Reading

Focus on these questions as you read.

▶ *How can a flow of charges be produced?*

▶ *What is the relationship among electric current, voltage, and resistance?*

1–3 The Flow of Electricity

The electricity that you use when you plug an electrical appliance into a wall outlet is certainly not static electricity. If it were, the appliance would not run for long. Useful electricity involves the continuing motion of electric charges. Electric charges can be made to continue flowing.

Producing a Flow of Electrons

A continuing flow of electric charges is produced by a device that changes other forms of energy into electrical energy. Energy is defined as the ability to do work. You use energy when

metal, las cargas eléctricas bajan por la barra hasta las láminas. Éstas se separan indicando la presencia de una carga. Debido a que las láminas tienen cargas iguales, se repelen y se separan.

Cuando un objeto con carga positiva toca la perilla del electroscopio, éste atrae los electrones libres en las láminas y en la barra. La pérdida de electrones carga positivamente las láminas y nuevamente se repelen y se separan.

1–2 Repaso de la sección

1. ¿Cuáles son tres maneras en que un objeto puede adquirir una carga eléctrica?
2. ¿Qué es la electricidad estática?
3. ¿ Qué es una descarga eléctrica? Da un ejemplo.
4. Si el cuerpo de un canguro tiene millones de partículas cargadas, ¿por qué no se atraen o repelen eléctricamente los canguros?

Pensamiento crítico—*Hacer inferencias*
5. ¿Qué pasaría si un pararrayos fuera construído con un material aislante en cambio de un material conductor?

Guía para la lectura

Piensa en estas preguntas mientras lees.

▶ *¿Cómo se puede producir un flujo de cargas?*

▶ *¿Cuál es la relación entre corriente eléctrica, voltaje y resistencia?*

1–3 El flujo eléctrico

La electricidad que usas cuando conectas un aparato eléctrico a una toma de corriente en la pared no es electricidad estática. Si lo fuera, el aparato no continuaría funcionando por mucho tiempo. La electricidad es útil cuando hay un movimiento continuo de cargas eléctricas. Es posible hacer que las cargas eléctricas sigan fluyendo.

Producir un flujo de electrones

Un flujo continuo de cargas eléctricas es producido por un aparato que convierte otras formas de energía en energía eléctrica. La energía se define como la capacidad de ejecutar trabajo. Usas energía al lanzar

you throw a ball, lift a suitcase, or pedal a bicycle. Energy is involved when a deer runs, a bomb explodes, snow falls—or when electricity flows through a wire. Although there are different types of energy, each type can be converted into any one of the others. A device that converts other forms of energy into electrical energy is known as a source of electricity. Batteries and electric generators are the main sources of electricity. But thermocouples and photocells are other important sources. Electric generators will be discussed in Chapter 3.

BATTERIES A **battery** is a device that produces electricity by converting chemical energy into electrical energy. A battery is made of several smaller units called electric cells, or electrochemical cells. Each cell consists of two different materials called electrodes as well as an electrolyte. The electrolyte is a mixture of chemicals that produces a chemical reaction. The chemical reaction releases electric charges.

Electric cells can be either dry cells or wet cells, depending on the type of electrolyte used. In a wet cell, such as a car battery, the electrolyte is a liquid. In a dry cell, such as the battery in a flashlight, the electrolyte is a pastelike mixture.

Figure 1–14 will help you to understand how a simple electrochemical cell works. In this cell, one of the electrodes is made of carbon and the other is made of zinc. The part of the electrode that sticks up is called the terminal. The electrolyte is sulfuric acid. The acid attacks the zinc and dissolves it.

Figure 1–13 *Imagine plugging a car into the nearest outlet rather than going to the gas station! Researchers have been attempting to design efficient cars that use a rechargeable battery as a source of power.*

Figure 1–14 *Electrochemical cells, which include dry cells and wet cells, convert chemical energy into electric energy. What is a series of dry cells called? What is an example of a wet cell?*

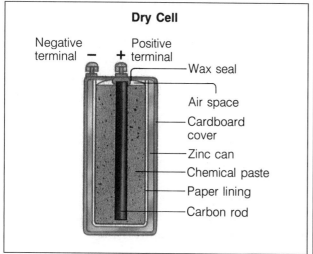

Dry Cell

Negative terminal −
Positive + terminal
Wax seal
Air space
Cardboard cover
Zinc can
Chemical paste
Paper lining
Carbon rod

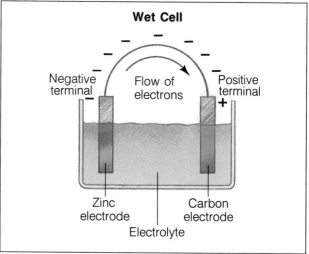

Wet Cell

Negative terminal
Flow of electrons
Positive terminal +
Zinc electrode
Carbon electrode
Electrolyte

una pelota o al pedalear tu bicicleta. Hay energía cuando corre un ciervo, cuando explota una bomba, cuando cae nieve o cuando pasa la electricidad a través de un cable. Hay distintos tipos de energía, pero cada tipo se puede convertir en cualquiera de los otros. Un aparato que convierte formas de energía en energía eléctrica se conoce como fuente de electricidad. Las baterías y los generadores eléctricos son las principales fuentes de electricidad. Pero las termocuplas y las fotocélulas son otras fuentes importantes. Los generadores eléctricos se discutirán en el capítulo 3.

LAS BATERÍAS Una **batería** es un aparato que produce electricidad al convertir energía química en energía eléctrica. Una batería está hecha de varias unidades pequeñas llamadas pilas eléctricas o electroquímicas. Cada pila consiste de dos materiales diferentes llamados electrodos y también de un electrólito. El electrólito es una mezcla química que produce una reacción química liberando cargas eléctricas.

Las pilas eléctricas pueden ser húmedas o secas según el electrólito usado. En una húmeda, tal como en la batería de un carro, el electrólito es líquido. En una seca, como en la batería de una linterna, el electrólito es una mezcla pastosa.

La figura 1–14 te hará comprender cómo funciona una simple pila electroquímica. En ésta, uno de los electrodos es de carbono y el otro de cinc. La parte del electrodo que sobresale se llama polo. El electrólito es ácido sulfúrico que ataca el cinc y lo disuelve. En este

Figura 1–13 *¡Imagínate conectar un automóvil al enchufe más cercano en vez de ir a la estación de servicio! Los investigadores han tratado de diseñar autos eficientes que usen una batería recargable como fuente de energía.*

Figura 1–14 *Las pilas electroquímicas, húmedas y secas, convierten la energía química en energía eléctrica. ¿Cómo se llama una serie de pilas secas? ¿Cuál es un ejemplo de pila húmeda?*

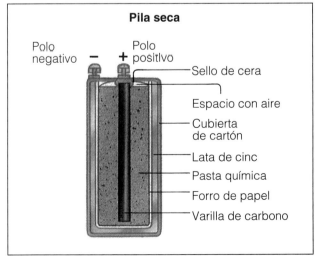

Pila seca

Polo negativo — | Polo + positivo
Sello de cera
Espacio con aire
Cubierta de cartón
Lata de cinc
Pasta química
Forro de papel
Varilla de carbono

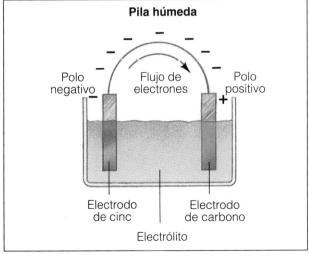

Pila húmeda

Polo negativo | Flujo de electrones | Polo positivo
Electrodo de cinc | Electrodo de carbono
Electrólito

In this process, electrons are left behind on the zinc electrode. Thus the zinc electrode becomes negatively charged. At the same time, a series of chemical reactions causes electrons to be pulled off the carbon electrode. The carbon electrode becomes positively charged. Because there are opposite charges on the electrodes, charge will flow between the terminals if a wire connects them. The difference in charge is called a **potential difference.** A potential difference is like a hill. If a ball is placed at the top of the hill and is allowed to roll down, it will. The steeper the hill, the faster the ball will roll. Similarly, if a potential difference exists between two terminals and a wire connects the terminals, charge will flow. The greater the potential difference, the faster the charge will flow. If the ball is at the bottom of the hill, work will have to be done to roll it up the hill. Work must also be done to move a charge against a potential difference.

THERMOCOUPLES A **thermocouple** is a device that produces electrical energy from heat energy. A thermocouple releases electric charges as a result of temperature differences. In this device the ends of two different metal wires, such as copper and iron, are joined together to form a loop. If one iron-copper junction is heated while the other is cooled, electric charges will flow. The greater the temperature difference between the junctions, the faster the charges will flow. Figure 1–15 shows a thermocouple.

Thermocouples are used as thermometers in cars to show engine temperature. One end of the thermocouple is placed in the engine, while the other end is kept outside the engine. As the engine gets warm, the temperature difference produces a flow of charge. The warmer the engine, the greater the temperature difference—and the greater the flow of charge. The moving charges in turn operate a gauge that shows engine temperature. Thermocouples are also used in ovens and in gas furnaces.

PHOTOCELLS The most direct conversion of energy occurs in a device known as a **photocell.** A photocell takes advantage of the fact that when light with a certain amount of energy shines on a metal surface, electrons are emitted from the surface. These electrons can be gathered in a wire to create a constant flow of electric charge.

Figure 1–15 *The temperature difference between the hot junction and the cold junction in a thermocouple generates electricity. What is the energy conversion involved in the operation of a thermocouple?*

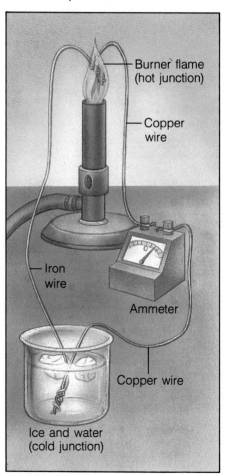

Figura 1–15 *La diferencia de temperatura entre la unión caliente y la unión fría en la termocupla genera electricidad. ¿Cuál es la conversión de energía que ocurre en una termocupla?*

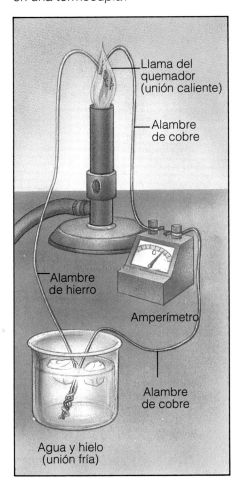

proceso, los electrones se quedan en el electrodo de cinc y éste se carga negativamente. A la vez, una serie de reacciones químicas causa que los electrones dejen el electrodo de carbono. Éste se carga positivamente. Debido a las cargas opuestas de los electrodos, la carga fluye entre los polos como si los conectara un cable. La diferencia de carga se llama **diferencia de potencial** y es como una cuesta. Si se pone una pelota en la cima de la cuesta y se deja rodar, va a rodar. Cuanto más inclinada la cuesta, más rápido rodará. Así mismo, cuando hay una diferencia de potencial entre dos polos y un cable los conecta, la carga fluye. Cuanto más grande la diferencia de potencial, más rápido fluye la energía. En cambio, al pie de la cuesta, se necesita ejecutar trabajo para mover la pelota hacia arriba. De la misma forma se necesita ejecutar trabajo para mover una carga contra una diferencia de potencial.

TERMOCUPLAS Una **termocupla** es un aparato que produce energía eléctrica a partir de energía calorífica. Una termocupla libera cargas eléctricas debido a las diferencias de temperatura. En este aparato los extremos de dos cables de metales diferentes, cobre y hierro, se unen para formar un circuito cerrado. Si se calienta una unión hierro-cobre mientras se enfría la otra, las cargas eléctricas fluyen. Cuanto mayor la diferencia de temperatura entre las uniones, más rápido fluyen las cargas. La figura 1–15 muestra una termocupla.

Las termocuplas se usan como termómetros en los carros para medir la temperatura del motor. Un extremo se pone en el motor y el otro se pone fuera de él. A medida que se calienta el motor, la diferencia de temperatura produce un flujo de carga. Cuanto más caliente el motor, más grande la diferencia de temperatura—y mayor el flujo de la carga. Al moverse, las cargas accionan un marcador que señala la temperatura del motor. También se usan las termocuplas en hornos y en estufas a gas.

LAS FOTOCÉLULAS La conversión de energía más directa ocurre en un aparato llamado **fotocélula**. Una fotocélula aprovecha los electrones emitidos sobre una superficie cuando un rayo de luz con cierta cantidad de energía la ilumina. Estos electrones son recogidos en un cable para crear un flujo constante de carga eléctrica.

Electric Current

When a wire is connected to the terminals of a source, a complete path called a **circuit** is formed. Charge can flow through a circuit. A flow of charge is called an electric **current.** More precisely, electric current is the rate at which charge passes a given point. The higher the electric current in a wire, the faster the electric charges are passing through.

The symbol for current is the letter I. And the unit in which current is expressed is the ampere (A). The ampere, or amp for short, is the amount of current that flows past a point per second. Scientists use instruments such as ammeters and galvanometers to measure current.

You may wonder how charge can flow through a wire. Recall that conductors are made of elements whose atoms have some loosely held electrons. When a wire is connected to the terminals of a source, the potential difference causes the loose electrons to be pulled away from their atoms and to flow through the material.

You may also wonder how lights and other electrical appliances can go on as soon as you turn the switch even though the power plant may be quite a distance away. The answer is that you do not have to wait for the electrons at the power plant to reach your switch. All the electrons in the circuit flow as soon as the switch is turned. To help understand this concept, imagine that each student in Figure 1–17

Life on the Prairie

Not very long ago, people just like you grew up without the electrical devices that make your life easy, comfortable, and entertaining. In *Little House on the Prairie* and its related books, Laura Ingalls Wilder tells delightful stories about growing up in the days before electricity. These stories are especially wonderful because they are not tainted by fictional drama. The author simply describes life as it actually was.

Figura 1–16 *El 9 de noviembre de 1965 un gran apagón sumió a la ciudad de Nueva York en una oscuridad total dejando a más de 30 millones de personas en el noroeste sin electricidad.*

La corriente eléctrica

Cuando se conecta un alambre a los terminales de una fuente, se forma una vía completa llamada **circuito**. La carga puede fluir a través de un circuito. Un flujo de carga se llama **corriente** eléctrica. Más aún, la corriente eléctrica es la velocidad del paso de la carga por un cierto punto. Cuanto más alta la corriente en un cable, más rápido pasan las cargas eléctricas.

El símbolo para la corriente es la letra I y la unidad en que se expresa es el amperio (A). El amperio es la cantidad de corriente que fluye por un punto por segundo. Para medir la corriente los científicos usan instrumentos como amperímetros y galvanómetros.

Tal vez te preguntes cómo fluye la carga a través de un cable. Recuerda que los conductores están hechos de elementos cuyos átomos tienen ciertos electrones no muy fijos. Cuando se conecta un cable a los terminales de una fuente, la diferencia de potencial causa que esos electrones se separen de sus átomos y fluyan a través del material.

Quizás también te intrigue cómo funcionan las luces y otros aparatos eléctricos al encenderlos aunque las centrales eléctricas están lejos. La respuesta está en que no necesitas esperar que los electrones de la central eléctrica lleguen hasta el interruptor. Todos los electrones en el circuito fluyen apenas lo enciendes. Para entender este concepto, imagínate que cada estudiante en la figura

La vida en la pradera

No hace mucho tiempo que la gente igual que tú vivía sin los aparatos eléctricos que hacen la vida tan fácil, confortable y entretenida hoy día. En *Little House on the Prairie* y sus historias relacionadas, Laura Ingalls Wilder cuenta encantadoras historias sobre los días previos a la electricidad. Las historias son especialmente bellas porque no están enlazadas con ficción dramática sino que describen como era la realidad en esos tíempos.

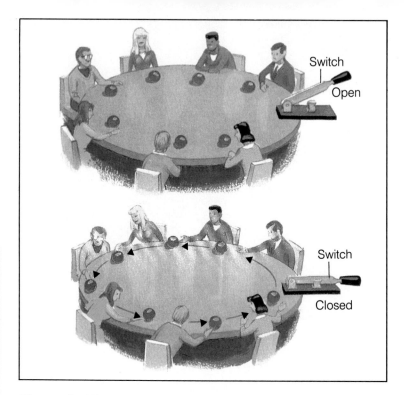

Figure 1–17 *When the switch in the diagram is closed, the students each pass a ball to the right. Thus a ball reaches the switch almost instantly. Similarly, when you flip on a switch to a light, for example, current flows to the light almost immediately.*

has a red ball. When the switch is turned on, each student passes the ball to the person on the right. So almost as soon as the switch is turned on, a red ball reaches the switch. When the switch is turned off, each person still holds a ball—even though it may not be the original ball. This is basically how electrons shift through a conductor. The electrons shift positions, but no electrons leave the circuit.

Voltage

You have already learned that a current flows whenever there is a potential difference between the ends of a wire. The size of the potential difference determines the current that will flow through the wire. The greater the potential difference, the faster the charges will flow. The term **voltage** is often used to describe potential difference. The symbol for voltage is the letter V. Voltage is measured in units called volts (V). If you see the marking 12 V, you know that it means twelve volts. An instrument called a voltmeter is used to measure voltage.

Figura 1–17 *Al cerrar el interruptor del diagrama, los estudiantes pasan cada uno una bola hacia la derecha. Una bola llega al interruptor casi instantáneamente. De igual modo, cuando prendes el interruptor de la luz, la corriente pasa a la luz casi inmediatamente.*

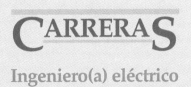
1–17 tiene una bola roja. Al encender el interruptor, cada estudiante pasa la bola a la persona a su derecha. Así, tan pronto como se enciende el interruptor, una bola roja llega hasta el mismo interruptor. Al apagarlo, cada persona aún tiene una bola aunque no es la original. Básicamente, así es como los electrones se desplazan a través de un conductor. Los electrones cambian posiciones pero ninguno deja el circuito.

Voltaje

Ya has aprendido que la corriente fluye siempre que hay una diferencia de potencial entre los extremos de un cable. El monto de la diferencia de potencial determina la corriente que fluye por el cable. Cuanto más grande la diferencia, más rápido fluyen las cargas. A menudo se usa el término **voltaje** para describir la diferencia de potencial. El símbolo para voltaje es la letra V, y se mide en voltios (V). Si ves la marca 12 V eso significa doce voltios. Para medir el voltaje se usa un instrumento llamado voltímetro.

Voltage is not limited to the electrical wires that run your appliances. Voltage, or potential difference, is crucial to your survival. A potential difference exists across the surface of your heart. Changes in the potential difference can be observed on a monitor and recorded as an electrocardiogram (EKG). An EKG is a powerful tool used to locate defects in the heart. Potential differences are also responsible for the movements of your muscles.

In the heart a small region called the pacemaker sends out tiny electrical signals as many as sixty times every minute. This is what causes the heart to beat. If the heart stops beating, doctors sometimes apply a potential difference, creating an electric current, across the patient's chest. Because the heart is controlled by electricity, it can be made to begin beating again by applying this electric current. If the natural pacemaker fails to work, surgeons can implant an electronic pacemaker.

Humans are not the only organisms that use electricity produced in their bodies. Have you ever heard of electric eels? They truly are electric! An electric eel can produce jolts of electricity up to 650 volts to defend itself or to stun prey. Another type of fish, an electric ray, has a specialized organ in its head that can discharge about 200 volts of electricity to stun and capture prey. Although these voltages may not sound like a lot to you, remember that only 120 volts powers just about everything in your home!

LOW CURRENT AND LOW VOLTAGE

Each electron carries little energy, and there are few electrons. Little total energy is delivered per second.

HIGH CURRENT AND LOW VOLTAGE

Each electron carries little energy, but there are many electrons. Moderate total energy is delivered per second.

LOW CURRENT AND HIGH VOLTAGE

Each electron carries much energy, but there are few electrons. Moderate total energy is delivered per second.

HIGH CURRENT AND HIGH VOLTAGE

Each electron carries much energy, and there are many electrons. High total energy is delivered per second.

Figure 1–18 *This diagram shows the relationship between voltage and current. How is current represented? Voltage?*

Figure 1–19 *Although this interesting-looking fish may appear touchable, such a move could prove to be fatal. This is an electric ray, which, like an electric eel, is capable of producing strong jolts of electricity.*

El voltaje no se limita solamente a los cables eléctricos que hay en los aparatos. El voltaje, o diferencia de potencial, es crucial para tu super-viven-cia. Hay una diferencia de potencial sobre tu corazón. Los cambios en la diferencia de potencial se observan en un monitor y se registran en un electrocardiograma (EKG). Un EKG es un instrumento poderoso para ubicar defectos en el corazón. Las diferencias de potencial también son responsables del movimiento de tus músculos.

En el corazón, el nódulo sinoaricular envía pequeñas señas eléctricas casi sesenta veces por minuto. Esto causa el latido del corazón. A veces, cuando el corazón deja de latir, los médicos aplican diferencias de potencial para crear una corriente eléctrica en el pecho del paciente. Dado que el corazón está controlado por electricidad, al aplicarle esta corriente puede latir nuevamente. Si el nódulo sinoaricular falla, los cirujanos lo reemplazan con un marcapaso electrónico.

Los humanos no son los únicos organismos que usan la electricidad que sus cuerpos producen. ¿Conoces las anguilas eléctricas? ¡Son realmente eléctricas! Pueden producir descargas eléctricas de hasta 650 voltios para defenderse o aturdir a su presa. Otro tipo de pez, la mantarraya, tiene un órgano especial en su cabeza que descarga hasta 200 voltios para aturdir y capturar sus presas. Aunque estos voltajes no te parezcan muy altos, recuerda que en tu casa, ¡todo funciona con sólo 120 voltios!

CORRIENTE Y VOLTAJE BAJOS

Cada electrón lleva poca energía y hay pocos electrones. Se genera poca energía por segundo.

CORRIENTE ALTA Y VOLTAJE BAJO

Cada electrón lleva poca energía pero hay muchos electrones. Se genera una energía total moderada por segundo.

CORRIENTE BAJA Y VOLTAJE ALTO

Cada electrón lleva mucha corriente pero hay pocos electrones. Se genera una energía total moderada por segundo.

CORRIENTE Y VOLTAJE ALTOS

Cada electrón lleva mucha energía y hay muchos electrones. Se genera una energía total alta por segundo.

Figura 1–18 *Este diagrama muestra la relación entre el voltaje y la corriente. ¿Cómo se representa la corriente? ¿Y el voltaje?*

Figura 1–19 *Podría ser fatal si tocaras este interesante pez. Éste es una mantarraya e igual que la anguila eléctrica puede producir fuertes descargas de electricidad.*

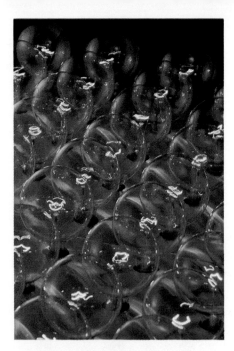

Figure 1–20 *Light bulbs light because of the phenomenon of resistance. The metal filament in the center of the bulb offers enough resistance to the electric current flowing through it so that heat and light are given off.*

ctivity Bank

A Shocking Combination, p.126

Resistance

The amount of current that flows through a wire does not depend only on the voltage. It also depends on how the wire resists the flow of electric charge. Opposition to the flow of electric charge is known as **resistance.** The symbol for resistance is the letter R.

Imagine a stream of water flowing down a mountain. Rocks in the stream resist the flow of the water. Or think about running through a crowd of people. The people slow you down by resisting your movement. Electric charges are slowed down by interactions with atoms in a wire. So the resistance of a wire depends on the material of which it is made. If the atoms making up the material are arranged in such a way that it is difficult for electric charge to flow, the resistance of the material will be high. As you might expect, resistance will be less for a wider wire, but more for a longer wire. Higher resistance means greater opposition to the flow of charge. The higher the resistance of a wire, the less current for a given voltage.

The unit of resistance is the ohm (Ω). Different wires have different resistances. Copper wire has less resistance than iron wire does. Copper is a good conductor; iron is a poor conductor. Nonconductors offer such great resistance that almost no current can flow. All electric devices offer some resistance to the flow of current. And although it may not seem so at first, this resistance is often quite useful—indeed, necessary.

You know that light bulbs give off light and heat. Have you ever wondered where the light and heat come from? They are not pouring into the bulb through the wires that lead from the wall. Rather, some of the electric energy passing through the filament of the bulb is converted into light and heat energy. The filament is a very thin piece of metal that resists the flow of electricity within it. The same principle is responsible for toasting your pita bread when you place it in the toaster.

How much resistance a material has depends somewhat on its temperature. The resistance of a metal increases with temperature. At higher temperatures, atoms move around more randomly and thus get in the way of flowing electric charges. At very

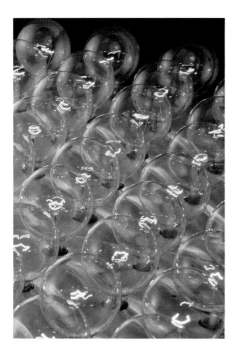

Figura 1–20 *Las bombillas dan luz gracias al fenómeno de la resistencia. El filamento de metal en su centro ofrece suficiente resistencia al flujo de corriente eléctrica para que produzca calor y luz.*

Pozo de actividades

Una combinación electrizante, p. 126

La resistencia

La cantidad de corriente que fluye por un cable no depende sólo del voltaje. También depende de la resistencia del cable al flujo de carga eléctrica. La oposición al flujo de carga eléctrica se conoce como **resistencia** y su símbolo es la letra R.

Imagínate un arroyo bajando por una montaña. Las rocas que el agua encuentra a su paso resisten el flujo del agua. O piensa que corres entre una multitud. La gente, al trabar tus movimientos, les ofrecen resistencia y los retardan. Las cargas eléctricas se retardan por la interacción con los átomos del cable. Es así como la resistencia del cable depende del material de que está hecho. Si los átomos que componen un material están ordenados de modo que dificulten el paso de la carga eléctrica, la resistencia del material será alta. Como puedes esperar, la resistencia será menor para un cable ancho y mayor para uno más largo. Resistencia alta significa mayor oposición al flujo de la carga. Cuanto más alta la resistencia del cable menos corriente hay para un voltaje dado.

La unidad de resistencia es el ohmio (Ω). Diferentes cables tienen resistencias diferentes. Un cable de cobre tiene menos resistencia que uno de hierro. El cobre es un buen conductor; el hierro no. Los materiales de baja conducción ofrecen tanta resistencia que la corriente casi no puede fluir. Todos los aparatos eléctricos ofrecen cierta resistencia al flujo de corriente. Aunque no lo parezca, a veces esta resistencia es bastante útil— incluso necesaria.

Ya sabes que las bombillas dan luz y calor. ¿Te has preguntado alguna vez de dónde vienen la luz y el calor? No vienen directamente de los cables que salen de la pared, sino que parte de la energía eléctrica que pasa por sus filamentos se convierten en luz y energía calorífica. El filamento es un trozo fino de metal que resiste el flujo de la electricidad. Este mismo principio es el que te permite tostar tu pan en la tostadora.

La resistencia de un material depende en parte de su temperatura. La resistencia del metal aumenta con la temperatura. A mayor temperatura aumenta el movimiento de los átomos y se interponen en el flujo de las cargas eléctricas. A temperaturas muy

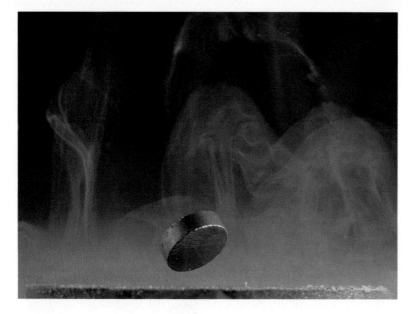

Figure 1–21 *This is no magic trick. At low temperatures, certain materials that have almost no resistance are said to be superconducting. Superconducting materials, such as the one at the bottom of the photograph, repel magnets. For this reason the magnet floats in midair.*

low temperatures, however, the resistance of certain metals becomes essentially zero. Materials in this state are said to be **superconductors.** In superconductors, almost no energy is wasted. However a great deal of energy must be used to keep the material cold enough to be superconducting.

Scientists are currently working to develop new materials that are superconducting at higher temperatures. When this is accomplished, superconductors will become extremely important in industry. Superconductors will be used in large generating plants and in motors where negligible resistance will allow for very large currents. There are also plans for superconducting transmission cables that will reduce energy loss tremendously. Electric generating plants are usually located near major population centers rather than near the fuel source because too much energy is lost in carrying a current. Superconducting transmission lines will make it practical for generating plants to be situated next to fuel sources rather than near population centers. Superconductors are also being tested in high-speed transportation systems.

Ohm's Law

An important expression called **Ohm's Law** identifies the relationship among current, voltage, and resistance. **Ohm's law states that the current in a wire (I) is equal to the voltage (V) divided by the resistance (R).**

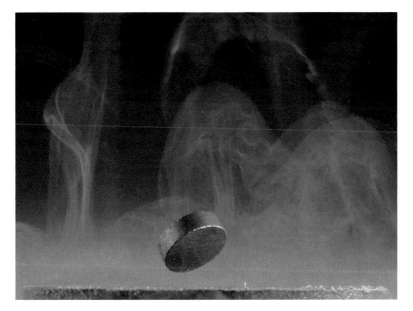

Figura 1–21 *Éste no es un truco de magia. A temperaturas bajas, ciertos materiales que casi no tienen resistencia son superconductores. Estos materiales, como el de la parte inferior de la fotografía, repelen los imanes. Por esta razón el imán flota en el aire.*

bajas la resistencia de ciertos metales llega casi a cero. Los materiales en este estado se llaman **superconductores** y casi no desperdician energía. Pero se necesita mucha energía para mantener el material tan frío.

Los científicos están investigando nuevos materiales que sean superconductores a temperaturas más altas. Cuando se logre esto, los superconductores van a ser muy importantes en la industria. Se usarán en grandes centrales eléctricas y en motores donde una resistencia insignificante permitirá el paso de corrientes muy grandes. También se están haciendo planes con cables de transmisión superconductora que reducirán mucho la pérdida de energía. Usualmente las centrales eléctricas están cerca de los grandes centros poblados porque se pierde mucha energía al transportar electricidad. Las líneas de transmisión superconductoras harán más práctico que las centrales eléctricas estén situadas cerca de las fuentes de combustible que de los centros poblados. También se están probando los superconductores en los sistemas de transporte de alta velocidad.

La ley de Ohm

La **ley de Ohm** identifica la relación entre la corriente, el voltaje y la resistencia. **La ley de Ohm dice que la corriente en un cable (I) es igual al voltaje (V) dividida por la resistencia (R).**

ACTIVITY

CALCULATING

Ohm's Law

Complete the following chart.

I (amps)	V (volts)	R (ohms)
	12	75
15	240	
5.5		20
	6	25
5	110	

As an equation, Ohm's Law is

$$\text{Current} = \frac{\text{Voltage}}{\text{Resistance}}$$

$$I = \frac{V}{R} \qquad \text{Amperes} = \frac{\text{Volts}}{\text{Ohms}}$$

If the resistance in a wire is 100 ohms and the voltage is 50 volts, the current is 50/100, or 0.5 ampere. You can rearrange the equation in order to calculate resistance or voltage. What is the resistance if the voltage is 10 volts and the current 2 amperes?

Current Direction

Electrons moving through a wire can move continuously in the same direction, or they can change direction back and forth over and over again.

When electrons always flow in the same direction, the current is called **direct current,** or DC. Electricity from dry cells and batteries is direct current.

When electrons move back and forth, reversing their direction regularly, the current is called **alternating current,** or AC. The electricity in your home is alternating current. In fact, the current in your home changes direction 120 times every second. Although direct current serves many purposes, alternating current is better for transporting the huge amounts of electricity required to meet people's needs.

1–3 Section Review

1. How does an electrochemical cell produce an electric current?
2. What is a thermocouple? A photocell?
3. What is electric current? Explain how current flows through a wire.
4. What is resistance? Voltage? How is electric current related to resistance and voltage?
5. What is direct current? Alternating current?

Critical Thinking—*Drawing Conclusions*
6. If the design of a dry cell keeps electrons flowing steadily, why does a dry cell go "dead"?

ACTIVIDAD

PARA CALCULAR

La ley de Ohm

Completa la tabla siguiente.

I (amperios)	V (voltios)	R (ohmios)
	12	75
15	240	
5.5		20
	6	25
5	110	

En forma de ecuación la ley de Ohm es

$$\text{Corriente} = \frac{\text{Voltaje}}{\text{Resistencia}}$$

$$I = \frac{V}{R} \qquad \text{Amperios} = \frac{\text{Voltios}}{\text{Ohmios}}$$

Si la resistencia en un cable es de 100 ohmios y el voltaje es de 50 voltios, la corriente es de 50/100, o sea, 0.5 amperios. También calcula la resistencia o el voltaje. ¿Cuál es la resistencia si el voltaje es de 10 voltios y la corriente es de 2 amperios?

La dirección de la corriente

En un cable los electrones pueden fluir en la misma dirección o cambiar continuamente de dirección.

Cuando los electrones fluyen siempre en la misma dirección, la corriente se llama **corriente continua**, o DC. La electricidad de las pilas secas y las baterías es corriente continua.

Cuando los electrones revierten regularmente su dirección, la corriente se llama **corriente alterna**, o AC. La electricidad que hay en tu casa es corriente alterna. De hecho, la corriente de tu casa cambia de dirección 120 veces por segundo. La corriente continua tiene muchos usos pero la alterna es mejor para transportar las enormes cantidades de electricidad que la gente necesita.

1–3 Repaso de la sección

1. ¿Cómo produce corriente eléctrica una pila electroquímica?
2. ¿Qué es una termocupla? ¿Una fotocélula?
3. ¿Qué es la corriente eléctrica? Explica cómo la corriente fluye por un cable.
4. ¿Qué es la resistencia? ¿El voltaje? ¿Cómo se relacionan la corriente eléctrica con la resistencia y el voltaje?
5. ¿Qué es la corriente continua? ¿La alterna?

Pensamiento crítico—*Sacar conclusiones*
6. Si el diseño de una pila seca permite el flujo constante de los electrones, ¿por qué se "agota"?

1-4 Electric Circuits

Perhaps you wonder why electricity does not flow from the outlets in your home at all times? You can find the answer to this question if you try the following experiment. Connect one wire from a terminal on a dry cell to a small flashlight bulb. Does anything happen? Now connect another wire from the bulb to the other terminal on the dry cell. What happens? With just one wire connected, the bulb will not light. But with two wires providing a path for the flow of electrons, the bulb lights up.

In order to flow, electrons need a closed path through which to travel. **An electric circuit provides a complete, closed path for an electric current.**

Parts of a Circuit

An electric circuit consists of a source of energy; a load, or resistance; wires; and a switch. Recall that the source of energy can be a battery, a thermocouple, a photocell, or an electric generator at a power plant.

The load is the device that uses the electric energy. The load can be a light bulb, an appliance, a machine, or a motor. In all cases the load offers some resistance to the flow of electrons. As a result, electric energy is converted into heat, light, or mechanical energy.

Guide for Reading

Focus on these questions as you read.

▶ *What is an electric circuit?*

▶ *What is the difference between series and parallel circuits?*

Figure 1–22 *No electricity can flow through an open circuit (left). When the switch is flipped, the circuit is closed and electrons have a complete path through which to flow (right). What indicates that a current is flowing through the circuit?*

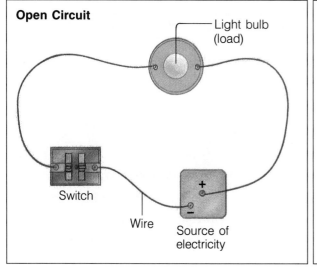

Open Circuit
Light bulb (load)
Switch
Wire
Source of electricity

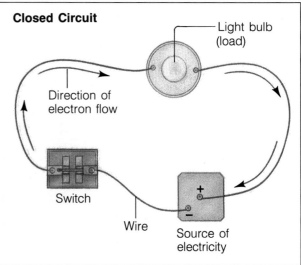

Closed Circuit
Light bulb (load)
Direction of electron flow
Switch
Wire
Source of electricity

1–4 Circuitos eléctricos

Quizás te preguntes por qué la electricidad no fluye de los enchufes todo el tiempo. La respuesta la encontrarás si haces el siguiente experimento. Conecta un cable de un polo de una pila seca a una bombilla de linterna. ¿Pasa algo? Ahora conecta otro cable de la bombilla al otro polo de la pila. ¿Qué pasa? La bombilla no alumbra con un solo cable conectado. Pero se enciende si ambos cables forman una vía para los electrones.

Para que fluyan, los electrones necesitan una vía cerrada por donde pasar. **Un circuito eléctrico ofrece una vía completa y cerrada para una corriente eléctrica.**

Las partes de un circuito

Un circuito eléctrico consiste de una fuente de energía; una carga o resistencia; cables y un interruptor. Recuerda que la fuente de energía puede ser una batería, una termocupla, una fotocélula o un generador de una central eléctrica.

La carga es el objeto que usa la energía eléctrica. Puede ser una bombilla, un aparato, una máquina o un motor. En todos los casos la carga ofrece cierta resistencia al flujo de electrones. Como resultado, la energía eléctrica se convierte en calor, luz o energía mecánica.

Figura 1–22 *La electricidad no puede fluir a través de un circuito abierto (izquierda). Al mover el interruptor, se cierra el circuito y los electrones tienen una vía completa por donde fluir (derecha). ¿Qué indica que una corriente fluye por el circuito?*

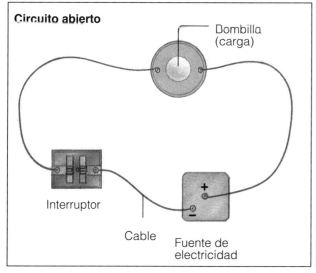

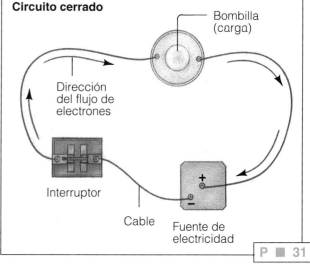

Figure 1-23 *When severe weather conditions—such as the tornado that caused this destruction—damage power lines, the flow of electricity is interrupted. Why?*

The switch in an electric circuit opens and closes the circuit. You will remember that electrons cannot flow through a broken path. Electrons must have a closed path through which to travel. When the switch of an electric device is off, the circuit is open and electrons cannot flow. When the switch is on, the circuit is closed and electrons are able to flow. Remember this important rule: *Electricity cannot flow through an open circuit. Electricity can flow only through a closed circuit.*

Series and Parallel Circuits

There are two types of electric circuits. The type depends on how the parts of the circuit (source, load, wires, and switch) are arranged. If all the parts of an electric circuit are connected one after another, the circuit is a **series circuit.** In a series circuit there is only one path for the electrons to take. Figure 1–24 illustrates a series circuit. The disadvantage of a series circuit is that if there is a break in any part of the circuit, the entire circuit is opened and no current can flow. Inexpensive holiday tree lights are often connected in series. What will happen if one light goes out in a circuit such as this?

In a **parallel circuit,** the different parts of an electric circuit are on separate branches. There are several paths for the electrons to take in a parallel circuit. Figure 1–24 shows a parallel circuit. If there is a break in one branch of a parallel circuit, electrons can still move through the other branches. The

Figure 1-24 *A series circuit provides only one path for the flow of electrons. A parallel circuit provides several paths. How are the circuits in your home wired? Why?*

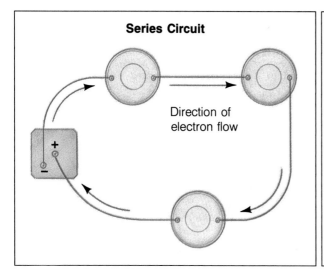

Series Circuit

Direction of electron flow

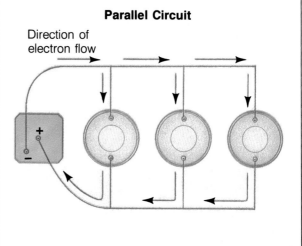

Parallel Circuit

Direction of electron flow

Figura 1–23 *El flujo de la electricidad se detiene cuando condiciones severas del tiempo—como el tornado que causó esta destrucción—dañan los cables eléctricos. ¿Por qué?*

El interruptor en un circuito eléctrico abre y cierra el circuito. Recuerda que los electrones no fluyen por un circuito interrumpido. Cuando el interruptor de un aparato eléctrico está apagado, el circuito está abierto y los electrones no pueden fluir. Para moverse los electrones necesitan una vía cerrada. Cuando el interruptor está encendido, el circuito está cerrado y los electrones pueden fluir. Recuerda esta regla importante: *La electricidad no puede fluir por un circuito abierto. Sólo puede fluir por uno cerrado.*

Circuitos en serie y en paralelo

Hay dos tipos de circuitos eléctricos. El tipo depende del orden de las partes del circuito (fuente, carga, cables e interruptor). Si todas las partes de un circuito eléctrico están conectadas una detrás de la otra, es un **circuito en serie**. En un circuito en serie hay una sóla vía para los electrones. La figura 1–24 muestra un circuito en serie. Su desventaja es que si hay una falla en cualquier parte del circuito, éste se abre y no puede fluir la corriente. Las luces baratas para los adornos de Navidad a menudo están conectadas en serie. ¿Qué sucede si una de las luces se daña?

En un **circuito paralelo** las diferentes partes de un circuito eléctrico están en extensiones separadas. Los electrones pasan por varias vías en un circuito paralelo. La figura 1–24 muestra un circuito paralelo. Aunque haya una falla en una de sus extensiones, los electrones pueden moverse por las otras. La corriente

Figura 1–24 *Un circuito en serie provee sólo una vía para el flujo de electrones. Un circuito paralelo, varias. ¿Cómo son los circuitos en tu casa? ¿Por qué?*

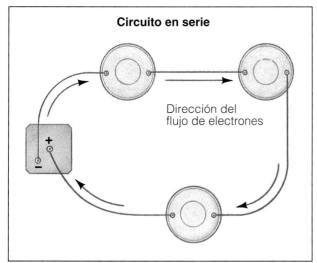

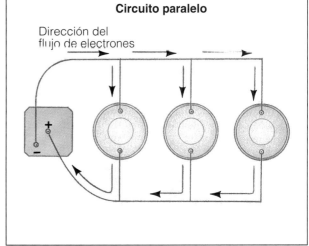

current continues to flow. Why do tree lights connected in parallel have an advantage over tree lights connected in series? Why do you think the electric circuits in your home are parallel circuits?

Household Circuits

Have you ever wondered what was behind the outlet in the wall of your home? After all, it is rather amazing that by inserting a plug into the wall outlet, you can make your television, refrigerator, vacuum cleaner, hair dryer, or any other electrical appliance operate.

Connected to the outlet is a cable consisting of three wires enclosed in a protective casing. Two of the wires run parallel to each other and have a potential difference of 120 volts between them. The third wire is connected to ground. (Recall that a wire that is grounded provides the shortest direct path for current to travel into the Earth.) For any appliance in your home to operate, it must have one of its terminals connected to the high potential wire and the other terminal connected to the low potential wire. The two prongs of a plug of an appliance are connected to the terminals inside the appliance. When the switch of the appliance is closed, current flows into one prong of the plug, through the appliance, and back into the wall through the other prong of the plug.

Many appliances have a third prong on the plug. This prong is attached to the third wire in the cable, which is connected directly to ground and carries no current. This wire is a safety feature to protect against short circuits. A short circuit is an accidental connection that allows current to take a shorter path around a circuit. A shorter path has less resistance and therefore results in a higher current. If the high-potential wire accidentally touches the metal frame of the appliance, the entire appliance will become part of the circuit and anyone touching the appliance will suffer a shock. The safety wire provides a shorter circuit for the current. Rather than flowing through the appliance, the current will flow directly to ground—thereby protecting anyone who might touch the appliance. Appliances that have a plastic casing do not need this safety feature. Can you explain why?

Figure 1–25 *The outlets in a home are connected in such a way that several may rely on the same switch. A home must have several circuits so that different switches control only certain outlets. What happens when the switch in the diagram is flipped off? What if all the appliances in the home are attached to this circuit?*

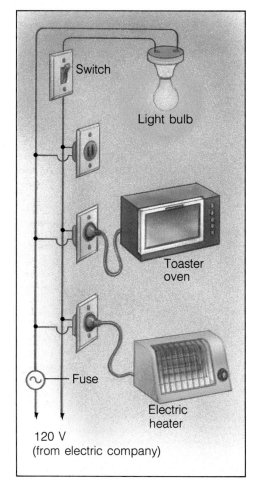

Switch

Light bulb

Toaster oven

Fuse

Electric heater

120 V
(from electric company)

sigue fluyendo. ¿Por qué luces de Navidad conectadas en un circuito paralelo tienen ventajas sobre las conectadas en serie? ¿Por qué los circuitos eléctricos de tu casa son circuitos paralelos?

Los circuitos domésticos

¿Te has preguntado alguna vez qué hay detrás de una toma de corriente en la pared de tu casa? Después de todo, no deja de ser asombroso que, puedas hacer funcionar tu televisión, la nevera, la aspiradora o cualquier otro aparato eléctrico con sólo enchufarlos.

Conectado a la toma hay un cable formado por tres alambres dentro de una envoltura protectora. Dos de los alambres corren paralelos y tienen una diferencia de potencial de 120 voltios entre sí. El tercer alambre está conectado a tierra. (Recuerda que un alambre conectado a tierra brinda a la corriente la vía más directa para llegar a la Tierra.) Para que funcione cualquier aparato en tu casa, tiene que tener uno de sus polos conectados al alambre de alto potencial y el otro al de bajo potencial. Las dos patas del enchufe de un aparato están conectadas a los polos dentro del aparato. Cuando cierras el interruptor del aparato, la corriente fluye dentro de una de las patas del enchufe a través del aparato y vuelve a la toma por la otra.

Muchos aparatos tienen una tercera pata en los enchufes. Está conectada al tercer alambre en el cable, y éste a su vez, está conectado directamente a tierra y no lleva corriente. Este alambre es una medida de seguridad contra los cortocircuitos. Un cortocircuito es una conexión accidental que permite a la corriente tomar una vía más corta en el circuito. Esta vía tiene menos resistencia y por lo tanto, una corriente más alta. Si el alambre de alta potencia toca accidentalmente la estructura de metal del aparato, el aparato entero pasa a formar parte del circuito y quien lo toque recibirá una descarga eléctrica. El alambre de protección brinda un circuito más corto para la corriente. En vez de fluir a través del aparato, la corriente fluye directamente a la tierra— protegiendo a cualquiera que pudiera tocar el aparato. Los aparatos que están recubiertos de plástico no necesitan esta protección. ¿Puedes explicar por qué?

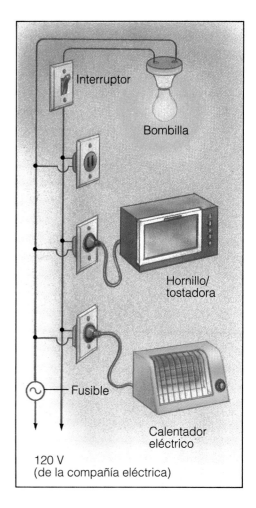

Figura 1–25 *En una casa las tomas se conectan de manera que varias pueden depender de un solo interruptor. Una casa debe tener varios circuitos para que distintos interruptores controlen sólo ciertas tomas. ¿Qué sucede cuando se apaga el interruptor del diagrama? ¿Qué pasaría si todos los aparatos de una casa estuvieran conectados a este circuito?*

Interruptor

Bombilla

Hornillo/tostadora

Fusible

Calentador eléctrico

120 V
(de la compañía eléctrica)

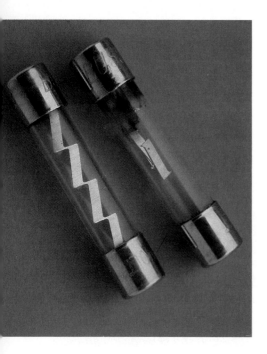

Figure 1–26 *Fuses protect circuits from overloading. The fuse on the left is new. The fuse on the right, however, has been blown and cannot be blown again. How did the blown fuse protect the circuit it was part of?*

Circuit Safety Features

Your home has a great amount of electricity running through it. If too many appliances are running at once on the same circuit or if the wires have become old and frayed, heat can build up in the wiring. If the wires in the walls get too hot, there is the danger of fire. Two devices protect against this potential danger.

FUSES To protect against too much current flowing at once, your home may have **fuses** in a fuse box. Inside each fuse is a thin strip of metal through which current flows. If the current becomes too high, the strip of metal melts and breaks the flow of electricity. So a fuse is an emergency switch.

CIRCUIT BREAKERS One disadvantage of fuses is that once they burn out, they must be replaced. For this reason, **circuit breakers** are often used instead of fuses. Like fuses, circuit breakers protect a circuit from becoming overloaded. Modern circuit breakers have a switch that flips open when the current flow becomes too high. These circuit breakers can easily be reset and used again once the problem has been found and corrected. Circuit breakers are easier to use than fuses.

1–4 Section Review

1. What is an electric circuit?
2. Compare a series circuit and a parallel circuit.
3. Can a circuit be a combination of series connections and parallel connections? Explain your answer.
4. What would happen if your home were not wired in parallel?

Connection—*You and Your World*
5. Does your home have fuses or circuit breakers? Explain the purpose of each device.

Figura 1–26 *Los fusibles protegen a los circuitos de las sobrecargas. El fusible de la izquierda es nuevo. En cambio, el otro se quemó y no puede volver a quemarse. ¿Cómo protegió el fusible quemado a su circuito?*

Aspectos de seguridad en los circuitos

Por tu casa fluye una gran cantidad de electricidad. Si en el mismo circuito funcionan muchos aparatos a la vez o si los alambres están viejos y pelados, se puede acumular calor en ellos. Si los alambres en las paredes se calientan mucho, hay peligro de incendio. Dos aparatos nos protegen de este peligro.

FUSIBLES Para proteger de un flujo muy alto de corriente, tu casa tiene **fusibles**. Dentro de cada fusible hay una tira delgada de metal por la cual pasa la corriente. Si ésta es demasiado alta, la tira se derrite y se interrumpe el flujo de la electricidad. Así, un fusible es un interruptor de emergencia.

INTERRUPTORES DE CIRCUITOS Una desventaja de los fusibles es que cuando se queman hay que reemplazarlos. Por esto, a menudo se usan **interruptores de circuitos** en vez de fusibles. Igual que éstos, los interruptores de circuitos protegen un circuito de las sobrecargas. Un interruptor de circuitos moderno se abre cuando el flujo de la corriente es muy alto. Una vez que se encuentra y se corrige el problema, el interruptor se vuelve a conectar. Los interruptores de circuitos son más fáciles de usar que los fusibles.

1–4 Repaso de la sección

1. ¿Qué es un circuito eléctrico?
2. Compara un circuito en serie con uno paralelo.
3. ¿Puede un circuito ser una combinación de conexiones en serie y conexiones en paralelo? Explica tu respuesta.
4. ¿Qué pasaría si la instalación de tu casa no fuera en circuito paralelo?

Conexión—*Tú y tu mundo*
5. ¿Tu casa tiene fusibles o interruptores de circuitos? Explica el propósito de cada uno.

PROBLEM Solving

Faulty Wiring

You and your family arrive at the site of your summer vacation—an old but quaint cabin situated at the edge of a beautiful lake. As you pile out of the car, you are greeted by the superintendent responsible for taking care of all the cabins in the area. The neighbors call her Ms. Fix-It.

Ms. Fix-It tells you that everything in the cabin is in working order. However, when she was working on the wiring,

she must have made a mistake or two. The kitchen light must remain on in order to keep the refrigerator going. In order to turn on the television, the fan must be on. And the garbage disposal will work only when the oven is on.

Drawing Diagrams

How must the cabin be wired? How should the cabin be rewired? Draw a diagram showing the mistakes and the corrections.

1–5 Electric Power

You probably use the word power in a number of different senses—to mean strength, or force, or energy. To a scientist, **power** is the rate at which work is done or energy is used. **Electric power is a measure of the rate at which electricity does work or provides energy.**

Guide for Reading

Focus on these questions as you read.

▶ *What is electric power?*
▶ *How is electric power related to energy?*

PROBLEMA ??? a resolver

Instalación eléctrica defectuosa

Llegas con tu familia al sitio de veraneo—una vieja pero acogedora cabaña ubicada a orillas de un bello lago. La encargada de las cabañas del área los saluda mientras se bajan del carro. Los vecinos la llaman la Srta. Compónelo-todo.

La Srta. Compónelo-todo dice que en tu cabaña todo funciona bien. Sin embargo, al hacer la instalación eléctrica cometió un par de errores. Para que funcione la nevera, la luz de la cocina tiene que quedar encendida. Para encender la televisión, el ventilador tiene que estar funcionando. El triturador de basura funciona sólo cuando el horno está encendido.

Dibujar diagramas

¿Cómo es la instalación eléctrica de la cabaña? ¿Cómo se debería hacer la reinstalación? Dibuja un diagrama que muestre los errores y las correcciones.

1–5 Potencia eléctrica

La palabra potencia se usa comunmente para significar fuerza, poder o energía. Para un científico, **potencia** significa la velocidad a la cual se ejecuta trabajo o se usa energía. **Potencia eléctrica es una medida de la velocidad de la electricidad al ejecutar trabajo o proveer energía.**

Guía para la lectura

Piensa en estas preguntas mientras lees.

▶ *¿Qué es la potencia eléctrica?*

▶ *¿Cómo se relaciona la potencia eléctrica con la energía?*

POWER USED BY COMMON APPLIANCES	
Appliance	**Power Used (watts)**
Refrigerator/ freezer	600
Dishwasher	2300
Toaster	700
Range/oven	2600
Hair dryer	1000
Color television	300
Microwave oven	1450
Radio	100
Clock	3
Clothes dryer	4000

Figure 1–27 *The table shows the power used by some common appliances. Which appliance would use the greatest amount of electric energy if operated for one hour?*

If you can, pick up a cool light bulb and examine it. Do you notice any words written on it? For example, do you see "60 watts" or "100 watts" on the bulb? Watts (W) are the units in which electric power is measured. To better understand the meaning of watts, let's look at the concept of electric power more closely.

As you have just read, electric power measures the rate at which electricity does work or provides energy. Electric power can be calculated by using the following equation:

$$\textbf{Power} = \textbf{Voltage} \times \textbf{Current}$$
$$\text{or}$$
$$\textbf{P} = \textbf{V} \times \textbf{I}$$

Or, put another way:

$$\textbf{Watts} = \textbf{Volts} \times \textbf{Amperes}$$

Now think back to the light bulb you looked at. The electricity in your home is 120 volts. The light bulb itself operates at 0.5 ampere. According to the equation for power, multiplying these two numbers gives the bulb's wattage, which in this case is 60 watts. The wattage tells you the power of the bulb, or the rate at which energy is being delivered. As you might expect, the higher the wattage, the brighter the bulb—and the more expensive to run.

To measure large quantities of power, such as the total used in your home, the kilowatt (kW) is used. The prefix *kilo-* means 1000. So one kilowatt is 1000 watts. What is the power in watts of a 0.2-kilowatt light bulb?

Electric Energy

Have you ever noticed the electric meter in your home? This device measures how much energy your household uses. The electric company provides electric power at a certain cost. Their bill for this power is based on the total amount of energy a household uses, which is read from the electric meter.

The total amount of electric energy used depends on the total power used by all the electric appliances

Potencia usada en electrodomésticos	
Aparato	**Potencia usada (vatios)**
Nevera/congelador	600
Lavaplatos	2300
Tostadora	700
Hornillo/horno	2600
Secador de pelo	1000
Televisor a color	300
Horno microonda	1450
Radio	100
Reloj	3
Secadora de ropa	4000

Figura 1–27 *La tabla muestra la potencia que usan ciertos aparatos comunes del hogar. ¿Cuál de ellos usaría mayor cantidad de energía eléctrica si funcionara por una hora?*

Si puedes, toma una bombilla fría y examínala. ¿Ves algo escrito? Por ejemplo, ¿ves "60 vatios" o "100 vatios"? Los vatios (W) son las unidades en que se mide la potencia eléctrica. Para comprender mejor el significado de los vatios, examinemos el concepto de potencia eléctrica más detenidamente.

Como leíste, la potencia eléctrica mide la velocidad de la electricidad al ejecutar trabajo o proveer energía. La potencia eléctrica se calcula usando la siguiente ecuación:

$$\textbf{Potencia} = \textbf{Voltaje} \times \textbf{Corriente}$$
$$\text{o}$$
$$\mathbf{P} = \mathbf{V} \times \mathbf{I}$$

En otras palabras:

$$\textbf{Vatios} = \textbf{Voltios} \times \textbf{Amperios}$$

Piensa en la bombilla que miraste. La electricidad en tu casa es de 120 voltios. La bombilla funciona con 0.5 amperios. Según la ecuación de la potencia, al multiplicar estos dos números se obtiene la cantidad de vatios de la bombilla, que en este caso son 60 vatios. La cantidad de vatios indican la potencia de la bombilla o la velocidad en que se provee energía. Cuanto más alto el número, más brilla la bombilla—y más caro es hacerla funcionar.

Para medir grandes cantidades de potencia, como el total que se usa en tu casa, se usa el kilovatio (kW). El prefijo *kilo-* significa 1000. De modo que un kilovatio es 1000 vatios. ¿Cuál es la potencia en vatios de una bombilla de 0.2 kilovatio?

Energía eléctrica

¿Te has fijado en el medidor eléctrico que hay en tu casa? Mide cuánta energía se usa en tu casa. La compañía de electricidad provee potencia eléctrica a cierto costo. La factura por la potencia se basa en la cantidad total de energía que usa un hogar y se lee en un medidor eléctrico.

El total de energía eléctrica usada depende del total de potencia usada por todos los aparatos eléctricos y el

Figure 1-28 *Electricity for your home is purchased on the basis of the amount of energy used and the length of time for which it is used. Power companies install an electric meter in your home to record this usage in kilowatt-hours.*

and the total time they are used. The formula for electric energy is

$$\textbf{Energy} = \textbf{Power} \times \textbf{Time}$$
$$\text{or}$$
$$\textbf{E} = \textbf{P} \times \textbf{t}$$

Electric energy is measured in kilowatt-hours (kWh).

$$\textbf{Energy} = \textbf{Power} \times \textbf{Time}$$
$$\textbf{Kilowatt-hours} = \textbf{Kilowatts} \times \textbf{Hours}$$

One kilowatt-hour is equal to 1000 watts of power used for one hour of time. You can imagine how much power this is by picturing ten 100-watt bulbs in a row, all burning for one hour. One kilowatt-hour would also be equal to a 500-watt appliance running for two hours.

To pay for electricity, the energy used is multiplied by the cost per kilowatt-hour. Suppose the cost of electricity is $0.08 per kilowatt-hour. How much would it cost to burn a 100-watt bulb for five hours? To use a 1000-watt air conditioner for three hours?

Electric Safety

Electricity is one of the most useful energy resources. But electricity can be dangerous if it is not used carefully. Here are some important rules to remember when using electricity.

1. Never handle appliances when your hands are wet or you are standing in water. Water is a fairly good conductor of electricity. If you are wet, you could unwillingly become part of an electric circuit.

2. Never run wires under carpets. Breaks or frays in the wires may go unnoticed. These breaks cause short circuits. A short circuit represents a shorter and easier path for electron flow and thus can cause shocks or a fire.

Figura 1–28 *La electricidad de tu casa se paga en base a la cantidad de energía usada en un cierto tiempo. Las compañías de energía instalan un medidor eléctrico en tu casa para registrar el uso en kilovatios-hora.*

total de tiempo usados. La fórmula para la energía eléctrica es

$$\text{Energía} = \text{Potencia} \times \text{Tiempo}$$
$$\text{o}$$
$$E = P \times t$$

La energía eléctrica se mide en kilovatios-hora (kWh).

$$\text{Energía} = \text{Potencia} \times \text{Tiempo}$$
$$\text{Kilovatios-hora} = \text{Kilovatios} \times \text{Horas}$$

Un kilovatio-hora es igual a 1000 vatios de potencia usado en una hora. Imagínate una línea de diez bombillas de 100 vatios encendidas durante una hora. Un kilovatio-hora también es igual a un aparato de 500 vatios funcionando durante dos horas.

Para pagar la electricidad, se multiplica la energía usada por el costo del kilovatio-hora. Supongamos que el costo es $0.08 el kilovatio-hora. ¿Cuánto costaría encender una bombilla de 100 vatios durante cinco horas? ¿Un aire acondicionado de 1000 vatios por tres horas?

Seguridad eléctrica

La electricidad es una de los recursos energéticos más útiles. Pero la electricidad puede ser peligrosa. Aquí hay unas reglas importantes para recordar cuando uses la electricidad.

1. Nunca toques aparatos eléctricos cuando tus manos están húmedas o estás parado en una superficie con agua. El agua es un buen conductor de electricidad y sin quererlo puedes convertirte en parte de un circuito eléctrico.

2. Nunca instales un alambre bajo la alfombra. Los cortes o peladuras en los alambres no se notan y causan cortocircuitos. Un cortocircuito es una vía más corta y fácil para el flujo de electrones y puede causar descarga de corriente o un incendio.

ACTIVIDAD

PARA PENSAR

La potencia y el calor

Examina el grado de potencia de los aparatos en tu casa. Haz una tabla con esta información.

¿Cuál es la relación entre el grado de potencia de un aparato y la cantidad de calor que produce?

Figure 1–29 *Remember to exercise care and good judgment when using electricity. Avoid unsafe conditions such as the ones shown here.*

3. Never overload a circuit by connecting too many appliances to it. Each electric circuit is designed to carry a certain amount of current safely. An overloaded circuit can cause a short circuit.

4. Always repair worn or frayed wires to avoid short circuits.

5. Never stick your fingers in an electric socket or stick a utensil in an appliance that is plugged in. The electricity could be conducted directly into your hand or through the utensil into your hand. Exposure to electricity with both hands can produce a circuit that goes through one arm, across the heart, and out the other arm.

6. Never come close to wires on power poles or to wires that have fallen from power poles or buildings. Such wires often carry very high currents.

Aᴄᴛɪᴠɪᴛʏ

CALCULATING

How Much Electricity Do You Use?

1. For a period of several days, keep a record of every electrical appliance you use. Also record the amount of time each appliance is run.

2. Write down the power rating for each appliance you list. The power rating in watts should be marked on the appliance. You can also use information in Figure 1–27.

3. Calculate the amount of electricity in kilowatt-hours that you use each day.

4. Find out how much electricity costs per kilowatt-hour in your area. Calculate the cost of the electricity you use each day.

1–5 Section Review

1. What is electric power? What is the formula for calculating electric power? In what unit is electric power measured?
2. What is electric energy? What is the formula for calculating electric energy? In what unit is electric energy measured?
3. What happens if you touch an exposed electric wire? Why is this situation worse if you are wet or standing in water?

Critical Thinking—*Making Calculations*
4. If left running unused, which appliance would waste more electricity, an iron left on for half an hour or a television left on for one hour?

Figura 1–29 *Cuando uses electricidad recuerda ser cuidadoso y prudente. Evita situaciones peligrosas como las que se muestran aquí.*

ACTIVIDAD

PARA CALCULAR

¿Cuánta electricidad usas?

1. Durante varios días lleva un registro de todos los aparatos eléctricos que usas. También anota la cantidad de tiempo que funciona cada aparato.

2. Anota el grado de potencia de cada aparato que usas. La potencia en vatios debe estar marcada en el mismo, si no, usa la información en la figura 1–27.

3. Calcula la cantidad de electricidad en kilovatios-hora que usas cada día.

4. Averigua cuánto cuesta la electricidad por kilovatios-hora en tu área. Calcula el costo de la electricidad que usas cada día.

3. Nunca sobrecargues un circuito conectándole muchos aparatos porque puede causar un cortocircuito. Un circuito tiene capacidad para llevar una cierta cantidad de corriente sin peligro de ser sobrecargado.

4. Para evitar cortocircuitos repara siempre los alambres gastados o pelados.

5. Nunca metas los dedos en una toma de corriente ni pongas un utensilio en un aparato que está enchufado. La electricidad puede pasar directamente a tu mano o del utensilio a tu mano. Si expones ambas manos a la electricidad puede producirse un circuito que entra por un brazo, cruza por el corazón y sale por el otro brazo.

6. Nunca te acerques a los cables de los postes de electricidad o a los cables caídos de postes o edificios porque llevan corrientes muy altas.

1–5 Repaso de la sección

1. ¿Qué es la potencia eléctrica? ¿Cuál es la fórmula para calcular la potencia eléctrica? ¿En qué unidad se mide la potencia eléctrica?

2. ¿Qué es la energía eléctrica? ¿Cuál es la fórmula para calcular la energía eléctrica? ¿En que unidad se mide la energía eléctrica?

3. ¿Qué pasa si tocas un cable eléctrico pelado? ¿Por qué es peor esta situación si estás mojado o parado en el agua?

Pensamiento crítico—*Hacer cálculos*

4. Si se dejan encendidos, ¿qué aparato gastará más electricidad, una plancha encendida durante media hora o una televisión encendida durante una hora?

CONNECTIONS

Electrifying Personalities

Your hair color, eye color, height, and other personal traits are not the haphazard results of chance. Instead, they are determined and controlled by a message found in every one of your body cells. The message is referred to as the *genetic code*. The genetic information passed on from generation to generation in all living things is contained in structures called chromosomes, which are made of genes.

The genetic information contained in a gene is in a molecule of DNA (deoxyribonucleic acid). A DNA molecule consists of a long chain of many small molecules known as nucleotide bases. There are only four types of bases in a DNA molecule: adenine (A), cytosine (C), guanine (G), and thymine (T). The order in which the bases are arranged determines everything about your body.

A chromosome actually consists of two long DNA molecules wrapped around each other in the shape of a double helix. The two strands are held together in a precise shape by electric forces—the attraction of positive charges to negative charges.

In addition to holding the two strands of DNA together, electric forces are responsible for maintaining the genetic code and reproducing it each time a new cell is made. Your body is constantly producing new cells. It is essential that the same genetic message be given to each cell. When DNA is reproduced in the cell, the two strands unwind, leaving the charged parts of the bases exposed. Of the four bases, only certain ones will pair together. A is always paired with T, and G is always paired with C.

Suppose, for example, that after DNA unwinds, a molecule of C is exposed. Of the four bases available for pairing with C, only one will be electrically attracted to C. The charges on the other three bases are not arranged in a way that makes it possible for them to get close enough to those on C.

Electric forces not only hold the two chains together, they also operate to select the bases in proper order during reproduction of the genetic code. Thus the genetic information is passed on accurately to the next generation. So, although it may surprise you, it is a fact: Electricity is partly responsible for your features, from your twinkling eyes to your overall size.

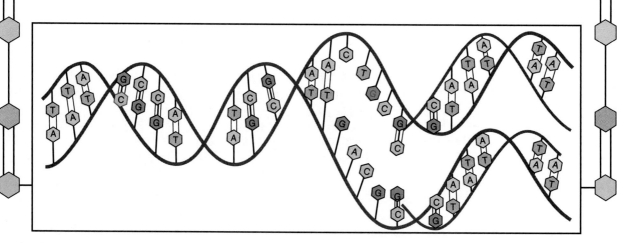

Personalidades electrificantes

El color de tu pelo, tus ojos, tu altura y otros rasgos personales no son resultados del azar. Están determinados y controlados por un mensaje que hay en cada una de las células de tu cuerpo. Este mensaje se llama *código genético*. En todos los organismos vivos, la información genética transmitida de generación en generación se halla en estructuras llamadas cromosomas que están hechos de genes.

La información genética de un gene está en una molécula de ADN (ácido deoxiribonucléico). Una molécula de ADN consiste de una larga cadena de muchas moléculas pequeñas conocidas como bases nucleótidas. Hay sólo cuatro tipos de bases en una molécula de ADN: adenina (A), citosina (C), guanina (G) y timina (T). El orden en que estas bases están distribuidas determina todo en tu cuerpo.

Un cromosoma consiste de dos largas moléculas de ADN enrolladas, formando una doble hélice. Fuerzas eléctricas, debido a la atracción de cargas positivas y negativas, mantienen los dos cabos unidos y con su forma característica.

Además de mantener los dos cabos unidos, las fuerzas eléctricas son responsables de mantener el código genético y reproducirlo en cada nueva célula. Tu cuerpo produce constantemente nuevas células. Es esencial que cada célula reciba el mismo código genético. Cuando se reproduce el ADN en una célula, los cabos se desenrollan, dejando las partes cargadas de sus bases expuestas. De las cuatro bases sólo algunas se aparean. A se aparea siempre con T y G siempre con C.

Supongamos, por ejemplo, que al desenrollarse el ADN queda expuesta una molécula de C. De las cuatro bases disponibles para aparearse con C sólo una será eléctricamente atraída a ella. Las cargas en las otras tres bases no están ordenadas de modo que puedan acercarse a C.

Las fuerzas eléctricas no sólo mantienen las dos cadenas juntas, sino también seleccionan las bases en el orden adecuado durante la reproducción del código genético. Así se transmite con exactitud la información genética a la siguiente generación. Por lo tanto, aunque te sorprenda, es un hecho: La electricidad es en parte responsable de tus características, desde tu talla hasta la forma en que parpadeas tus ojos.

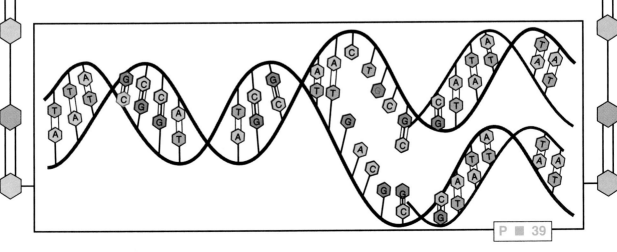

Laboratory Investigation

Electricity From a Lemon

Problem

Can electricity be produced from a lemon, a penny, and a dime?

Materials *(per group)*

bell wire	scissors
cardboard box	sandpaper
compass	dime
lemon	2 pennies

Procedure 🗜 🔋

1. Wrap 20 turns of bell wire around the cardboard box containing the compass, as shown in the accompanying figure.

2. Roll the lemon back and forth on a table or other flat surface while applying slight pressure. The pressure will break the cellular structure of the lemon.

3. Use the pointed end of the scissors to make two slits 1 cm apart in the lemon.

4. Sandpaper both sides of the dime and two pennies.

5. Insert the pennies in the two slits in the lemon as shown in the figure.

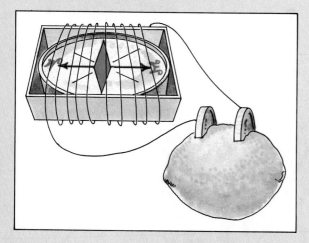

6. Touch the two ends of the bell wire to the coins. Observe any deflection of the compass needle.

7. Replace one of the pennies with the dime. Repeat step 6. Observe any deflection of the compass needle. If there is deflection, observe its direction.

8. Reverse the connecting wires on the coins. Observe any deflection of the compass needle and the direction of deflection.

Observations

1. Is the compass needle deflected when the two ends of the bell wire touch the two pennies?

2. Is the compass needle deflected when the two ends of the bell wire touch the penny and the dime?

3. Is the direction of deflection changed when the connecting wires on the coins are reversed?

Analysis and Conclusions

1. A compass needle will be deflected in the presence of an electric current. Is an electric current produced when two pennies are used? When a dime and a penny are used?

2. What is the purpose of breaking the cellular structure of the lemon? Of sandpapering the coins?

3. What materials are necessary to produce an electric current?

4. An electric current flowing through a wire produces magnetism. Using this fact, explain why a compass is used in this investigation to detect a weak current.

5. A dime is copper with a thin outer coating of silver. What would happen if the dime were sanded so much that the copper were exposed?

Investigación de laboratorio

Electricidad de un limón

Problema

¿Se puede producir electricidad usando un limón, un centavo y una moneda de diez centavos?

Materiales *(para cada grupo)*

hilo metálico	tijeras
caja de cartón	papel de lijar
brújula	moneda de diez
limón	centavos
	2 centavos

Procedimiento

1. Enrolla 20 vueltas del hilo alrededor de la caja de cartón con la brújula adentro tal como se ve en la ilustración.

2. Haz rodar el limón sobre una mesa mientras le aplicas una leve presión. La presión va a romper su estructura celular.

3. Con la punta de las tijeras abre dos ranuras a 1 cm de distancia en el limón.

4. Lija ambas caras de la moneda de diez centavos y las de los dos centavos.

5. Coloca los dos centavos en las ranuras del limón como se muestra en la figura.

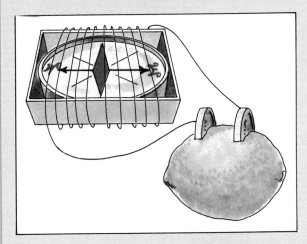

6. Con las puntas del hilo toca las monedas. Observa cualquier desviación de la aguja en la brújula.

7. Reemplaza uno de los centavos con la moneda de diez centavos. Repite el paso 6. Observa cualquier desviación de la aguja en la brújula. Si la hay, anota su dirección.

8. Revierte las puntas del hilo en las monedas. Observa si hay una desviación de la aguja en la brújula y su dirección.

Observaciones

1. ¿Se desvía la aguja cuando los extremos del hilo tocan los dos centavos?

2. ¿Se desvía la aguja cuando los extremos del hilo tocan el centavo y la moneda de diez centavos?

3. ¿Cambia la dirección de la desviación cuando se revierten los hilos?

Análisis y conclusiones

1. Una aguja de brújula se desvía frente a la presencia de una corriente eléctrica. ¿Se produce una corriente cuando se usan los dos centavos? ¿Cuándo se usan un centavo y la moneda de diez?

2. ¿Cuál es el propósito de romper la estructura celular del limón? ¿Y de lijar las monedas?

3. ¿Qué materiales se necesitan para producir una corriente eléctrica?

4. Una corriente eléctrica que fluye por un cable produce magnetismo. Usa este dato para explicar por qué en esta investigación se usa una brújula para detectar una corriente débil.

5. Una moneda de diez centavos está hecha de cobre y cubierta con una fina capa de plata. ¿Qué pasaría si la lijaras hasta que quede el cobre al descubierto?

Study Guide

Summarizing Key Concepts

1–1 Electric Charge

▲ All matter is made of atoms. Atoms contain positively charged protons, negatively charged electrons, and neutral neutrons.

▲ Opposite charges exert a force of attraction on each other. Similar charges exert a force of repulsion.

1–2 Static Electricity

▲ A neutral object can acquire charge by friction, conduction, or induction.

▲ The buildup of electric charge is called static electricity.

1–3 The Flow of Electricity

▲ Electric charges can be made to flow by a source such as a battery, thermocouple, photocell, or electric generator.

▲ The flow of electrons through a wire is called electric current (I). Electric current is measured in units called amperes (A).

▲ A measure of the potential difference across a source is voltage (V), which is measured in units called volts (V).

▲ Opposition to the flow of charge is called resistance (R). Resistance is measured in units called ohms (Ω).

▲ Ohm's law states that the current in a wire is equal to voltage divided by resistance.

▲ In direct current (DC), electrons flow in one direction. In alternating current (AC), electrons reverse their direction regularly.

1–4 Electric Circuits

▲ An electric circuit provides a complete closed path for an electric current. Electricity can flow only through a closed circuit.

▲ There is only one path for the current in a series circuit. There are several paths in a parallel circuit.

1–5 Electric Power

▲ Electric power measures the rate at which electricity does work or provides energy. The unit of electric power is the watt (W).

Reviewing Key Terms

Define each term in a complete sentence.

1–1 Electric Charge
atom
proton
neutron
electron
charge
force
electric field

1–2 Static Electricity
friction
conduction
conductor
insulator

induction
static electricity
electric discharge
electroscope

1–3 The Flow of Electricity
battery
potential difference
thermocouple
photocell
circuit
current
voltage
resistance

superconductor
Ohm's law
direct current
alternating current

1–4 Electric Circuits
series circuit
parallel circuit
fuse
circuit breaker

1–5 Electric Power
power

Resumen de conceptos claves

1–1 Carga eléctrica

▲ Toda la materia está hecha de átomos. Los átomos contienen protones de carga positiva, electrones de carga negativa y neutrones neutros.

▲ Cargas opuestas ejercen una fuerza de atracción entre sí. Cargas iguales ejercen fuerzas de repulsión.

1–2 Electricidad estática

▲ Un objeto neutro puede adquirir una carga por fricción, conducción o inducción.

▲ La acumulación de carga eléctrica se llama electricidad estática.

1–3 El flujo eléctrico

▲ Se puede hacer que un flujo continuo de cargas eléctricas se produzca en fuentes como baterías, termocuplas, fotocélulas o un generador eléctrico.

▲ El flujo de electrones por un cable se llama corriente eléctrica (I). La corriente eléctrica se mide en unidades llamadas amperios (A).

▲ Una medida de la diferencia de potencial de una fuente es el voltaje (V) que se mide en unidades llamadas voltios (V).

▲ La oposición al flujo de carga se llama resistencia (R). La resistencia se mide en unidades llamadas ohmios (Ω).

▲ Según la ley de Ohm la corriente en un cable es igual al voltaje dividido por la resistencia.

▲ En la corriente continua (DC) los electrones fluyen en una sóla dirección. En la corriente alterna (AC) los electrones revierten su dirección regularmente.

1–4 Circuitos eléctricos

▲ Un circuito eléctrico provee una vía completa y cerrada para una corriente eléctrica. La electricidad fluye sólo por un circuito cerrado.

▲ Hay sólo una vía para la corriente en un circuito en serie. En un circuito paralelo, hay varias vías.

1–5 Potencia eléctrica

▲ La potencia eléctrica mide la velocidad de la electricidad al ejecutar trabajo o proveer energía. La unidad de la potencia eléctrica es el vatio (W).

Repaso de palabras claves

Define cada palabra o palabras con una oración completa.

1–1 Carga eléctrica
átomo
protón
neutrón
electrón
carga
fuerza
campo eléctrico

1–2 Electricidad estática
fricción
conducción
conductor
aislante

inducción
electricidad estática
descarga eléctrica
electroscopio

1–3 El flujo eléctrico
batería
diferencia de potencial
termocupla
fotocélula
circuito
corriente
voltaje
resistencia

superconductor
ley de Ohm
corriente continua
corriente alterna

1–4 Circuitos eléctricos
circuito en serie
circuito paralelo
fusible
interruptor de circuito

1–5 Potencia eléctrica
potencia

Chapter Review

Content Review

Multiple Choice

Choose the letter of the answer that best completes each statement.

1. An atomic particle that carries a negative electric charge is called a(n)
   a. neutron.
   c. electron.
   b. positron.
   d. proton.
2. Between which particles would an electric force of attraction occur?
   a. proton-proton
   b. electron-electron
   c. neutron-neutron
   d. electron-proton
3. Electricity cannot flow through which of the following?
   a. series circuit
   c. parallel circuit
   b. open circuit
   d. closed circuit
4. Electric power is measured in
   a. ohms.
   c. electron-hours.
   b. watts.
   d. volts.

5. The three methods of giving an electric charge to an object are conduction, induction, and
   a. friction.
   c. direct current.
   b. resistance.
   d. alternating current.
6. Electricity resulting from a buildup of electric charges is
   a. alternating current.
   b. magnetism.
   c. electromagnetism.
   d. static electricity.
7. When electrons move back and forth, reversing their direction regularly, the current is called
   a. direct current.
   c. electric charge.
   b. series current.
   d. alternating current.

True or False

If the statement is true, write "true." If it is false, change the underlined word or words to make the statement true.

1. The number of electrons in a neutral atom equals the number of <u>protons</u>.
2. A neutral object develops a negative charge when it <u>loses</u> electrons.
3. An instrument that detects charge is a(n) <u>electroscope</u>.
4. Materials that do not allow electrons to flow freely are called <u>insulators</u>.
5. Rubber is a relatively <u>poor</u> conductor of electricity.
6. A <u>photocell</u> generates electricity as a result of temperature differences.
7. Once a <u>circuit breaker</u> burns out, it must be replaced.
8. An electric circuit provides a complete <u>open</u> path for an electric current.
9. Electric <u>power</u> is the rate at which work is done.

Concept Mapping

Complete the following concept map for Section 1–1. Refer to pages P6–P7 to construct a concept map for the entire chapter.

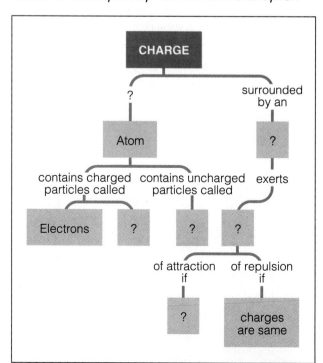

Repaso del capítulo

Selección múltiple

Selecciona la letra de la respuesta que mejor complete cada frase.

1. Una partícula atómica que tiene una carga eléctrica negativa se llama
   a. neutrón.
   b. positrón.
   c. electrón.
   d. protón.

2. ¿Entre qué partículas puede haber una fuerza de atracción eléctrica?
   a. protón-protón
   b. electrón-electrón
   c. neutrón-neutrón
   d. electrón-protón

3. ¿Por cuál de los siguientes no puede fluir la electricidad?
   a. un circuito en serie
   b. un circuito abierto
   c. un circuito paralelo
   d. un circuito cerrado

4. La potencia eléctrica se mide en
   a. ohmios.
   b. vatios.
   c. electrones-hora.
   d. voltios.

5. Los tres métodos de cargar eléctricamente un objeto son la conducción, la inducción y la
   a. fricción.
   b. resistencia.
   c. corriente continua.
   d. corriente alterna.

6. La electricidad que resulta de la acumulación de cargas eléctricas es
   a. corriente alterna.
   b. magnetismo.
   c. electromagnetismo.
   d. electricidad estática.

7. Cuando los electrones revierten regularmente su dirección, la corriente se llama
   a. corriente continua.
   b. corriente en serie.
   c. carga eléctrica.
   d. corriente alterna.

Verdadero o falso

Si la afirmación es verdadera, escribe "verdad." Si es falsa, cambia las palabras subrayadas para que sea verdadera.

1. El número de electrones en un átomo neutro es igual al número de <u>protones</u>.
2. Un objeto neutro se carga negativamente cuando <u>pierde</u> electrones.
3. Un instrumento que detecta una carga es un <u>electroscopio</u>.
4. Los materiales que no permiten el flujo libre de los electrones se llaman <u>aislantes</u>.
5. La goma es relativamente un <u>mal</u> conductor de electricidad.
6. Una <u>fotocélula</u> genera electricidad como resultado de la diferencia de temperaturas.
7. Cuando un <u>interruptor de circuito</u> se quema hay que reemplazarlo.
8. Un circuito eléctrico provee una vía completa <u>abierta</u> para la corriente eléctrica.
9. La <u>potencia</u> eléctrica es la velocidad a la cual se ejecuta trabajo.

Mapa de conceptos

Completa el siguiente mapa de conceptos para la sección 1–1. Para hacer un mapa de conceptos de todo el capítulo, consulta las páginas P6–P7.

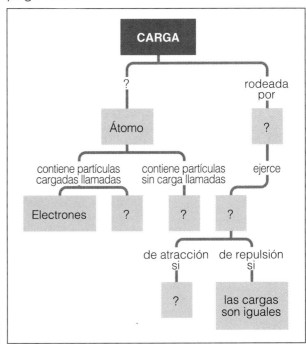

Concept Mastery

Discuss each of the following in a brief paragraph.

1. Describe the structure of an atom. How are atoms related to electric charge?
2. How does the force exerted by a proton on a proton compare with the force exerted by a proton on an electron at the same distance?
3. Describe the three ways in which an object can become charged.
4. Describe how a simple electrochemical cell operates? How are electrochemical cells related to batteries?
5. Compare an insulator and a conductor. How might each be used?
6. Describe two ways in which the resistance of a wire can be increased.
7. What is a circuit? A short circuit?
8. Explain why a tiny 1.5-V cell can operate a calculator for a year, while a much larger 1.5-V cell burns out in a few hours in a toy robot.
9. Discuss three safety rules to follow while using electricity.

Critical Thinking and Problem Solving

Use the skills you have developed in this chapter to answer each of the following.

1. **Making calculations** A light bulb operates at 60 volts and 2 amps.
   a. What is the power of the light bulb?
   b. How much energy does the light bulb need in order to operate for 8 hours?
   c. What is the cost of operating the bulb for 8 hours at a rate of $0.07 per kilowatt-hour?
2. **Identifying relationships** Identify each of the following statements as being a characteristic of (a) a series circuit, (b) a parallel circuit, (c) both a series and a parallel circuit:
   a. $I = V/R$
   b. The total resistance in the circuit is the sum of the individual resistances.
   c. The total current in the circuit is the sum of the current in each resistance.
   d. The current in each part of the circuit is the same.
   e. A break in any part of the circuit causes the current to stop.
3. **Applying concepts** Explain why the third prong from a grounded plug should not be removed to make the plug fit a two-prong outlet.
4. **Making inferences** Electric current can be said to take the path of least resistance. With this in mind, explain why a bird can perch with both feet on a power line and not be injured?

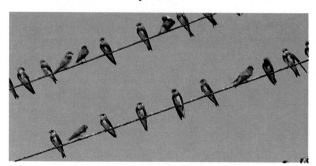

5. **Using the writing process** Imagine that from your window you can see the farm that belongs to your neighbors, whom you have never met. You rarely notice the neighbors, except when it rains. During rainstorms, they protect themselves with huge umbrellas as they walk out to check the crops. Write them a friendly but direct letter explaining why it is dangerous for them to use umbrellas during thunderstorms.

Dominio de conceptos

Comenta cada uno de los puntos siguientes en un párrafo breve.

1. Describe la estructura de un átomo. ¿Cómo se relacionan los átomos con la carga eléctrica?
2. ¿En qué se diferencian la fuerza ejercida por un protón sobre un protón de la fuerza ejercida por un protón sobre un electrón a la misma distancia?
3. Describe las tres formas de cómo se carga un objeto.
4. Describe cómo funciona una simple pila electroquímica? ¿Cómo se relacionan con las baterías?
5. Compara un aislante con un conductor. ¿Cómo se usa cada uno?
6. Describe dos formas en que se puede aumentar la resistencia de un cable.
7. ¿Qué es un circuito? ¿Un cortocircuito?
8. Explica por qué una pila pequeña de 1.5 V hace funcionar una calculadora por un año, mientras que una más grande de 1.5 V se agota en pocas horas en un robot de juguete.
9. Discute tres reglas de seguridad que se deben seguir para usar electricidad.

Pensamiento crítico y solución de problemas

Usa las destrezas que has desarrollado en este capítulo para resolver lo siguiente.

1. **Hacer cálculos** Una bombilla funciona con 60 voltios y 2 amperios.
   a. ¿Cuál es la potencia de la bombilla?
   b. ¿Cuánta energía se necesita para hacerla funcionar 8 horas?
   c. ¿Cuánto cuesta hacerla funcionar 8 horas a $ 0.07 cada kilovatio-hora?
2. **Identificar relaciones** Identifica cada una de las siguientes afirmaciones como característica de (a) un circuito en serie, (b) un circuito paralelo, (c) un circuito paralelo y en serie:
   a. $I=V/R$
   b. La resistencia total en el circuito es la suma de las resistencias individuales.
   c. El total de corriente en el circuito es la suma de la corriente en cada resistencia.
   d. La corriente en cada parte del circuito es la misma.
   e. Un corte en cualquier parte del circuito interrumpe la corriente.
3. **Aplicar conceptos** Explica por qué no se debe quitar la tercera pata de un enchufe con conexión a tierra para hacerlo entrar en una toma de corriente de dos patas.

4. **Hacer inferencias** La corriente eléctrica toma la vía de menor resistencia. Teniendo en cuenta esto, explica por qué un pájaro puede pararse en un cable eléctrico con ambas patas sin hacerse daño.

5. **Usar el proceso de la escritura** Imagina que desde tu ventana ves la granja de tus vecinos a quienes no conoces. Casi nunca los ves, excepto cuando llueve. Durante las tormentas de lluvia, cuando salen a proteger sus siembras, se guarecen bajo paraguas enormes. Escríbeles una nota amistosa, explicándoles por qué es peligroso usar paraguas durante las tormentas eléctricas.

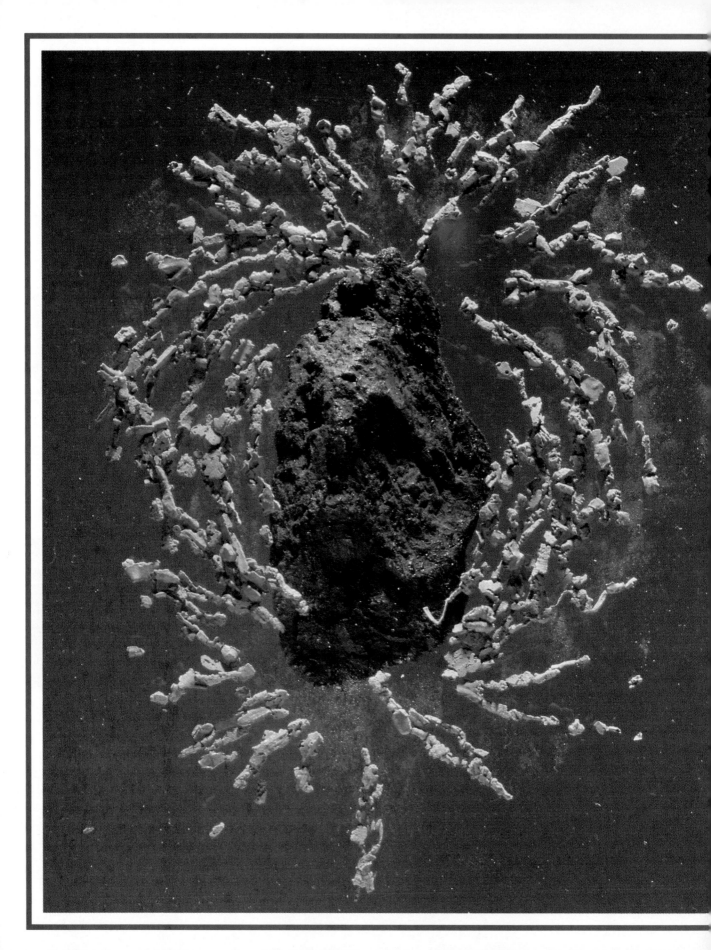

Magnetism

More than 2000 years ago, the Greeks living in a part of Turkey known as Magnesia discovered an unusual rock. The rock attracted materials that contained iron. Because the rock was found in Magnesia, the Greeks named it magnetite. As the Greeks experimented with their new discovery, they observed another interesting thing about this peculiar rock. If they allowed it to swing freely from a string, the same part of the rock would always face in the same direction. That direction was toward a certain northern star, called the leading star, or lodestar. Because of this property, magnetite also became known as lodestone.

The Greeks did not know it then, but they were observing a property of matter called magnetism. In this chapter you will discover what magnetism is, the properties that make a substance magnetic, and the significance of magnetism in your life.

Journal *Activity*

You and Your World You probably use several magnets in the course of a day. In your journal, describe some of the magnets you encounter and how they are used. Also suggest other uses for magnets.

◀ *Magnetite, or lodestone, is a natural magnet that exhibits such properties as attracting iron filings.*

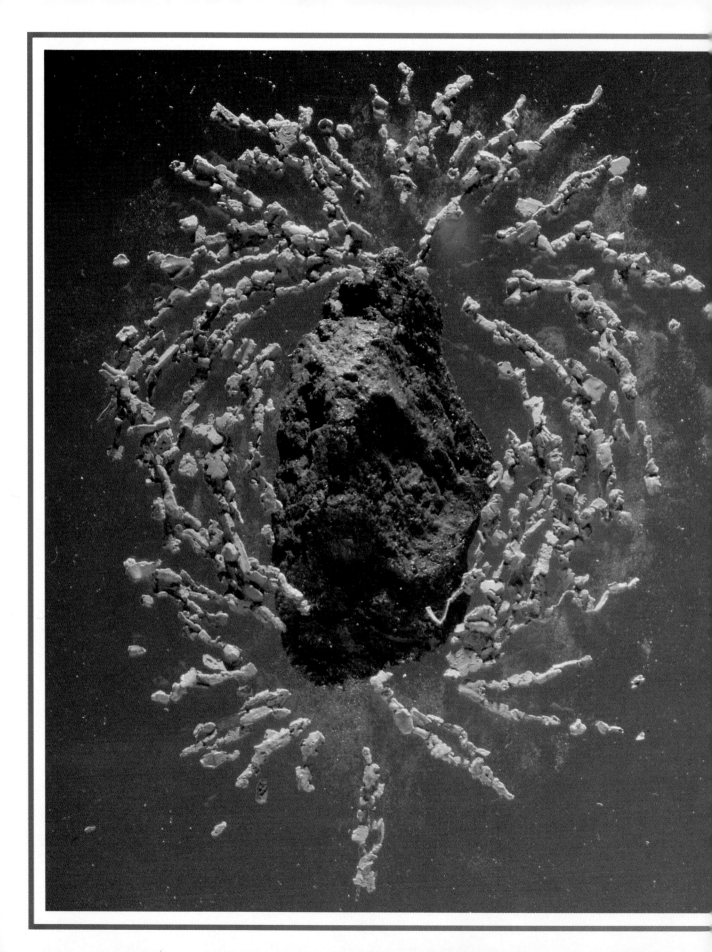

Magnetismo

Guía para la lectura

Después de leer las secciones siguientes, vas a poder

2-1 La naturaleza de los imanes

- Describir el magnetismo y la conducta de los polos magnéticos.

- Relacionar los campos magnéticos con las líneas de fuerza de los campos magnéticos.

- Explicar el magnetismo en términos de los dominios magnéticos.

2-2 La Tierra como un imán

- Describir las propiedades magnéticas de la Tierra.

- Explicar cómo funciona una brújula.

- Identificar otras fuentes de magnetismo en el sistema solar.

2-3 Magnetismo en acción

- Explicar qué sucede con una partícula cargada en un campo magnético.

Hace más de 2000 años, los griegos que vivían en una parte de Turquía llamada Magnesia descubrieron una roca insólita. La roca atraía materiales que contenían hierro. Debido a que fue descubierta en Magnesia, los griegos la llamaron magnetita. Mientras ellos experimentaban con su nuevo descubrimiento, observaron otra peculiaridad de la roca. Si la dejaban oscilar libremente de un cordel, una misma parte de la roca señalaba siempre en la misma dirección. Esa dirección era hacia cierta estrella del norte llamada la estrella guía. Debido a esta propiedad, la magnetita se llamó también piedra imán, que en la lengua de esa región significaba director o líder.

Los griegos no sabían entonces que observaban una propiedad de la materia llamada magnetismo. En este capítulo vas a descubrir qué es el magnetismo, las propiedades que hacen magnética a una sustancia y la importancia del magnetismo en tu vida.

Diario *Actividad*

Tú y tu mundo Probablemente usas todos los días varios imanes. En tu diario, describe los imanes que encuentras y cómo se usan. También sugiere otros usos para los imanes.

La magnetita, o piedra imán, es un imán natural que puede atraer limaduras de hierro.

Guide for Reading

Focus on these questions as you read.

▶ What are the characteristics of a magnetic field?

▶ How is magnetism related to the atomic structure of a material?

ACTIVITY

DISCOVERING

Magnetic Forces

1. Take two bar magnets of the same size and hold one in each hand.

2. Experiment with the magnets by bringing different combinations of poles together. What do you feel in your hands?

■ Explain your observations in terms of magnetic forces.

2-1 The Nature of Magnets

Have you ever been fascinated by the seemingly mysterious force you feel when you try to push two magnets together or pull them apart? This strange phenomenon is known as **magnetism.** You may not realize it, but magnets play an extremely important role in your world. Do you use a magnet to hold notes on your refrigerator or locker door? Do you play video- and audiotapes? Perhaps you have used the magnet on an electric can opener. Did you know that a magnet keeps the door of your freezer sealed tight? See, you do take advantage of the properties of magnets.

Magnetic Poles

All magnets exhibit certain characteristics. Any magnet, no matter what its shape, has two ends where its magnetic effects are strongest. These regions are referred to as the **poles** of the magnet. One pole is labeled the north pole and the other the south pole. Magnets come in different shapes and sizes. The simplest kind of magnet is a straight bar of iron. Another common magnet is in the shape of a horseshoe. In either case, the poles are at each end. Figure 2–1 shows a variety of common magnets.

Figure 2–1 *Modern magnets come in a variety of sizes and shapes, including bar magnets, horseshoe magnets, and disc magnets.*

Guía para la lectura

*Piensa en estas preguntas
mientras lees.*

▶ *¿Cuáles son las características
de un campo magnético?*

▶ *¿Cómo se relaciona el
magnetismo con la
estructura atómica
de un material?*

Actividad

PARA AVERIGUAR

Fuerzas magnéticas

1. Toma dos imanes de barra iguales, uno en cada mano.

2. Experimenta con ellos tratando de acercar sus distintos polos. ¿Qué sientes en tus manos?

■ Explica tus observaciones en términos de las fuerzas magnéticas.

2–1 La naturaleza de los imanes

¿Te ha fascinado alguna vez la fuerza misteriosa que se siente al tratar de juntar o de separar dos imanes? Este extraño fenómeno se conoce como **magnetismo**. Quizás no lo sepas, pero los imanes juegan un papel muy importante en tu mundo. ¿Usas un imán para sujetar notas de papel sobre la puerta de la nevera? ¿Escuchas cassettes y miras videos? Tal vez uses un imán en un abrelatas eléctrico. ¿Sabías que un imán mantiene sellada la puerta del congelador? Como ves, tú también aprovechas las propiedades de los imanes.

Los polos magnéticos

Todos los imanes tienen ciertas características. Cada imán, no importa su forma, tiene dos extremos donde el efecto magnético es más fuerte. Estas áreas se llaman los **polos** del imán. Uno se llama el polo norte y el otro, el polo sur. Los imanes tienen formas y tamaños diferentes. El imán más simple es una barra de hierro. Otro imán común tiene forma de herradura. En ambos casos, los polos están en cada extremo. En la figura 2–1 se ven varios imanes comunes.

Figura 2–1 *Los imanes modernos tienen formas y tamaños diferentes; por ejemplo, hay imanes en forma de barra, de herradura y de disco.*

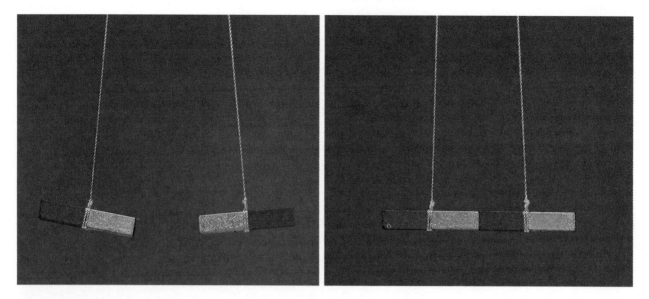

Figure 2-2 *Two bar magnets suspended by strings are free to move. What force is occurring between the magnets in each photograph? Why?*

When two magnets are brought near each other, they exert a force on each other. Magnetic forces, like electric forces, involve attractions and repulsions. If the two north poles are brought close together, they will repel each other. Two south poles do the same thing. However, if the north pole of one magnet is brought near the south pole of another magnet, the poles will attract each other. The rule for magnetic poles is: Like poles repel each other and unlike poles attract each other. How does this rule compare with the rule that describes the behavior of electric charges?

Magnetic poles always appear in pairs—a north pole and a south pole. For many years, physicists have tried to isolate a single magnetic pole. You might think that the most logical approach to separating poles would be to cut a magnet in half. Logical, yes; correct, no. If a magnet is cut in half, two smaller magnets each with a north pole and a south pole are produced. This procedure can be repeated again and again, but a complete magnet is always produced. Theories predict that it should be possible to find a single magnetic pole (monopole), but experimental evidence does not agree. A number of scientists are actively pursuing such a discovery because magnetic monopoles are believed to have played an important role in the early history of the universe.

Figure 2-3 *No matter how many times a magnet is cut in half, each piece retains its magnetic properties. How are magnetic poles different from electric charges?*

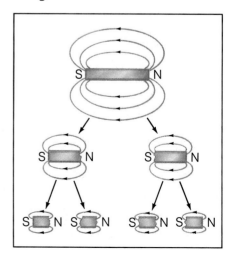

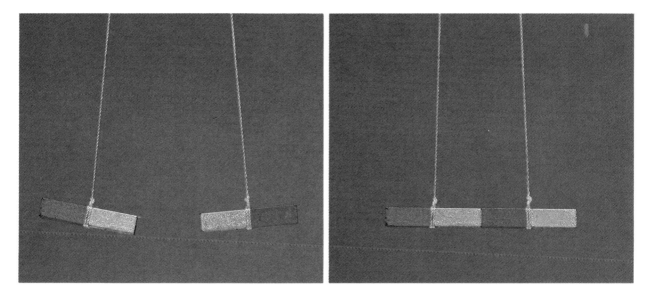

Figura 2–2 *Al suspenderlos de cordeles, dos imanes de barra se mueven libremente. ¿Qué fuerza hay entre ellos en cada fotografía? ¿Por qué?*

Al acercar dos imanes, éstos ejercen una fuerza entre sí. Tal como en las fuerzas eléctricas, en las fuerzas magnéticas hay atracciones y repulsiones. Al acercar dos polos nortes, éstos se repelen. Dos polos sur hacen lo mismo. Pero si acercas el polo norte de un imán al polo sur de otro, los imanes se atraen. La regla para los polos magnéticos es: Polos iguales se repelen y polos opuestos se atraen. ¿En qué se diferencia esta regla de la que describe la conducta de las cargas eléctricas?

Los polos magnéticos vienen siempre en par—un polo norte y un polo sur. Por muchos años los físicos han tratado de aislar un polo magnético. Quizás pienses que lo más lógico para separar los polos es cortar el imán por la mitad. Es lógico pero no es correcto. Al cortar un imán por la mitad se forman dos imanes más pequeños, cada uno con un polo norte y un polo sur. Se puede repetir este procedimiento una y otra vez pero cada vez se produce un imán completo. Según la teoría debería ser posible encontrar un solo polo magnético (monopolo), pero la práctica experimental no ha podido confirmarlo. Algunos científicos están empeñados en descubrirlo porque se cree que los monopolos magnéticos jugaron un papel importante en los comienzos del universo.

Figura 2–3 *No importa cuántas veces cortes un imán por la mitad, cada parte mantiene las propiedades magnéticas. ¿En qué se diferencian los polos magnéticos de las cargas eléctricas?*

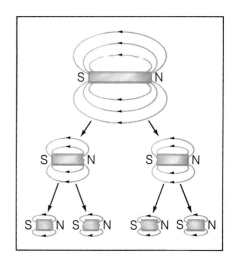

ACTIVITY

DISCOVERING

Mapping Lines of Magnetic Force

For this activity you need iron filings, a horseshoe magnet, a thin piece of cardboard, a pencil, and a sheet of paper.

1. Place the horseshoe magnet on a flat surface. Place the cardboard on top of it. Be sure the cardboard covers the entire magnet.

2. Sprinkle iron filings over the cardboard. Make a drawing of the pattern you see.

■ Explain why this particular pattern is formed.

■ What does the pattern tell you about the location of the poles of a horseshoe magnet?

You may think that science has all the answers and that everything has been discovered that can be discovered. But the quest for monopoles illustrates that scientific knowledge is continually developing and changing. It is often the case that a scientific discovery creates a whole new collection of questions to be answered—perhaps by inquisitive minds like yours.

Magnetic Fields

Although magnetic forces are strongest at the poles of a magnet, they are not limited to the poles alone. Magnetic forces are felt around the rest of the magnet as well. The region in which the magnetic forces can act is called a **magnetic field.**

It may help you to think of a magnetic field as an area mapped out by magnetic lines of force. Magnetic lines of force define the magnetic field of an object. Like electric field lines, magnetic field lines can be drawn to show the path of the field. But unlike electric fields, which start and end at charges, magnetic fields neither start nor end. They go around in complete loops from the north pole to the south pole of a magnet. **A magnetic field, represented by lines of force extending from one pole of a magnet to the other, is an area over which the magnetic force is exerted.**

Magnetic lines of force can be easily demonstrated by sprinkling iron filings on a piece of cardboard placed on top of a magnet. See Figure 2–4. Where are the lines of force always the most numerous and closest together?

Figure 2–4 *You can see the magnetic lines of force mapped out by the iron filings placed on a glass sheet above a magnet. The diagram illustrates these lines of force. Where are the lines strongest?*

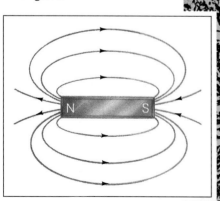

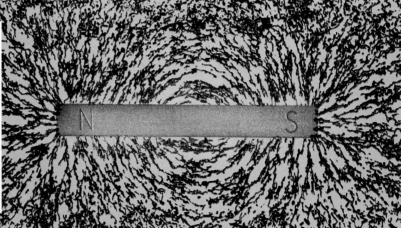

Trazar mapas de las líneas de fuerza magnética

Para esta actividad necesitas limaduras de hierro, un imán en forma de herradura, un cartón delgado, un lápiz y una hoja de papel.

1. Pon el imán sobre una superficie plana. Cúbrelo totalmente con el cartón.

2. Salpica las limaduras de hierro sobre el cartón. Dibuja el patrón que ves.

■ Explica por qué se forma este patrón específico.

■ ¿Qué te dice el patrón de la ubicación de los polos en el imán en forma de herradura?

Quizás pienses que la ciencia tiene respuestas para todo y que ya se ha descubierto todo lo que hay por descubrir. Pero la búsqueda de los monopolos ilustra cómo el conocimiento científico cambia y se desarrolla continuamente. A menudo un descubrimiento científico crea una nueva serie de preguntas a responder—tal vez por una mente inquisitiva como la tuya.

Los campos magnéticos

Aunque las fuerzas magnéticas son más fuertes en los polos de un imán, no están limitadas sólo a sus polos. También se sienten en el resto del imán. El área donde las fuerzas magnéticas actúan se llama **campo magnético**.

Te ayudará pensar en un campo magnético como un área delineada por las líneas de fuerza magnética. Estas líneas definen el campo magnético de un objeto. Tal como las líneas de campos eléctricos, también se pueden dibujar las líneas de campo magnético para mostrar la trayectoria del campo. Pero a diferencia de los campos eléctricos que empiezan y terminan en sus cargas, los campos magnéticos no empiezan ni terminan. Se mueven de norte a sur alrededor del imán. **Un campo magnético representado, por las líneas de fuerza que van de un polo del imán al otro, es un área donde se ejerce la fuerza magnética.**

Se pueden constatar las líneas de fuerza magnética al salpicar con limaduras de hierro un cartón que cubre un imán. Mira la figura 2–4. ¿Dónde son más numerosas y están más juntas las líneas de fuerza?

Figura 2–4 *Se pueden ver las líneas de fuerza magnética trazadas por las limaduras de hierro sobre el vidrio que cubre un imán. El diagrama ilustra estas líneas. ¿Dónde son más fuertes?*

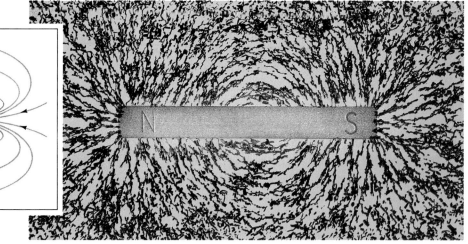

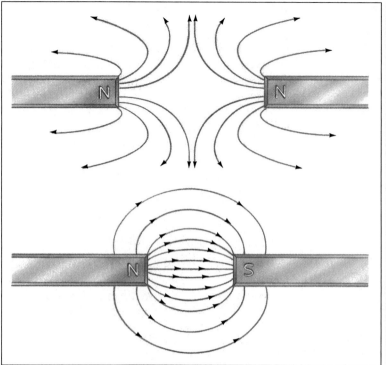

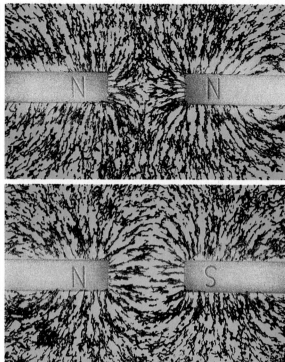

Figure 2–5 *What do the lines of force around these magnets tell you about the interaction of like and unlike magnetic poles?*

Figure 2–5 shows the lines of force that exist between like and unlike poles of two bar magnets. The pattern of iron filings shows that like poles repel each other and unlike poles attract each other.

Magnetic Materials

If you bring a magnet near a piece of wood, glass, aluminum, or plastic, what happens? You are right if you say nothing. There is no action between the magnet and any of these materials. In addition, none of these materials can be magnetized. Yet materials such as iron, steel, nickel, and cobalt react readily to a magnet. And all these materials can be magnetized. Why are some materials magnetic while others are not?

The most highly magnetic materials are called ferromagnetic materials. The name comes from the Latin name for iron, *ferrum*. Ferromagnetic materials are strongly attracted to magnets and can be made into magnets as well. For example, if you bring a strong magnet near an iron nail, the magnet will attract the nail. If you then stroke the nail several times in the same direction with the magnet, the nail itself becomes a magnet. The nail will remain magnetized even after the original magnet is removed.

ACTIVITY

DOING

Paper Clip Construction

1. How many paper clips can you make stick to the surface of a bar magnet?

Explain your results.

2. How many paper clips can you attach in a single row to a bar magnet?

Explain your results.

What would happen if you placed a plastic-coated paper clip in the second position?

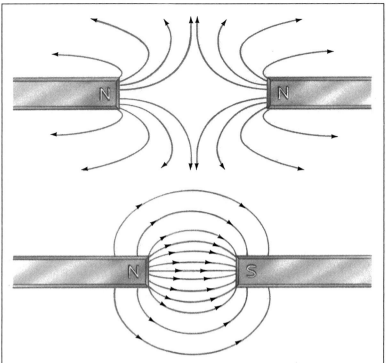

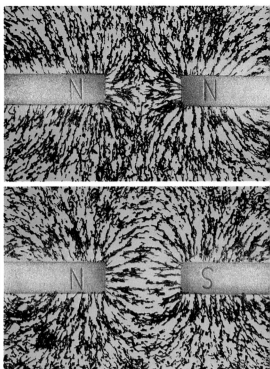

Figura 2–5 *¿Qué demuestran las líneas de fuerza alrededor de estos imanes respecto a la interacción entre polos iguales y opuestos?*

La figura 2–5 muestra las líneas de fuerza que hay entre los polos iguales y los polos opuestos de dos imanes. El patrón de las limaduras de hierro muestra que los polos iguales se repelen y los opuestos se atraen.

Materiales magnéticos

Si acercas un imán a un pedazo de madera, vidrio, aluminio o plástico, ¿qué pasa? Estás en lo cierto si dices nada. No hay interacción entre el imán y estos materiales. Además no se puede imantar ninguno de ellos. Pero materiales como el hierro, el acero, el níquel y el cobalto reaccionan fácilmente frente a un imán. Y todos ellos se pueden imantar. ¿Por qué algunos materiales son magnéticos y otros no?

Los materiales más altamente magnéticos se llaman ferromagnéticos. El nombre viene de la palabra hierro en latín, *ferrum*. Los imanes atraen fuertemente a los materiales ferromagnéticos y éstos también pueden convertirse en imanes. Por ejemplo, si acercas un imán a un clavo de hierro, el imán lo va a atraer. Si luego frotas el clavo varias veces en la misma dirección con el imán, el clavo se convierte en un imán y va a quedar imantado aunque quites el imán original.

ACTIVIDAD
PARA HACER

Construcción de sujetapapeles

1. ¿Cuántos sujetapapeles puedes pegar a la superficie de un imán de barra?
Explica tus resultados.

2. ¿Cuántos sujetapapeles puedes pegar en una sola fila a un imán de barra?
Explica tus resultados.

¿Qué pasaría si pusieras un sujetapapeles revestido de plástico en la segunda posición?

ACTIVITY

DOING

Some materials, such as soft iron, are easy to magnetize. But they also lose their magnetism quickly. Magnets made of these materials are called temporary magnets. Other magnets are made of materials that are more difficult to magnetize, but they tend to stay magnetized. Magnets made of these materials are called permanent magnets. Cobalt, nickel, and iron are materials from which strong permanent magnets can be made. Many permanent magnets are made of a mixture of aluminum, nickel, cobalt, and iron called alnico.

An Explanation of Magnetism

The magnetic properties of a material depend on its atomic structure. Scientists believe that the atom itself has magnetic properties. These magnetic properties are due to the motion of the atom's electrons. Groups of atoms join in such a way that their magnetic fields are all arranged in the same direction, or aligned. This means that all the north poles face in one direction and all the south poles face in the other direction. A region in which the magnetic fields of individual atoms are grouped together is called a **magnetic domain.**

You can think of a magnetic domain as a miniature magnet with a north pole and a south pole. All materials are made up of many domains. In unmagnetized material, the domains are arranged randomly (all pointing in different directions). Because the domains exert magnetic forces in different directions, they cancel out. There is no overall magnetic force in the material. In a magnet, however, most of the domains are aligned. See Figure 2–6.

A magnet can be made from an unmagnetized material such as an iron nail by causing the domains to become aligned. When a ferromagnetic material is placed in a strong magnetic field, the poles of the magnet exert a force on the poles of the individual domains. This causes the domains to shift. Either

Figure 2–6 *The sections represent the various domains of a material. The arrows point toward the north pole of each domain. What is the arrangement of the domains in an unmagnetized material? In a magnetized material?*

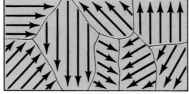

Unmagnetized material

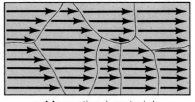

Magnetized material

Ciertos materiales, como el hierro dulce, son fáciles de imantar pero también pierden rápidamente su magnetismo. Los imanes hechos de esos materiales se llaman imanes temporales. Otros imanes están hechos de materiales más difíciles de imantar pero tienden a quedarse imantados. Los imanes hechos de estos materiales se llaman imanes permanentes. El cobalto, el níquel y el hierro son unos de los materiales con que se hacen fuertes imanes permanentes. Muchos de éstos están hechos de alnico, una mezcla de aluminio, níquel, cobalto y hierro.

Una explicación del magnetismo

Las propiedades magnéticas de un material dependen de su estructura atómica. Los científicos creen que el átomo en sí tiene propiedades magnéticas. Estas propiedades se deben al movimiento de sus electrones. Grupos de átomos se unen de tal modo que sus campos magnéticos se alinean en la misma dirección; es decir, todos los polos nortes señalan en una dirección y los polos sur en la otra. La región donde se agrupan los campos magnéticos de los átomos individuales se llama **dominio magnético**.

Piensa que un dominio magnético es como un imán en miniatura con un polo norte y uno sur. Todos los materiales están hechos de muchos dominios. En un material sin imantar, los dominios están ordenados al azar (señalan en direcciones diferentes). Dado que los dominios ejercen fuerzas magnéticas en distintas direcciones, éstas se anulan. En el material no hay una fuerza magnética total. Pero en un imán, la mayoría de sus dominios están alineados. Mira la figura 2–6.

Mediante la alineación de sus dominios, se puede hacer un imán de un material sin imantar como un clavo de hierro. Al poner un material ferromagnético en un campo magnético fuerte, los polos del imán ejercen una fuerza sobre los polos de los dominios individuales. Esto hace que el dominio cambie.

Figura 2–6 *Las secciones representan los varios dominios de un material. Las flechas señalan hacia el polo norte de cada dominio. ¿Cómo se ordenan los dominios en un material sin imantar? ¿Y en uno imantado?*

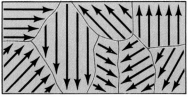

Material sin imantar

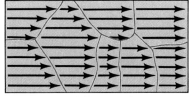

Material imantado

most of the domains rotate (turn) to be in the direction of the field, or the domains already aligned with the field become larger while those in other directions become smaller. In both situations, an overall magnetic force is produced. Thus the material becomes a magnet.

This also explains why a magnet can pick up an unmagnetized object, such as a paper clip. The magnet's field causes a slight alignment of the domains in the paper clip so that the clip becomes a temporary magnet. Its north pole faces the south pole of the permanent magnet. Thus it is attracted to the magnet. When the magnet is removed, the domains return to their random arrangement and the paper clip is no longer magnetized.

Even a permanent magnet can become unmagnetized. For example, if you drop a magnet or strike it too hard, you will jar the domains into randomness. This will cause the magnet to lose some or all of its magnetism. Heating a magnet will also destroy its magnetism. This is because the additional energy (in the form of heat) causes the particles of the material to move faster and more randomly. In fact, every material has a certain temperature above which it cannot be made into a magnet at all.

Now that you have learned more about the nature of magnets, you can better describe the phenomenon of magnetism. **Magnetism is the force of attraction or repulsion of a magnetic material due to the arrangement of its atoms—particularly its electrons.**

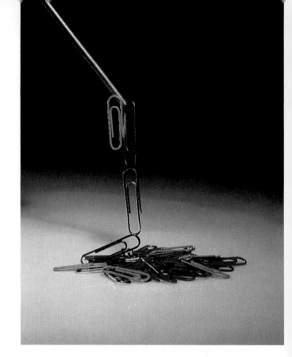

Figure 2–7 *This iron nail attracts metal paper clips. How can an iron nail be turned into a magnet?*

2–1 Section Review

1. How is a magnetic field related to magnetic poles and lines of force?
2. State the rule that describes the behavior of magnetic poles.
3. What is magnetism?
4. What is a magnetic domain? How are magnetic domains related to magnetism?

Critical Thinking—*Applying Concepts*
5. From what you know about the origin of magnetism, explain why cutting a magnet in half produces two magnets.

La mayoría de los dominios giran para alinearse con la dirección del campo, o los dominios ya alineados se agrandan, mientras los que señalan en otras direcciones se achican. En ambas situaciones se produce una fuerza magnética total. Por lo tanto, el material se convierte en un imán.

Esto también explica por qué un imán puede alzar un objeto sin imantar como un sujetapapeles. El campo del imán reordena los dominios del sujetapapeles de modo que éste se convierte en un imán temporal. Su polo norte enfrenta el polo sur del imán permanente. Por eso es atraído hacia él. Cuando quitas el imán, los dominios vuelven a su orden usual y el sujetapapeles deja de estar imantado.

También se puede desmagnetizar un imán permanente. Por ejemplo, si dejas caer un imán o lo frotas muy fuerte, vas a causar que los dominios se desordenen. El imán va a perder parte o todo su magnetismo. Calentar un imán también destruye su magnetismo porque la energía adicional (en forma de calor) hace que las partículas del material se muevan más rápido y al azar. De hecho, ningún material puede convertirse en un imán cuando su temperatura supera a cierto nivel específico.

Ahora que sabes más sobre la naturaleza de los imanes, puedes describir mejor el fenómeno del magnetismo. **El magnetismo es la fuerza de atracción o repulsión de una sustancia magnética causada por la alineación de sus átomos—en especial la de sus electrones.**

Figura 2–7 *Este clavo de hierro atrae sujetapapeles de metal. ¿Cómo se puede hacer un imán de un clavo de hierro?*

2–1 Repaso de la sección

1. ¿Cómo se relaciona el campo magnético con los polos magnéticos y con las líneas de fuerza?
2. Escribe la regla que describe la conducta de los polos magnéticos.
3. ¿Qué es el magnetismo?
4. ¿Qué es un dominio magnético? ¿Cómo se relacionan los dominios magnéticos con el magnetismo?

Pensamiento crítico—*Aplicar conceptos*
5. Basándote en lo que sabes sobre el origen del magnetismo, explica por qué al cortar un imán por la mitad se producen dos imanes.

P ■ 51

ACTIVIDAD

PARA ESCRIBIR

Ahí donde todo empezó

El fenómeno del magnetismo se conoce desde hace siglos, mucho antes de ser entendido. En la mitología china y griega se hacen varias referencias a esta propiedad "mágica." Usa los materiales de referencia de la biblioteca para averiguar sobre el descubrimiento y la historia de la piedra imán. Escribe un reporte, describiendo cómo fue descubierta, lo que la gente pensó al principio y cómo llegó a ser conocida y usada.

PROBLEM Solving

Mix-Up in the Lab

You are working in a research laboratory conducting experiments regarding the characteristics of magnets. You have several samples of magnetic materials and several samples of materials that are not magnetic. Unfortunately, you also have a problem. One of your inexperienced laboratory assistants has removed the label identifying one particular sample as magnetic or not magnetic. To make matters worse, you must complete this part of your research before your boss returns.

Drawing Conclusions

All you have is this photograph showing the pattern of the magnetic domains of the sample. Is the sample a magnet?

Explain how you reached your conclusion. Devise an experiment for your lab assistant to perform to prove your conclusion so that the sample can be correctly labeled.

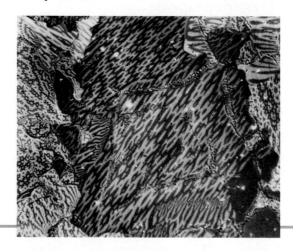

Guide for Reading

Focus on these questions as you read.

▶ *What are the magnetic properties of the Earth?*

▶ *How does a compass work?*

ctivity Bank

Just Ducky, p.128

2–2 The Earth As a Magnet

You have read earlier that as the ancient Greeks experimented with magnetite, they discovered that the same part of the rock always pointed in the same direction. Why does one pole of a bar magnet suspended from a string always point north and the other pole always point south? After all, the poles of a magnet were originally labeled simply to describe the directions they faced with respect to the Earth.

The first person to suggest an answer to this question was an English physician named William Gilbert. In 1600, Gilbert proposed the idea that the Earth itself is a magnet. He predicted that the Earth would be found to have magnetic poles.

Gilbert's theory turned out to be correct. Magnetic poles of the Earth were eventually discovered.

PROBLEMA
a resolver

Confusión en el laboratorio

Estás trabajando en un laboratorio, experimentando con las características de los imanes. Tienes varias muestras de materiales magnéticos y materiales que no lo son. Desgraciadamente también tienes un problema. Uno de tus inexpertos asistentes de laboratorio le ha quitado la etiqueta de identificación a una de las muestras. Peor aún, tienes que completar esta parte de tu investigación antes de que vuelva tu jefe.

Sacar conclusiones

Lo único que tienes es una foto del patrón de los dominios magnéticos de la muestra. ¿Es un imán? Explica cómo llegaste a esa conclusión. Diseña un experimento para que tu asistente compruebe tu conclusión, de modo que pueda poner la etiqueta correcta a la muestra.

Guía para la lectura

Piensa en estas preguntas mientras lees.

▶ *¿Cuáles son las propiedades magnéticas de la Tierra?*

▶ *¿Cómo funciona una brújula?*

Pozo de actividades

Muéstrame el camino, p.128

2–2 La Tierra como un imán

Leíste que mientras experimentaban con la magnetita, los antiguos griegos descubrieron que la misma parte de la roca señalaba siempre en la misma dirección. ¿Por qué al colgar un imán de un cordel uno de sus polos siempre señala el norte y el otro el sur? Después de todo, los polos de un imán fueron nombrados así para describir las direcciones que enfrentaban respecto a la Tierra.

La primera persona que respondió a esta pregunta fue el físico inglés, William Gilbert. En 1600 Gilbert propuso que la Tierra misma es un imán. Él predijo que se encontrarían polos magnéticos en la Tierra.

Su teoría resultó acertada, pues eventualmente se descubrieron los polos magnéticos de la Tierra. Hoy los científicos saben que la Tierra se comporta como si en

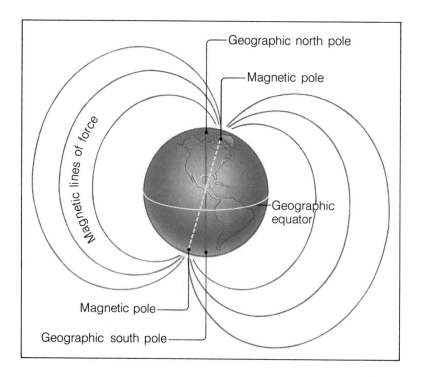

Geographic north pole

Magnetic pole

Magnetic lines of force

Geographic equator

Magnetic pole

Geographic south pole

Figure 2–8 *You can see in this illustration that the magnetic poles are not located exactly at the geographic poles. Does a compass needle, then, point directly north?*

Activity Bank

Magnetic Personality, p.129

Figure 2–9 *When volcanic lava hardens into rock, the direction of the Earth's magnetic field at that time is permanently recorded.*

Today, scientists know that the Earth behaves as if it has a huge bar magnet buried deep within it. **The Earth exerts magnetic forces and is surrounded by a magnetic field that is strongest near the north and the south magnetic poles.** The actual origin of the Earth's magnetic field is not completely understood. It is believed to be related to the motion of the Earth's inner core, which is mostly iron and nickel.

Scientists have been able to learn a great deal about the Earth's magnetic field and how it changes over time by studying patterns in magnetic rocks formed long ago. Some minerals have magnetic properties and are affected by the Earth's magnetism. In molten (hot liquid) rocks, the magnetic mineral particles line up in the direction of the Earth's magnetic poles. When the molten rocks harden, a permanent record of the Earth's magnetism remains in the rocks. Scientists have discovered that the history of the Earth's magnetism is recorded in magnetic stripes in the rocks. Although the stripes cannot be seen, they can be detected by special instruments. The pattern of the stripes reveals that the magnetic poles of the Earth have reversed themselves completely many times throughout Earth's history—every half-million years or so.

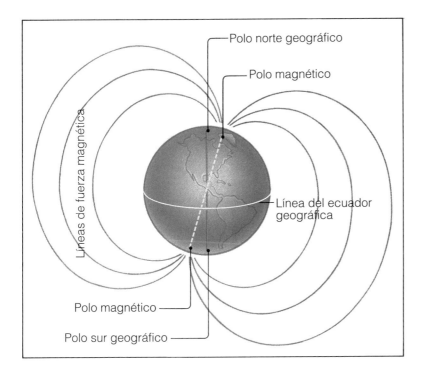

Polo norte geográfico

Polo magnético

Líneas de fuerza magnética

Línea del ecuador geográfica

Polo magnético

Polo sur geográfico

Figura 2–8 *En esta ilustración puedes ver que los polos magnéticos no están exactamente en el mismo lugar que los polos geográficos. Entonces, ¿señala la aguja de una brújula directamente el norte?*

su centro se hubiera enterrado un imán enorme. **La Tierra ejerce fuerzas magnéticas y la rodea un campo magnético que es más fuerte aún cerca de los polos magnéticos norte y sur.** Aún no se comprende bien el verdadero origen del campo magnético de la Tierra. Se cree que está relacionado al movimiento del centro de la Tierra, que en su mayor parte es hierro y níquel.

Por medio del estudio de rocas magnéticas formadas hace mucho tiempo, los científicos han aprendido mucho sobre el campo magnético de la Tierra y sus cambios a través del tiempo. Ciertos minerales tienen propiedades magnéticas y el magnetismo de la Tierra los afecta. En las rocas derretidas (líquido caliente) las partículas minerales magnéticas se alinean con los polos magnéticos de la Tierra. Al endurecerse queda un registro permanente del magnetismo de la Tierra en las rocas. Los científicos han descubierto que la historia del magnetismo de la Tierra está registrada en franjas magnéticas en las rocas. Aunque éstas no se pueden ver, son detectadas por instrumentos especiales. El patrón de las franjas revela que los polos magnéticos de la Tierra se han revertido completamente muchas veces en el curso de su historia, aproximadamente cada medio millón de años.

Ｐozo de actividades

Magnetismo personal, p. 129

Figura 2–9 *Al endurecerse la lava volcánica, queda un registro permanente de la dirección del campo magnético terrestre en ese momento.*

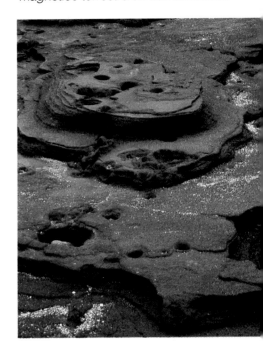

Figure 2–10 *Without the use of compasses, early discoverers would have been unable to chart their courses across the seas and make maps. This photograph shows the earliest surviving Portuguese compass.*

Figure 2–11 *A total solar eclipse provides a glimpse of the sun's corona. The flares of the solar corona are shaped by the sun's magnetic field.*

Compasses

If you have ever used a compass, you know that a compass needle always points north. The needle of a compass is magnetized. It has a north pole and a south pole. The Earth's magnetic field exerts a force on the needle just as it exerts a force on a bar magnet hanging from a string.

The north pole of a compass needle points to the North Pole of the Earth. But to exactly which north pole? As you have learned, like poles repel and unlike poles attract. So the magnetic pole of the Earth to which the north pole of a compass points must actually be a magnetic south pole. In other words, the north pole of a compass needle points toward the geographic North Pole, which is actually the magnetic south pole. The same is true of the geographic South Pole, which is actually the magnetic north pole.

The Earth's magnetic poles do not coincide directly with its geographic poles. Scientists have discovered that the magnetic south pole is located in northeastern Canada, about 1500 kilometers from the geographic North Pole. The magnetic north pole is located near the Antarctic Circle. The angular difference between a magnetic pole and a geographic pole is known as magnetic variation, or declination. The extent of magnetic variation is not the same for all places on the Earth. Near the equator, magnetic variation is slight. As you get closer to the poles, the error increases. This must be taken into account when using a compass.

Other Sources of Magnetism in the Solar System

Magnetic fields have been detected repeatedly throughout the galaxy. In addition to Earth, several other planets produce magnetic fields. The magnetic field of Jupiter is ten times greater than that of Earth. Saturn also has a very strong magnetic field. Like Earth, the source of the field is believed to be related to the planet's core.

The sun is another source of a magnetic field. The solar magnetic field extends far above the sun's surface. Streamers of the sun's corona (or outermost

Las brújulas

Si has usado una brújula, ya sabes que su aguja siempre señala el norte. La aguja de una brújula está imantada. Tiene un polo norte y uno sur. El campo magnético de la Tierra ejerce una fuerza sobre la aguja, tal como lo hace sobre un imán de barra que cuelga de un cordel.

El polo norte de una brújula señala el Polo norte de la Tierra. ¿Cuál polo norte exactamente? Ya sabes que polos iguales se repelen y opuestos se atraen. De modo que el polo magnético de la Tierra que señala la aguja de la brújula debe ser en realidad un polo magnético sur. En otras palabras, el polo norte de una brújula señala el Polo norte geográfico, que es un polo magnético sur. Lo mismo sucede con el Polo sur geográfico, que en realidad es un polo magnético norte.

Los polos magnéticos de la Tierra no coinciden con sus polos geográficos. Los científicos han descubierto que el polo magnético sur se ubica en el noreste de Canadá, a casi 1500 kilómetros del Polo norte geográfico. El polo norte magnético está cerca del Círculo Antártico. La diferencia angular entre un polo magnético y un polo geográfico se conoce como variación o declinación magnética. La variación magnética no es igual en todos los lugares de la Tierra. Cerca del ecuador la variación magnética es leve. Al acercarse a los polos aumenta el error. Hay que tener esto en cuenta al usar una brújula.

Otras fuentes de magnetismo en el sistema solar

Se han detectado repetidamente campos magnéticos en toda la galaxia. Además de la Tierra, otros planetas producen campos magnéticos. El campo magnético de Júpiter es diez veces mayor que el de la Tierra. Saturno también tiene un campo magnético fuerte. Igual que con la de la Tierra, se cree que la fuente del campo magnético está relacionada con el centro del planeta.

El sol es otra fuente de campo magnético. El campo magnético solar se extiende mucho más allá de su superficie. Los rayos del halo (la capa más externa) delinean la forma del campo. En regiones

Figura 2–10 *Sin la brújula, los primeros descubridores no hubieran podido ni trazar sus rutas a través de los mares ni hacer mapas. Esta fotografía muestra una de las primeras brújulas portuguesas.*

Figura 2–11 *Un eclipse total del sol brinda una vista del halo del sol. El resplendor del halo está formado por el campo magnético del sol.*

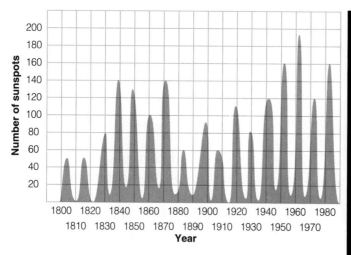

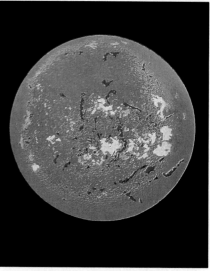

Figure 2–12 *The dark regions on the surface of the sun, or sunspots, are produced by the sun's magnetic field. The pattern of sunspots changes regularly in an 11-year cycle. Notice from the graph how the number of sunspots rises and falls.*

layer) trace the shape of the field. Within specific regions of the sun are very strong magnetic fields. Where magnetic lines of force break through the sun's surface, the temperature of the surface gases is lowered somewhat. These cooler areas appear as dark spots on the surface of the sun. These dark areas are known as sunspots. Sunspots always occur in pairs, each one of the pair representing the opposite poles of a magnet. The annual number of sunspots varies in an eleven-year cycle. The cycle is believed to be related to variations in the sun's magnetic field. Every eleven years the sun's magnetic field reverses, and the north and the south poles switch.

2–2 Section Review

1. In what ways is the Earth like a magnet?
2. How does a compass work?
3. What does it mean to say that the Earth's geographic North Pole is really near the magnetic south pole?
4. What is meant by magnetic declination?
5. How are sunspots related to the sun's magnetic field?

Connection—*Astronomy*

6. If the magnetic field of Earth is related to its inner core, how can astronomers learn about the inner cores of distant planets?

ACTIVITY
DOING

Cork-and-Needle Compass

1. Fill a nonmetal bowl about two-thirds full with water.

2. Magnetize a needle by stroking it with one end of a magnet.

3. Float a cork in the water; then place the needle on the cork. You may need to tape the needle in place.

4. Hold a compass next to the bowl. Compare its needle with the needle on the cork.

Explain how the cork-and-needle compass works. What is one disadvantage of a cork-and-needle compass?

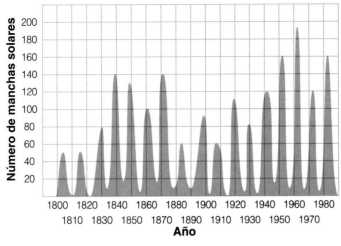

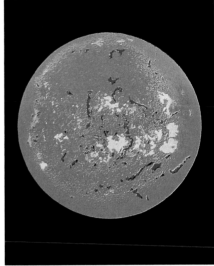

específicas del sol hay campos magnéticos muy fuertes. Ahí donde las líneas de fuerza magnética traspasan la superficie del sol, la temperatura de los gases que hay en ella baja un poco. Estas áreas más frías se ven como manchas más oscuras en la superficie del sol y se conocen como manchas solares. Éstas vienen en pares y cada una representa los polos opuestos de un imán. El número anual de manchas cambia cada once años. Se cree que el ciclo está relacionado con las variaciones del campo magnético del sol. Cada once años, el campo magnético del sol se revierte y cambia sus polos norte y sur.

Figura 2–12 *Las regiones oscuras en la superficie del sol, o manchas solares, las produce su campo magnético. El patrón de las manchas cambia regularmente cada 11 años. Fíjate cómo aumenta y disminuye el número de manchas en el gráfico.*

2–2 Repaso de la sección

1. ¿En qué maneras se parece la Tierra a un imán?
2. ¿Cómo funciona una brújula?
3. ¿Qué significa cuando dicen que el Polo norte geográfico de la Tierra está realmente cerca del polo magnético sur?
4. ¿Qué quiere decir declinación magnética?
5. ¿Cómo se relacionan las manchas solares a su campo magnético?

Conexión—*Astronomía*

6. Si el campo magnético de la Tierra está relacionado con su centro, ¿cómo pueden aprender los astrónomos de los centros de planetas lejanos?

A CTIVIDAD

PARA HACER

Una brújula de aguja y corcho

1. Llena dos tercios de un recipiente que no sea de metal con agua.

2. Toca con el extremo de un imán una aguja para imantarla.

3. Haz flotar el corcho en el agua; pon la aguja sobre el corcho. Si necesitas, pégala con cinta adhesiva.

4. Coloca una brújula cerca del recipiente. Compara las dos agujas.

Explica cómo funciona la brújula de aguja y corcho. ¿Qué desventaja tiene esta brújula?

2–3 Magnetism in Action

You learned in Chapter 1 that when a charged particle enters an electric field, an electric force is exerted on it (it is either pulled or pushed away). But what happens when a charged particle enters a magnetic field? The magnetic force exerted on the particle, if any, depends on a number of factors, especially the direction in which the particle is moving. **If a charged particle moves in the same direction as a magnetic field, no force is exerted on it. If a charged particle moves at an angle to a magnetic field, the magnetic force acting on it will cause it to move in a spiral around the magnetic field lines.** See Figure 2–14.

SOLAR WIND The Earth and the other planets are immersed in a wind of charged particles sent out by the sun. These particles sweep through the solar system at speeds of around 400 kilometers per second. If this tremendous amount of radiation (emitted charged particles) reached the Earth, life as we know it could not survive.

Figure 2–13 *Because of its interaction with the solar wind, the Earth's magnetic field differs from that of a bar magnet. The solar wind causes the magnetosphere to stretch out into a tail shape on the side of the Earth that is experiencing nighttime.*

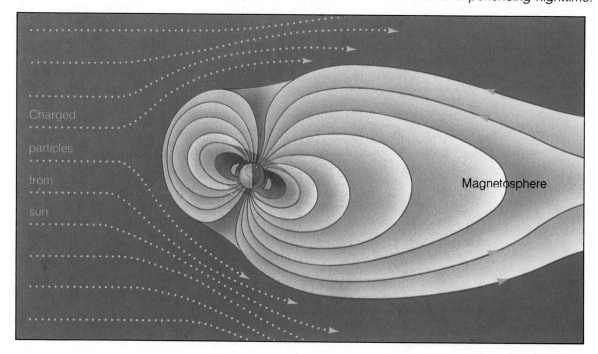

Charged

particles

from

sun

Magnetosphere

Guía para la lectura

*Piensa en esta pregunta
mientras lees.*

▶ *¿Cómo alteran los campos
magnéticos el movimiento
de las partículas cargadas?*

2–3 Magnetismo en acción

En el capítulo 1 aprendiste que cuando una partícula cargada penetra un campo eléctrico, se ejerce una fuerza (de atracción o de repulsión) sobre ella. ¿Pero qué pasa cuando una partícula cargada penetra un campo magnético? La fuerza magnética que se ejerce sobre la partícula depende de ciertos factores, especialmente la dirección en que ésta se mueve. Si una partícula cargada se mueve en la misma dirección del campo magnético no hay fuerza sobre ella. **Si una partícula cargada se mueve en un ángulo en relación al campo magnético, la fuerza magnética la hará girar en espiral alrededor de las líneas de fuerza magnética.** Mira la figura 2–14.

VIENTO SOLAR La Tierra y los otros planetas están inmersos en un viento de partículas cargadas que vienen del sol. Estas partículas viajan a través del sistema solar casi a 400 kilómetros por segundo. Si esta tremenda cantidad de radiación (partículas cargadas emitidas) llegara a la Tierra, no habría vida tal como la conocemos.

Figura 2–13 *Por su interacción con el viento solar, el campo magnético de la Tierra es diferente al de un imán de barra. El viento estira la magnetosfera en forma de cola en el lado de la Tierra donde es de noche.*

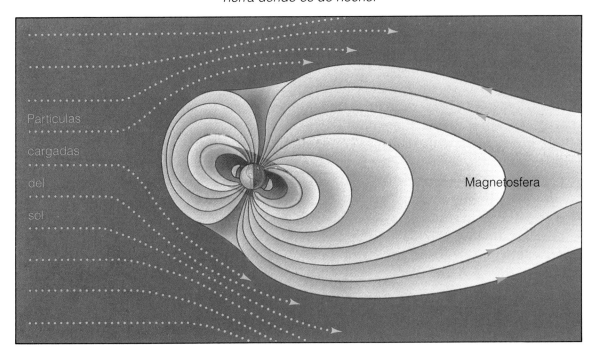

Partículas

cargadas

del

sol

Magnetosfera

Figure 2–14 *Charged particles from the sun become trapped in spiral paths around the Earth's magnetic field lines. What are the two regions in which the particles are confined called?*

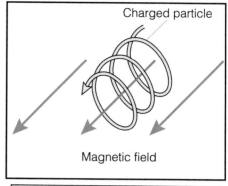

Charged particle

Magnetic field

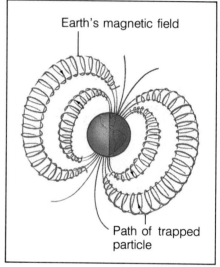

Earth's magnetic field

Path of trapped particle

Fortunately, however, these charged particles are deflected by the Earth's magnetic field. The magnetic field acts like an obstacle in the path of the solar wind. The region in which the magnetic field of the Earth is found is called the **magnetosphere.** Without the solar wind, the magnetosphere would look like the lines of force surrounding a bar magnet. However, on the side of the Earth facing away from the sun the magnetosphere is blown into a long tail by the solar wind. The solar wind constantly reshapes the magnetosphere as the Earth rotates on its axis.

Sometimes charged particles from the sun do penetrate the field. The particles are forced to continually spiral around the magnetic field lines, traveling back and forth between magnetic poles. Generally, these charged particles are found in two large regions known as the Van Allen radiation belts, named for their discoverer, James Van Allen.

When a large number of these particles get close to the Earth's surface, they interact with atoms in the atmosphere, causing the air to glow. Such a glowing region is called an **aurora.** Auroras are continually seen near the Earth's magnetic poles, since these are the places where the particles are closest to the Earth. The aurora seen in the northern hemisphere is known as the aurora borealis, or northern lights. In the southern hemisphere, the aurora is known as the aurora australis, or southern lights.

Many scientists believe that short-term changes in the Earth's weather are influenced by solar particles and their interaction with the Earth's magnetic field. In addition, during the reversal of the Earth's magnetic field, the field is somewhat weakened. This allows more high-energy particles to reach the Earth's surface. Some scientists hypothesize that these periods during which the magnetic field reversed might have caused the extinction of certain species of plants and animals.

Figure 2–15 *A band of colors called an aurora dances across the sky near the Earth's magnetic poles. This one is in northern Alaska. Why do auroras form?*

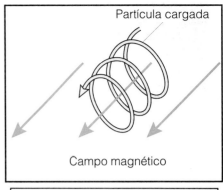

Partícula cargada

Campo magnético

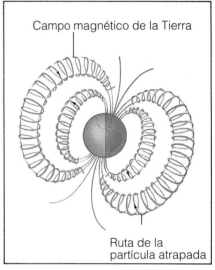

Campo magnético de la Tierra

Ruta de la partícula atrapada

Figura 2–14 *Las partículas cargadas del sol quedan atrapadas en espirales alrededor de las líneas del campo magnético de la Tierra. ¿Cómo se llaman las dos regiones en las que están confinadas?*

Afortunadamente, el campo magnético de la Tierra desvía estas partículas cargadas, actuando como un obstáculo en la ruta del viento solar. La región donde se encuentra el campo magnético de la Tierra se llama **magnetosfcra**. Sin el viento solar, la magnetosfera se vería como las líneas de fuerza que rodean un imán de barra. Pero en el lado de la Tierra oculta al sol, el viento solar dispersa la magnetosfera, estirándola en una cola. Mientras la Tierra gira alrededor de su eje, el viento solar cambia constantemente la forma de la magnetosfera.

A veces las partículas cargadas del sol penetran el campo y son forzadas a girar continuamente en espiral alrededor de las líneas del campo magnético entre los polos magnéticos. Generalmente, estas partículas se concentran en dos grandes regiones, llamadas los cinturones radioactivos de Van Allen en honor a su descubridor, James Van Allen.

Al acercarse un gran número de estas partículas a la superficie de la Tierra, se produce un brillo en el aire por su interacción con los átomos de la atmósfera. Una región así se llama **aurora**. A menudo se ven auroras cerca de los polos magnéticos de la Tierra, ya que ahí las partículas están más cerca de ella. La aurora que se ve en el hemisferio norte se llama aurora boreal, o luces del norte. En el hemisferio sur se llama aurora austral, o luces del sur.

Muchos científicos creen que ciertos cambios menores del tiempo están influenciados por la interacción entre las partículas solares y el campo magnético de la Tierra. Además, durante la inversión del campo magnético de la Tierra, éste se debilita un poco, permitiendo que más partículas de alta energía lleguen a la superficie terrestre. Ciertos científicos opinan que estos períodos de inversión del campo magnético pueden haber causado la extinción de ciertas especies de plantas y animales.

Figura 2–15 *En el cielo, cerca de los polos magnéticos terrestres flamea una cinta de colores llamada aurora. Ésta se encuentra en el norte de Alaska. ¿Por qué se forman las auroras?*

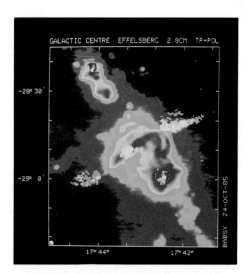

Figure 2–16 *This map of the constellation Sagittarius was made from information collected by a radio telescope.*

ACTIVITY

A Lonely Voyage

The dangerous quest to reach the North Pole was at one time only a vision in the minds of adventurous explorers. But during the 1800s several different explorers set out on difficult and sometimes fatal missions to the North Pole. Two different explorers reached the pole, but the matter of who arrived first still remains controversial. The answers lie in whether the explorers made appropriate corrections for magnetic declination. Read *To Stand at the Pole: The Dr. Cook-Admiral Peary North Pole Controversy* by William Hunt to discover the details of the story.

ASTRONOMY Radiation from particles spiraling around in magnetic fields also plays an important role in learning about the universe. Particles trapped by magnetic fields emit energy in the form of radio waves. Radioastronomers study the universe by recording and analyzing radio waves rather than light waves. In this way, scientists have been able to learn a great deal about many regions of the galaxy. For example, energy received from the Crab Nebula indicates that it is a remnant of a supernova (exploding star).

NUCLEAR ENERGY Utilizing the behavior of charged particles in magnetic fields may be a solution to the energy problem. A tremendous amount of energy can be released when two small atomic nuclei are joined, or fused, together into one larger nucleus. Accomplishing this, however, has been impossible until now because it is extremely difficult to overcome the repulsive electric forces present when two nuclei approach each other. At high temperatures, atoms break up into a gaseous mass of charged particles known as plasma. In this state, nuclear reactions are easier to achieve. But the required temperatures are so high that the charged particles cannot be contained by any existing vessels. By using magnetic fields, however, scientists hope to create a kind of magnetic bottle to contain the particles at the required temperatures. Massive research projects are currently underway to achieve this goal.

2–3 Section Review

1. Describe what happens to a charged particle in a magnetic field.
2. How does the magnetosphere protect the Earth from the sun's damaging radiation?
3. What are Van Allen radiation belts? How are they related to auroras?
4. How might magnetic fields enable scientists to utilize energy from atomic nuclei?

Connection—*Earth Science*
5. Why would a planet close to the sun have to possess a strong magnetic field in order to sustain life?

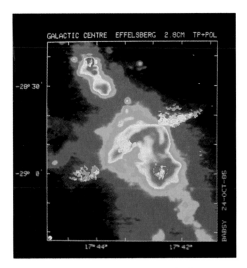

Figura 2–16 *Este mapa de la constelación de Sagitario fue trazado gracias a la información recogida por un radiotelescopio.*

ASTRONOMÍA   La radiación de las partículas que giran en espiral en los campos magnéticos es importante para aprender más sobre el universo. Las partículas atrapadas en los campos magnéticos emiten energía en forma de radioondas. Los radioastrónomos estudian el universo, registrando y analizando las radioondas en vez de las ondas de luz. Es así como los científicos han aprendido mucho acerca de muchas regiones de la galaxia. Por ejemplo, la energía recibida de la nebulosa del Cangrejo indica que es el residuo de una supernova (explosión de una estrella).

ENERGÍA NUCLEAR   Una solución al problema de la energía podría estar en el uso de la conducta de las partículas cargadas en un campo magnético. Se libera una tremenda cantidad de energía al unir, o fusionar, dos núcleos atómicos en uno solo. Pero hasta ahora ha sido imposible lograrlo, porque es muy difícil superar las fuerzas eléctricas de repulsión cuando se acercan dos núcleos. Sometidos a altas temperaturas, los átomos se descomponen en una masa gaseosa de partículas cargadas llamada plasma. En este estado, es más fácil lograr reacciones nucleares. Pero, las temperaturas necesarias son tan altas, que no existen recipientes que puedan contener las partículas cargadas. Utilizando campos magnéticos, los científicos esperan crear una especie de botella magnética que pueda contener estas partículas. En la actualidad se están realizando proyectos de investigación masiva para lograr esta meta.

ACTIVIDAD

PARA LEER

Un viaje solitario

En cierto momento la peligrosa búsqueda del Polo norte fue sólo una visión en las mentes de osados exploradores. Pero en el siglo XIX, varios exploradores emprendieron difíciles y, a veces fatales, expediciones al Polo norte. Dos de ellos llegaron al Polo norte pero quién llegó primero es aún hoy asunto de controversia. Las respuestas dependen de si los exploradores hayan hecho las correcciones adecuadas de la declinación magnética. Para enterarte de los detalles de esta controversia lee: *To Stand at the Pole: The Dr. Cook-Admiral Peary North Pole Controversy* de William Hunt.

2–3 Repaso de la sección

1. Describe qué sucede con una partícula cargada en un campo magnético.
2. ¿Cómo protege la magnetosfera a la Tierra de la letal radiación solar?
3. ¿Qué son los cinturones radioactivos de Van Allen? ¿Cómo se relacionan con las auroras?
4. ¿Cómo podrían los campos magnéticos permitir a los científicos usar la energía nuclear?

Conexión—*Geología*
5. ¿Por qué, para que haya vida en él, un planeta cercano al sol debe tener un campo magnético poderoso?

CONNECTIONS

Magnetic Clues to Giant-Sized Mystery

Have you ever looked at a world map and noticed that the Earth's landmasses look like pieces of a giant jigsaw puzzle? According to many scientists, all the Earth's land was once connected. How then, did the continents form?

In the early 1900s, a scientist named Alfred Wegener proposed that the giant landmass that once existed split apart and its various parts "drifted" to their present positions. His theory, however, met with great opposition because in order for it to be true, it would involve the movement of sections of the solid ocean floor. Conclusive evidence to support his *theory of continental drift* could come only from a detailed study of the ocean floor.

In the 1950s and 1960s, new mapping techniques enabled scientists to discover a large system of underwater mountains, called midocean ridges. These mountains have a deep crack, called a rift valley, running through their center. A great deal of volcanic activity occurs at the midocean ridges. When lava wells up through the rift valley and hardens into rock, new ocean floor is formed. This process is called *ocean-floor spreading*. This evidence showed that the ocean floor could indeed move.

Further evidence came from information about the Earth's magnetic field. When the molten rocks from the mid-ocean ridges harden, a permanent record of the Earth's magnetism remains in the rocks. Scientists found that the pattern of magnetic stripes on one side of the ridge matches the pattern on the other side. The obvious conclusion was that as magma hardens into rocks at the midocean ridge, half the rocks move in one direction and the other half move in the other direction. If it were not for knowledge about magnetism and the Earth's magnetic field, such a conclusion could not have been reached. Yet thanks to magnetic stripes, which provide clear evidence of ocean-floor spreading, the body of scientific knowledge has grown once again.

CONEXIONES

Pistas magnéticas para un misterio gigantesco

¿Has notado alguna vez, al mirar un mapa del mundo, que los continentes parecen las partes de un rompecabezas gigante? Según muchos científicos, los continentes estuvieron conectados alguna vez. Pero entonces, ¿cómo se formaron?

A principios del siglo XX, un científico llamado Alfred Wegener propuso que esa gran masa de tierra se dividió y sus partes "flotaron" hasta alcanzar su ubicación actual. Su teoría generó gran oposición porque, para ser cierta, implicaría el movimiento de secciones del sólido fondo marino. Pruebas concluyentes para confirmar su *teoría de la deriva continental* sólo podrían obtenerse de un detallado estudio del suelo oceánico.

En las décadas del 50 y del 60 nuevas técnicas para trazar mapas permitieron a los científicos descubrir un gran sistema montañoso submarino, llamado cordillera medio oceánica. Una grieta profunda, llamada fosa central, corre por el centro de estas montañas, formando un valle. Gran actividad volcánica ocurre en este sitio.

Cuando la lava se vierte sobre el valle, se endurece y forma nuevo fondo. Este proceso se llama *expansión del fondo marino*. Esto prueba que efectivamente el fondo del mar puede moverse.

Otras pruebas las brindó la información sobre los campos magnéticos terrestres. Cuando se endurecen las rocas derretidas en la cordillera medio oceánica, queda grabado en ellas un registro permanente del magnetismo terrestre. Los científicos vieron que el patrón de las franjas magnéticas de un lado de la cordillera es igual al del otro. La conclusión obvia fue que al endurecerse el magma en la cordillera medio oceánica, la mitad de las rocas se mueven en una dirección y la otra mitad se mueve en dirección contraria. Se pudo llegar a esta conclusión debido al conocimiento sobre el magnetismo y el campo magnético terrestre. Gracias a las franjas magnéticas, que brindaron clara prueba de la expansión del fondo marino, los conocimientos científicos han crecido nuevamente.

Laboratory Investigation

Plotting Magnetic Fields

Problem

How can the lines of force surrounding a bar magnet be drawn?

Materials   *(per group)*

bar magnet	horseshoe magnet
sheet of white paper	compass
pencil	

Procedure

1. Place a bar magnet in the center of a sheet of paper. Trace around the magnet with a pencil. Remove the magnet and mark the ends of your drawing to show the north and the south poles. Put the magnet back on the sheet of paper in its outlined position.

2. Draw a mark at a spot about 2 cm beyond the north pole of the magnet. Place a compass on this mark.

3. Note the direction that the compass needle points. On the paper, mark the position of the north pole of the compass needle by drawing a small arrow. The arrow should extend from the mark you made in step 2 and point in the direction of the north pole of the compass needle. This arrow indicates the direction of the magnetic field at the point marked. See the accompanying diagram.

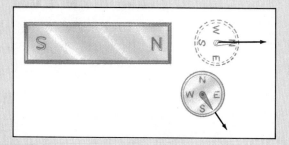

4. Repeat steps 2 and 3 at 20 to 30 points around the magnet. You should have 20 to 30 tiny arrows on the paper when you have finished.

5. Remove the magnet from the paper. Observe the pattern of the magnetic field you have plotted with your arrows.

6. Using a clean sheet of paper, repeat steps 1 through 5 using a horseshoe magnet.

Observations

1. Describe the pattern of arrows you have drawn to represent the magnetic field of the bar magnet. How does it differ from that of the horseshoe magnet?

2. From which pole does the magnetic field emerge on the bar magnet? On the horseshoe magnet?

Analysis and Conclusions

1. What evidence is there that the magnetic field is strongest near the poles of a magnet?

2. What can you conclude about the path of magnetic field lines between the poles of any magnet?

3. **On Your Own**   The pattern of magnetic field lines for a bar magnet will change if another bar magnet is placed near it. Design and complete an investigation similar to this one in which you demonstrate this idea for both like poles and unlike poles.

Investigación de laboratorio

Diseño de campos magnéticos

Problema

¿Cómo se pueden dibujar las líneas de fuerza que rodean un imán de barra?

Materiales *(para cada grupo)*

imán de barra	imán en forma
hoja de papel	de herradura
lápiz	brújula

Procedimiento

1. Pon un imán de barra en el centro de una hoja de papel. Delínealo con un lápiz. Saca el imán y marca los polos norte y sur en tu dibujo. Pon el imán nuevamente sobre tu dibujo.
2. Dibuja una marca a 2 cm del polo norte del imán. Coloca una brújula sobre esta marca.
3. Fíjate en la dirección hacia donde señala la aguja de la brújula. Marca con una flecha sobre el papel la posición del polo norte de la brújula. La flecha debe extenderse desde la marca que hiciste en el paso 2 y señalar la dirección del polo norte de la brújula. La flecha indica la dirección del campo magnético en el punto marcado. Mira el diagrama adjunto.

4. Repite el paso 2 y 3 en unos 20 ó 30 puntos alrededor del imán. Cuando termines deberías tener entre 20 a 30 flechitas sobre el papel.
5. Quita el imán del papel. Observa el patrón del campo magnético que trazaste con tus flechas.
6. Sobre una hoja limpia de papel repite los pasos del 1 al 5 con un imán en forma de herradura.

Observaciones

1. Describe el patrón que dibujaste para representar el campo magnético de un imán de barra. ¿En qué se diferencia el patrón del imán al otro?
2. ¿De cuál polo emerge el campo magnético en un imán de barra? ¿De un imán en forma de herradura?

Análisis y conclusiones

1. ¿Qué evidencia prueba que el campo magnético es más fuerte cerca de los polos de un imán?
2. ¿Qué conclusión puedes sacar sobre la trayectoria de las líneas del campo magnético entre los polos de un imán?
3. **Por tu cuenta** El patrón de las líneas del campo magnético de un imán de barra va a cambiar al acercarle otro imán de barra. Diseña y completa una investigación para comprobar esta idea tanto para los polos iguales como los polos opuestos.

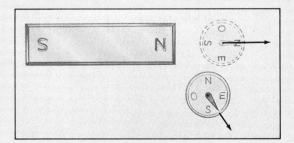

Summarizing Key Concepts

2–1 The Nature of Magnets

▲ Every magnet has two poles—a north pole and a south pole. Like magnetic poles repel each other; unlike poles attract each other.

▲ The region in which magnetic forces can act is called a magnetic field. Magnetic fields are traced by magnetic lines of force.

▲ Magnetic domains are regions in which the magnetic fields of all the atoms line up in the same direction. The magnetic domains of a magnet are aligned. The magnetic domains of unmagnetized material are arranged randomly.

▲ Magnetism is the force of attraction or repulsion exerted by a magnet through its magnetic field.

2–2 The Earth As a Magnet

▲ The Earth is surrounded by a magnetic field that is strongest around the magnetic north and the south poles.

▲ A compass needle does not point exactly to the Earth's geographic poles. It points to the magnetic poles. The difference in the location of the Earth's magnetic and geographic poles is called magnetic declination.

▲ Sunspots on the surface of the sun are related to the sun's magnetic field.

2–3 Magnetism in Action

▲ The deflection of charged particles in a magnetic field is responsible for several phenomena: the protection of the Earth from solar wind; radio astronomy; and future applications of nuclear reactions to produce energy.

▲ The region in which the magnetic field of Earth is exerted is known as the magneto-sphere.

▲ Some charged particles from the sun become trapped by Earth's magnetic field. They are located in two regions known as the Van Allen radiation belts. If charged particles reach Earth's surface, usually at the poles, they create auroras.

Reviewing Key Terms

Define each term in a complete sentence.

2–1 The Nature of Magnets
magnetism
pole
magnetic field
magnetic domain

2–3 Magnetism in Action
magnetosphere
aurora

Resumen de conceptos claves

2–1 La naturaleza de los imanes

▲ Cada imán tiene 2 polos—uno norte y otro sur. Polos iguales se repelen; polos opuestos se atraen.

▲ La región sobre la cual actúan las fuerzas magnéticas se llama campo magnético. Los campos magnéticos están delineados por las líneas de fuerza magnética.

▲ Los dominios magnéticos son áreas donde los campos magnéticos de todos los átomos se alinean en la misma dirección. Los dominios magnéticos de un imán están alineados; los de un material sin imantar están ordenados al azar.

▲ El magnetismo es la fuerza de atracción o repulsión que ejerce un imán a través de su campo magnético.

2–2 La Tierra como un imán

▲ La Tierra está rodeada por un campo magnético que es más fuerte alrededor de los polos magnéticos norte y sur.

▲ La aguja de una brújula no señala exactamente los polos geográficos terrestres; señala los polos magnéticos. La diferencia de ubicación entre los polos magnéticos y los polos geográficos se llama declinación magnética.

▲ Las manchas sobre la superficie del sol están relacionadas con su campo magnético.

2–3 Magnetismo en acción

▲ La desviación de partículas cargadas en un campo magnético es responsable de varios fenómenos: la protección de la Tierra del viento solar; la radioastronomía y futuras aplicaciones de reacciones nucleares para producir energía.

▲ La región donde se ejerce el campo magnético de la Tierra se llama magnetosfera.

▲ Algunas partículas cargadas del sol quedan atrapadas en el campo magnético terrestre. Se encuentran en dos regiones llamadas los cinturones radioactivos de Van Allen. Cuando estas partículas tocan la superficie terrestre, usualmente en los polos, generan auroras.

Repaso de palabras claves

Define cada palabra o palabras con una oración completa.

2–1 La naturaleza de los imanes
magnetismo
polo
campo magnético
dominio magnético

2–3 Magnetismo en acción
magnetosfera
aurora

Chapter Review

Content Review

Multiple Choice

Choose the letter of the answer that best completes each statement.

1. The region in which magnetic forces act is called a
   a. line of force. c. magnetic field.
   b. pole. d. field of attraction.
2. A region in a magnet in which the magnetic fields of atoms are aligned is a
   a. ferrum. c. compass.
   b. domain. d. magnetosphere.
3. The idea of the Earth as a magnet was first proposed by
   a. Dalton. c. Oersted.
   b. Faraday. d. Gilbert.
4. The results of the sun's magnetic field can be seen as
   a. sunspots. c. magnetic stripes.
   b. solar winds. d. ridges.

5. Which of the following is not a magnetic material?
   a. lodestone c. cobalt
   b. glass d. nickel
6. The region of the Earth's magnetic field is called the
   a. atmosphere.
   b. stratosphere.
   c. aurora.
   d. magnetosphere.
7. Charged particles from the sun that get close to the Earth's surface produce
   a. supernovas.
   b. volcanoes.
   c. plasma.
   d. auroras.

True or False

If the statement is true, write "true." If it is false, change the underlined word or words to make the statement true.

1. The north pole of a magnet suspended horizontally from a string will point <u>north</u>.
2. Like poles of a magnet <u>attract</u> each other.
3. The region in which magnetic forces act is called a <u>magnetic field</u>.
4. Steel <u>cannot</u> be magnetized.
5. In a magnetized substance, <u>magnetic domains</u> point in the same direction.
6. Magnetic domains exist because of the magnetic fields produced by the motion of <u>electrons</u>.
7. A <u>compass</u> needle points to the Earth's <u>geographic pole</u>.
8. The Earth's magnetic field protects against the harmful radiation in <u>solar winds</u>.

Concept Mapping

Complete the following concept map for Section 2–1. Refer to pages P6–P7 to construct a concept map for the entire chapter.

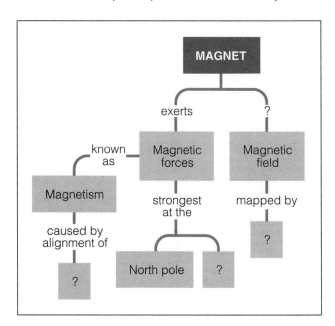

Repaso del capítulo

Repaso del contenido

Selección múltiple

Selecciona la letra de la respuesta que mejor complete cada frase.

1. El área sobre la cual actúan las fuerzas magnéticas es
   a. una línea de fuerza.
   b. un polo.
   c. un campo magnético.
   d. un campo de atracción.

2. El área de un imán en la cual los campos magnéticos de los átomos están alineados es
   a. un ferrum.   c. una brújula.
   b. un dominio.   d. una magnetosfera.

3. La idea de que la Tierra es como un imán fue propuesta por
   a. Dalton.   c. Oersted.
   b. Faraday.   d. Gilbert.

4. Los efectos del campo magnético solar pueden verse en
   a. las manchas solares.
   b. los vientos solares.

c. las franjas magnéticas.
d. las cordilleras.

5. ¿Cuál de los siguientes no es un material magnético?
   a. piedra imán   c. cobalto
   b. vidrio   d. níquel

6. La región del campo magnético terrestre se llama
   a. atmósfera.
   b. estratosfera.
   c. aurora.
   d. magnetosfera.

7. Las partículas cargadas del sol que se acercan a la superficie terrestre producen
   a. supernovas.
   b. volcanes.
   c. plasma.
   d. auroras.

Verdadero o falso

Si la afirmación es verdadera, escribe "verdad." Si es falsa, cambia las palabras subrayadas para que sea verdadera.

1. El polo norte de un imán suspendido horizontalmente de un cordel señala el <u>norte</u>.
2. Los polos iguales de un imán se <u>atraen</u>.
3. La región sobre la cual actúan los imanes se llama <u>campo magnético</u>.
4. El acero <u>no puede</u> ser imantado.
5. En una sustancia imantada los <u>dominios magnéticos</u> señalan en la misma dirección.
6. Existen dominios magnéticos debido a los campos magnéticos producidos por el movimiento de <u>electrones</u>.
7. Una aguja de brújula señala el <u>polo geográfico</u> terrestre.
8. El campo magnético de la Tierra la protege de la letal radiación del <u>viento solar</u>.

Mapa de conceptos

Completa el siguiente mapa de conceptos para la sección 2–1. Para hacer un mapa de conceptos de todo el capítulo, consulta las páginas P6–P7.

Concept Mastery

Discuss each of the following in a brief paragraph.

1. What are magnetic poles? How do magnetic poles behave when placed next to each other?
2. What happens when a magnet is cut in half? Why?
3. How is a magnetic field represented by magnetic field lines of force?
4. How are magnetic domains related to the atomic structure of a material?
5. How can evidence of changes in the Earth's magnetic field be found in rocks?
6. Why are some materials magnetic while others are not? How can a material be magnetized? How can a magnet lose its magnetism?
7. Like what type of magnet does the Earth act? How?
8. Describe several sources of magnetism in the solar system.
9. Explain how an aurora is produced.
10. What is the significance of the fact that charged particles can become trapped by magnetic fields?

Critical Thinking and Problem Solving

Use the skills you have developed in this chapter to answer each of the following.

1. **Making comparisons** How do the lines of force that arise when north and south poles of a magnet are placed close together compare with the lines of force that arise when two like poles are placed close together? Use a diagram in your explanation.
2. **Applying concepts** Why might an inexperienced explorer using a compass get lost near the geographic poles?
3. **Making comparisons** One proton is traveling at a speed of 100 m/sec parallel to a magnetic field. Another proton is traveling at a speed of 10 m/sec perpendicular to the same magnetic field. Which one experiences the greater magnetic force? Explain.
4. **Identifying patterns** Describe the difference between a permanent magnet and a temporary magnet.
5. **Relating cause and effect** Stroking a material with a strong magnet causes the material to become magnetic. Explain what happens during this process.
6. **Making inferences** Why might a material be placed between two other materials so that magnetic lines of force are not allowed to pass through?
7. **Using the writing process** Write a poem or short story describing the importance of magnets in your daily life. Include at least five detailed examples.

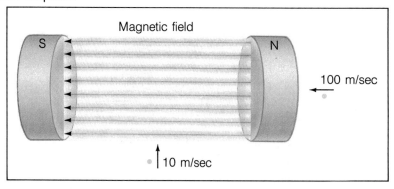

Dominio de conceptos

Comenta cada uno de los puntos siguientes en un párrafo breve.

1. ¿Qué son los polos magnéticos? ¿Cómo se comportan al acercarlos?
2. ¿Qué pasa al cortar un imán por la mitad? ¿Por qué?
3. ¿Cómo representan las líneas de fuerza magnética un campo magnético?
4. ¿Cómo están relacionados los dominios magnéticos con la estructura atómica de un material?
5. ¿Cómo se puede encontrar en las rocas pruebas de cambios en el campo magnético de la Tierra?
6. ¿Por qué algunos materiales son magnéticos y otros no? ¿Cómo se magnetiza un material? ¿Cómo pierde un imán su magnetismo?
7. ¿Como qué tipo de imán actúa la Tierra? ¿Cómo?
8. Describe varias fuentes de magnetismo del sistema solar.
9. Explica cómo se produce una aurora.
10. ¿Cuál es la importancia de que las partículas cargadas queden atrapadas en los campos magnéticos?

Pensamiento crítico y solución de problemas

Usa las destrezas que has desarrollado en este capítulo para resolver lo siguiente.

1. **Hacer comparaciones** Compara las líneas de fuerza que se generan al acercar los polos norte y sur de un imán con las líneas que se generan al acercar polos iguales. Usa un diagrama para tu explicación.
2. **Aplicar conceptos** ¿Por qué un explorador inexperto aún con una brújula podría perderse cerca de los polos geográficos?
3. **Hacer comparaciones** Un protón viaja paralelo a un campo magnético a una velocidad de 100 m/seg. Otro protón viaja perpendicular al mismo campo a una velocidad de 10 m/seg. ¿Cuál experimenta una fuerza magnética mayor? Explica.
4. **Identificar patrones** Describe la diferencia entre un imán permanente y uno temporal.
5. **Relacionar causa y efecto** Se logra magnetizar un material al frotarlo varias veces con un imán. Explica qué pasa durante este proceso.
6. **Hacer inferencias** ¿Por qué se pondría un material entre otros dos, de modo que las líneas de fuerza magnética no puedan traspasarlo?
7. **Usar el proceso de la escritura** Escribe un poema o una pequeña historia describiendo la importancia de los imanes en tu vida diaria. Detalla cinco ejemplos por lo menos.

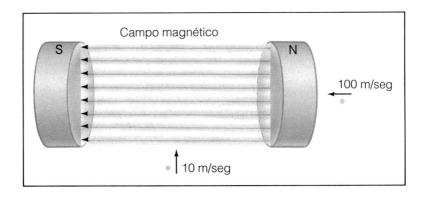

Campo magnético
S — N
100 m/seg
10 m/seg

Electromagnetism

Guide for Reading

After you read the following sections you will be able to

3–1 Magnetism From Electricity

- Describe how a magnetic field is created by an electric current.
- Discuss the force exerted on an electric current by a magnetic field.
- Apply the principles of electromagnetism to devices such as the electric motor.

3–2 Electricity From Magnetism

- Explain how electricity can be produced from magnetism.
- Apply the principle of induction to generators and transformers.

Traveling by train can be convenient. But by today's standards, a long train ride can also be time-consuming. The speed of modern trains is limited by the problems associated with the movement of wheels on a track. Engineers all over the world, however, are now involved in the development of trains that "float" above the track. The trains are called maglev trains, which stands for magnetic levitation. Because a maglev train has no wheels, it appears to levitate. While a conventional train has a maximum speed of about 300 kilometers per hour, a maglev train is capable of attaining speeds of nearly 500 kilometers per hour.

Although this may seem to be some sort of magic, it is actually the application of basic principles of electricity and magnetism. Maglev trains are supported and propelled by the interaction of magnets located on the train body and on the track.

In this chapter, you will learn about the intricate and useful relationship between electricity and magnetism. And you will gain an understanding of how magnets can power a train floating above the ground.

Journal *Activity*

You and Your World Have you ever wondered where the electricity you use in your home comes from? In your journal, describe the wires you see connected across poles to all the buildings in your area. If you cannot see them, explain where they must be. Describe some of the factors you think would be involved in providing electricity to an entire city.

A maglev train travels at high speeds without even touching its tracks.

Electromagnetismo

Guía para la lectura

Después de leer las secciones siguientes, vas a poder

3–1 Magnetismo de la electricidad

- Describir cómo una corriente eléctrica crea un campo magnético.

- Discutir la fuerza que ejerce un campo magnético sobre una corriente eléctrica.

- Aplicar los principios de electromagnetismo a aparatos como un motor eléctrico.

3–2 Electricidad del magnetismo

- Explicar cómo se produce electricidad del magnetismo.

- Aplicar el principio de inducción a generadores y transformadores.

Viajar en tren es conveniente pero para los parámetros actuales un viaje largo significa también pérdida de tiempo. La velocidad de los trenes modernos está limitada por problemas relacionados con el movimiento de las ruedas sobre los rieles. Hoy, ingenieros de todas partes del mundo tratan de desarrollar trenes que "flotan" sobre los rieles. A estos trenes se les llaman maglev por las palabras levitación magnética en inglés. Un tren maglev parece mantenerse en el aire por levitación porque no tiene ruedas. Mientras la velocidad máxima de un tren convencional es de 300 kilómetros por hora, un tren maglev alcanza velocidades de 500 kilómetros por hora.

Aunque esto parezca magia, se trata en realidad de la aplicación de principios básicos de electricidad y magnetismo. Los trenes maglev se sostienen y son propulsados por la interacción de imanes ubicados en el tren mismo y en los rieles.

En este capítulo vas a conocer la intrincada y útil relación que existe entre la electricidad y el magnetismo. Vas a comprender cómo los imanes hacen funcionar a un tren que flota sobre el suelo.

Diario *Actividad*

Tú y tu mundo ¿Te has preguntado alguna vez de dónde viene la electricidad que usas en tu casa? En tu diario describe los cables que conectan los edificios de tu área a los postes eléctricos. Si no los puedes ver, explica dónde deben estar. Describe los factores que crees que son necesarios para abastecer de electricidad a una ciudad entera.

◄ *Un tren maglev viaja a altas velocidades sin tocar ni siquiera sus rieles.*

Guide for Reading

*Focus on this question as
you read.*

▶ *What is the relationship
between an electric current
and a magnetic field?*

3-1 Magnetism From Electricity

When you think of a source of magnetism, you may envision a bar magnet or a horseshoe magnet. After reading Chapter 2, you may even suggest the Earth or the sun. But would it surprise you to learn that a wire carrying current is also a source of magnetism?

You can prove this to yourself by performing a simple experiment. Bring a compass near a wire carrying an electric current. The best place to hold the compass is just above or below the wire, with its needle parallel to it. Observe what happens to the compass needle when electricity is flowing through the wire and when it is not. What do you observe?

This experiment is similar to one performed more than 150 years ago by the Danish physicist Hans Christian Oersted. His experiment led to an important scientific discovery about the relationship between electricity and magnetism, otherwise known as **electromagnetism.**

Figure 3-1 *A current flowing through a wire creates a magnetic field. This can be seen by the deflection of the compasses around the wire. Notice that the magnetic field is in a circle around the wire and that the direction of the magnetic field lines changes when the wires connected to the battery are reversed. What then determines the direction of the magnetic lines of force?*

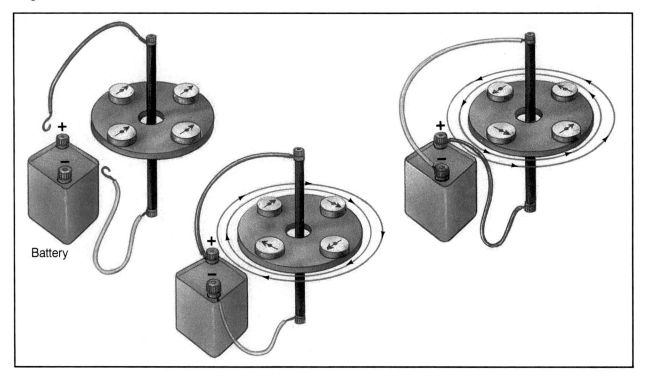

Battery

3–1 Magnetismo de la electricidad

Cuando piensas en una fuente de magnetismo tal vez piensas en un imán de barra o en forma de herradura. Después de haber leído el capítulo 2, puedes incluso sugerir la Tierra o el sol. ¿Te sorprendería saber que un cable con corriente también es una fuente de magnetismo?

Puedes comprobar esto con un simple experimento. Acerca una brújula a un cable con corriente eléctrica. Es mejor sostencrla justo arriba o debajo del cable con la aguja paralela a éste. Observa qué le pasa a la aguja cuando la electricidad fluye por el cable y cuando no fluye. ¿Qué observas?

Este experimento se parece al que hizo un físico danés, Hans Christian Oersted, hace más de 150 años. Su experimento condujo a un importante descubrimiento científico sobre la relación entre la electricidad y el magnetismo, conocida también como **electromagnetismo**.

Figura 3–1 *Al fluir una corriente por un cable genera un campo magnético. Esto se puede observar en la deflexión de las brújulas alrededor del cable. Observa que el campo magnético es un círculo alrededor del cable, y que la dirección de las líneas del campo magnético cambia al revertir los cables conectados a la batería. ¿Qué determina la dirección de las líneas de fuerza magnética?*

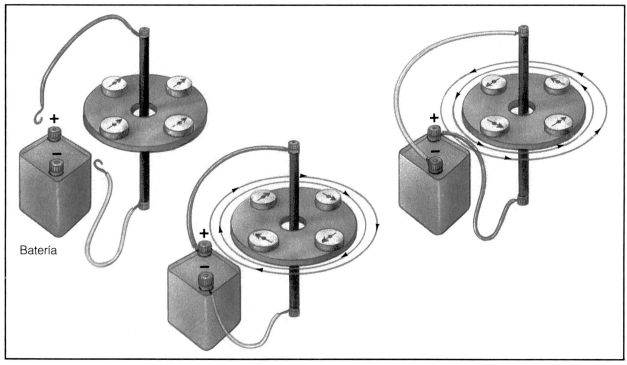

Batería

Oersted's Discovery

For many years, Oersted had believed that a connection between electricity and magnetism had to exist, but he could not find it experimentally. In 1820, however, he finally obtained his evidence. Oersted observed that when a compass is placed near an electric wire, the compass needle deflects, or moves, as soon as current flows through the wire. When the direction of the current is reversed, the needle moves in the opposite direction. When no electricity flows through the wire, the compass needle remains stationary. Since a compass needle is deflected only by a magnetic field, Oersted concluded that an electric current produces a magnetic field. **An electric current flowing through a wire gives rise to a magnetic field whose direction depends on the direction of the current.** The magnetic field lines produced by a current in a straight wire are in the shape of circles with the wire at their center. See Figure 3–1.

Electromagnets

Oersted then realized that if a wire carrying current is twisted into loops, or coiled, the magnetic fields produced by each loop add together. The result is a strong magnetic field in the center and at the two ends, which act like the poles of a magnet. A long coil of wire with many loops is called a **solenoid.** Thus a solenoid acts as a magnet when a current passes through it. The north and the south poles change with the direction of the current.

The magnetic field of a solenoid can be strengthened by increasing the number of coils or the amount of current flowing through the wire. The greatest increase in the strength of the magnetic field, however, is produced by placing a piece of iron in the center of the solenoid. The magnetic field of the solenoid magnetizes—or aligns the magnetic domains of—the iron. The resulting magnetic field is the magnetic field of the wire plus the magnetic field of the iron. This can be hundreds or thousands of times greater than the strength of the field produced by the wire alone. A solenoid with a magnetic material such as iron inside it is called an **electromagnet.**

ACTIVITY DOING

Making an Electromagnet

Obtain a low-voltage dry cell, nail, and length of thin insulated wire.

1. Remove the insulation from the ends of the wire.

2. Wind the wire tightly around the nail so that you have at least 25 turns.

3. Connect each uninsulated end of the wire to a post on the dry cell.

4. Collect some lightweight metal objects. Touch the nail to each one. What happens?

Explain why the device you constructed behaves as it does.

Activity Bank

Slugging It Out, p.130

Figure 3–2 *A coil of wire carrying current is a solenoid. As a wire is wound into a solenoid, the magnetic field created by the current becomes strongest at the ends and constant in the center, like that of a bar magnet.*

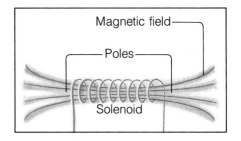

El descubrimiento de Oersted

Por muchos años, Oersted creía que existía una conexión entre la electricidad y el magnetismo, aunque no podía encontrarla en sus experimentos. Finalmente, en 1820 pudo hacerlo. Oersted observó que al acercar una brújula a un cable eléctrico, la aguja se mueve tan pronto fluye una corriente por el cable. Al revertir la dirección de la corriente, la aguja se mueve en dirección opuesta. Si no fluye electricidad por el cable, la aguja no se mueve. Dado que sólo un campo magnético puede desviar la aguja de una brújula, Oersted concluyó que una corriente eléctrica produce un campo magnético. **Una corriente eléctrica que fluye por un cable crea un campo magnético cuya dirección depende de la dirección de la corriente.** Las líneas del campo magnético que produce la corriente de un cable recto son circulares, teniendo el cable como su centro. Mira la figura 3–1.

Electroimanes

Oersted comprendió que al enrollar un cable, los campos magnéticos producidos en cada vuelta se suman. El resultado es un campo magnético fuerte en el centro y en los dos extremos, los cuales actúan como los polos de un imán. Un cable enrollado con muchas vueltas se llama **solenoide**. Un solenoide actua como un imán cuando una corriente fluye por él. Los polos norte y sur cambian con la dirección de la corriente.

El campo magnético del solenoide se puede fortalecer aumentando su número de vueltas o la corriente eléctrica que fluye por el cable. Pero el mayor fortalecimiento se logra al poner un trozo de hierro en el centro del solenoide. El campo magnético del solenoide, magnetiza—o alinea los dominios magnéticos—del hierro. El campo magnético resultante es el campo magnético del cable más el del hierro, y puede alcanzar una fuerza cientos miles de veces mayor que la del cable solo. Un solenoide con un material magnético en su centro se llama **electroimán**.

Figura 3–2 *Un solenoide es un cable enrollado por donde fluye corriente. Al enrollar un cable en forma de solenoide, el campo magnético creado por la corriente es más fuerte en los extremos y constante en el centro, igual que un imán de barra.*

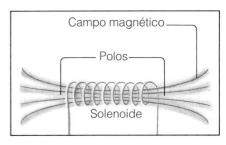

Campo magnético

Polos

Solenoide

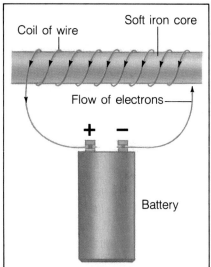

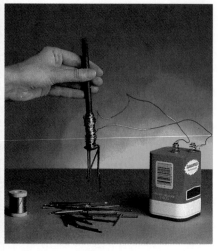

Figure 3-3 *An electromagnet is produced when a piece of soft iron is placed in the center of a solenoid. Large electromagnets can be used to pick up heavy pieces of metal. What factors determine the strength of an electromagnet?*

The type of iron used in electromagnets acquires and loses its magnetism when the electric current is turned on and off. This makes electromagnets strong, temporary magnets. Can you think of other ways in which this property of an electromagnet might be useful?

Magnetic Forces on Electric Currents

You have just learned that an electric current exerts a force on a magnet such as a compass. But forces always occur in pairs. Does a magnetic field exert a force on an electric current?

To answer this question, consider the following experiment. A wire is placed in the magnetic field between the poles of a horseshoe magnet. When a current is sent through the wire, the wire jumps up as shown in Figure 3-4. When the direction of the

Figure 3-4 *A magnetic field will exert a force on a wire carrying current. On what does the direction of the force depend?*

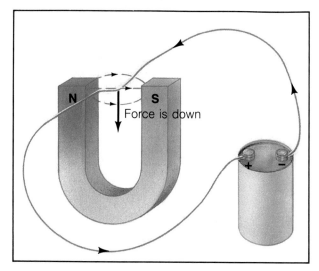

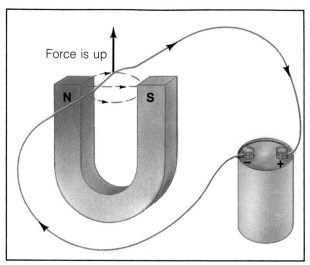

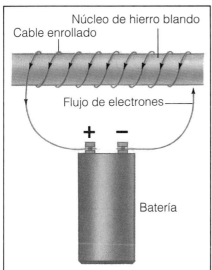

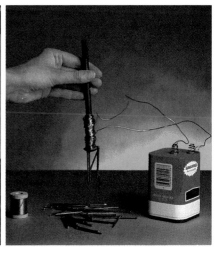

Figura 3–3 *Se produce un electroimán cuando se pone un trozo de hierro dulce en el centro de un solenoide. Se usan electroimanes grandes para alzar piezas pesadas de metal. ¿Qué factores determinan la fuerza de un electroimán?*

El tipo de hierro que se usa en los electroimanes adquiere y pierde su magnetismo cuando fluye y se interrumpe la corriente. Por lo tanto, los electroimanes son imanes temporales poderosos. ¿Se te ocurren otros usos útiles para esta propiedad de un electroimán?

Fuerzas magnéticas en corrientes eléctricas

Has aprendido que una corriente eléctrica ejerce una fuerza sobre un imán como la brújula. Pero las fuerzas siempre ocurren en pares. ¿Un campo magnético ejerce una fuerza sobre una corriente eléctrica?

Para contestar esta pregunta piensa en el siguiente experimento. Se pone un cable en el campo magnético entre los polos de un imán en herradura. Al enviar una corriente por el cable, éste salta como se muestra en la figura 3–4. Al revertir la dirección de la corriente, el

Figura 3–4 *Un campo magnético ejerce una fuerza sobre un cable con corriente. ¿De qué depende la dirección de la fuerza?*

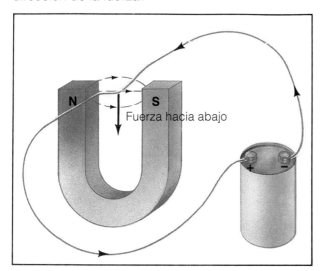

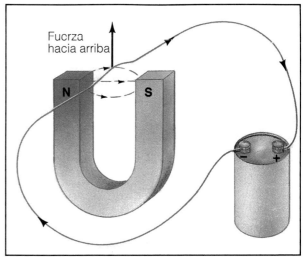

current is reversed, the wire is pulled down. So the answer is yes. **A magnetic field exerts a force on a wire carrying current.** Actually, this fact should not surprise you. After all, as you learned in Chapter 2, a magnetic field can exert a force on a charged particle. An electric current is simply a collection of moving charges.

Applications of Electromagnetism

A number of practical devices take advantage of the relationship that exists between electric currents and magnetic fields.

ELECTRIC MOTOR An **electric motor** is a device that changes electrical energy into mechanical energy that is used to do work. (Mechanical energy is energy related to motion.) An electric motor contains a loop, or coil, of wire mounted on a cylinder called an armature. The armature is attached to a shaft that is free to spin between the poles of a permanent magnet. In some motors, the permanent magnet is replaced by an electromagnet.

When a current flows through the coil of wire, the magnetic field of the permanent magnet exerts a force on the current. Because the current flows up one side of the coil and down the other, the magnetic field pushes one side of the coil up and one side down. This makes the coil rotate until it lines up with the magnetic field of the magnet. A motor, however, must turn continuously. This is achieved by changing the direction of the current just as the armature is about to stop turning. When the current changes direction, the side of the coil that had been pushed up is pushed down and the side that had been pushed down is pushed up. So the armature continues to turn. This process occurs over and over.

A current that switches direction every time the armature turns halfway is essential to the operation of an electric motor. The easiest way to supply a changing current is to use AC, or alternating current, to run the electric motor.

An electric motor can be made to run on DC, or direct current, by attaching a device known as a commutator to the armature. In a simple motor, the commutator is a ring that is split in half and

Figure 3–5 *A motor can be found within most practical devices.*

cable baja. Por lo tanto, la respuesta es sí. **Un campo magnético ejerce una fuerza sobre un cable con corriente.** Pero esto no debería sorprenderte. En el capítulo 2 aprendiste que un campo magnético ejerce una fuerza sobre una partícula cargada. Una corriente eléctrica es una colección de cargas en movimiento.

Aplicaciones del electromagnetismo

Muchos aparatos eléctricos aprovechan la relación entre las corrientes eléctricas y los campos magnéticos.

MOTOR ELÉCTRICO   Un **motor eléctrico** es un aparato que cambia la energía eléctrica en energía mecánica, la necesaria para ejecutar trabajo. (La energía mecánica está relacionada con el movimiento.) Un motor eléctrico contiene una bobina montada sobre un cilindro llamado armadura. La armadura está conectada a un eje que gira entre los polos de un imán permanente. En algunos motores, un electroimán reemplaza el imán permanente.

Al pasar la corriente por la bobina, el campo magnético del imán permanente ejerce una fuerza sobre la corriente. Debido a que ésta sube por un lado de la bobina y baja por el otro, el campo magnético empuja uno de sus lados hacia arriba y el otro hacia abajo. Esto hace rotar la bobina hasta que se alínea con el campo magnético del imán. Pero un motor debe girar continuamente, lo que se logra cambiando la dirección de la corriente justo cuando la armadura está a punto de detenerse. Al cambiar de dirección la corriente, el lado de la bobina que subía, baja y el que bajaba, sube. La armadura continúa girando. Este proceso sucede continuamente.

Una corriente que cambia de dirección cada media vuelta de la armadura es esencial para el funcionamiento de un motor eléctrico. La manera más fácil de proveer una corriente que cambie es usando AC, o corriente alterna, para hacer funcionar el motor.

Un motor eléctrico puede funcionar con DC, o corriente continua si se conecta a la armadura un aparato llamado conmutador. En un motor simple, el conmutador es un anillo dividido por la mitad y

ACTIVIDAD

PARA AVERIGUAR

Cambio de dirección

Consigue una pila seca, una brújula y un trozo de cable aislado fino.

1. Pélale los extremos al cable.

2. Coloca la brújula sobre la mesa. Observa la dirección de su aguja.

3. Conecta cada extremo del cable a un polo de la pila. Deja que el medio del cable pase sobre la brújula. Observa la aguja.

4. Desconecta los cables y reconéctalos a los polos opuestos sin mover el cable sobre la brújula. ¿Qué pasa? Repite este procedimiento.

■ ¿Cómo se relaciona el campo magnético producido por una corriente con la dirección de la corriente?

Figura 3–5 *Hay motores en casi todos los aparatos más prácticos.*

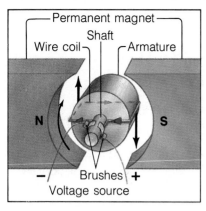 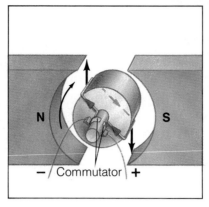 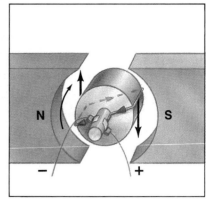

Figure 3–6 *When current travels into the motor through the brush on the left, it first enters through the side of the coil attached to the commutator marked in green in the illustration. The magnetic field of the permanent magnet then pushes the left side of the coil up and the right side down. When the armature turns far enough, the green part moves to the opposite brush and the commutator marked in yellow moves to the brush on the left. At this point, current travels into the side of the coil attached to the yellow commutator, causing its direction to change within the coil, and the coil to rotate further.*

Figure 3–7 *As current flows through the wire in a galvanometer, the magnet forces the wire to turn and deflect the needle attached to it. The greater the current, the greater the deflection.*

connected to the ends of the coil. See Figure 3–6. Electric current is supplied to the commutator through two contacts called brushes that do not move, but simply touch the commutator as it spins. At first, current travels from the source through one of the brushes to the commutator and into one side of the coil. But by the time the coil rotates half way, each commutator moves to the opposite brush. Thus current enters through the same brush but into the other side of the coil. This reverses the direction of the current in the coil.

Most motors actually contain several coils, each located in a different place on the armature. This allows the current to be fed into whichever coil is in the right position to get the greatest force from the magnetic field.

GALVANOMETER Another instrument that depends on electromagnetism is a **galvanometer.** A galvanometer is an instrument used to detect small currents. It is the basic component of many meters, including the ammeter and voltmeter you read about in Chapter 1. A galvanometer consists of a coil of wire connected to an electric circuit and a needle. The wire is suspended in the magnetic field of a permanent magnet. When current flows through the wire, the magnetic field exerts a force on the wire, causing it to move the needle of the galvanometer. The size of the current will determine the amount of force on the wire, and the amount the needle will

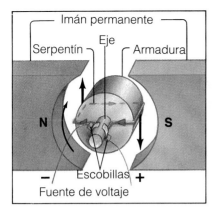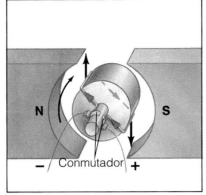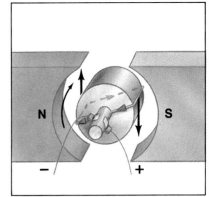

Imán permanente		
Serpentín	Eje	Armadura
N		S
−	Escobillas	+
Fuente de voltaje		

| N | | S |
| − | Conmutador | + |

| N | | S |
| − | | + |

Figura 3–6 *Cuando la corriente llega al motor por la escobilla de la izquierda, primero entra por el lado de la bobina conectado al conmutador verde. El campo magnético del imán permanente empuja hacia arriba el lado izquierdo de la bobina y hacia abajo el lado derecho. Cuando la armadura gira suficientemente la parte verde se mueve a la escobilla opuesta y el conmutador amarillo, se mueve a la escobilla izquierda. En este punto, la corriente entra por el lado de la bobina conectado al conmutador amarillo, causando que su dirección cambie y que la bobina siga rotando.*

conectado a los extremos del cable. Mira la figura 3–6. Se provee corriente eléctrica al conmutador por medio de dos contactos llamados escobillas. Éstas no se mueven; sólo tocan el conmutador mientras éste gira. Primero, la corriente fluye desde la fuente, por una de las escobillas hasta el conmutador a un lado de la bobina. Pero cuando ésta ha dado media vuelta, cada conmutador se mueve a la escobilla opuesta. Entonces, la corriente entra por la misma escobilla pero hacia el otro lado de la bobina. Así se revierte la dirección de la corriente en la bobina. La mayoría de los motores contienen varios serpentines ubicados en diferentes puntos en la armadura. Esto permite que la corriente fluya a la bobina mejor ubicada para obtener la mayor fuerza del campo magnético.

Figura 3–7 *A medida que la corriente fluye por el cable de un galvanómetro, el imán fuerza al cable a girar y desvía la aguja conectada a él. Cuanto más grande la corriente, mayor es la desviación.*

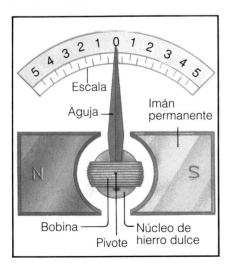

Escala	
Aguja	Imán permanente
N	S
Bobina	Núcleo de hierro dulce
Pivote	

5 4 3 2 1 0 1 2 3 4 5

GALVANÓMETRO Otro instrumento que depende del electromagnetismo es el **galvanómetro**, que se usa para detectar pequeñas corrientes. Es el componente básico de muchos medidores como el amperímetro y el voltímetro, sobre los cuales leíste en el capítulo 1. Un galvanómetro es una bobina conectada a un circuito eléctrico y a una aguja. El cable está suspendido sobre el campo magnético de un imán permanente. Al fluir la corriente por la bobina, el campo magnético ejerce una fuerza sobre él, causando que la aguja del galvanómetro se mueva. La cantidad de corriente determina la fuerza sobre el alambre y el movimiento de la aguja. Debido a que la

move. Because the needle will move in the opposite direction when the current is reversed, a galvanometer can be used to measure the direction of current as well as the amount.

OTHER COMMON USES   A simple type of electromagnet consists of a solenoid in which an iron rod is only partially inserted. Many doorbells operate with this type of device. See Figure 3–8. When the doorbell is pushed, the circuit is closed and current flows through the solenoid. The current causes the solenoid to exert a magnetic force. The magnetic force pulls the iron into the solenoid until it strikes a bell.

The same basic principle is used in the starter of an automobile. When the ignition key is turned, a circuit is closed, causing an iron rod to be pulled into a solenoid located in the car's starter. The movement of the iron rod connects the starter to other parts of the engine and moves a gear that enables the engine to turn on. Another example of the application of this principle can be found in a washing machine. The valves that control the flow of water into the machine are opened and closed by the action of an iron rod moving into a solenoid.

Some other uses of electromagnets include telephones, telegraphs, and switches in devices such as tape recorders. Electromagnets also are important in heavy machinery that is used to move materials, such as moving scrap metal from one place to another.

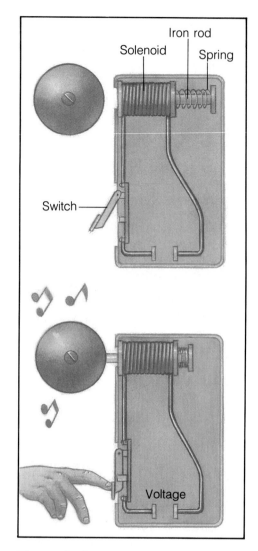

Figure 3–8 *Whenever you ring a doorbell, you are using a solenoid. When the button is pushed, current flows through the wire causing the solenoid to act as a magnet. Once magnetic, the solenoid attracts the bar of iron until the iron strikes the bell, which then rings.*

3–1 Section Review

1. How is magnetism related to electricity?
2. What is an electromagnet? What are some uses of electromagnets?
3. How is an electromagnet different from a permanent magnet?
4. How does an electromagnet change electric energy to mechanical energy in an electric motor?

Critical Thinking—*Making Comparisons*
5. How is the effect of an electric current on a compass needle different from the effect of the Earth's magnetic field on a compass needle?

aguja se mueve en dirección opuesta cuando se revierte la corriente, un galvanómetro se usa tanto para medir la dirección de una corriente como su cantidad.

OTROS USOS COMUNES   Un electroimán simple consiste de un solenoide en el cual se inserta sólo parcialmente una barra de hierro. Muchos timbres de puertas funcionan gracias a este aparato. Mira la figura 3−8. Al tocar el timbre, el circuito se cierra y la corriente fluye por el solenoide. La corriente causa que éste ejerza una fuerza magnética. Esta fuerza mueve el hierro dentro del solenoide hasta que toca un timbre.

El mismo principio básico se usa en el motor de arranque de un auto. Al girar la llave, el circuito se cierra empujando una barra de hierro en el solenoide dentro del motor de arranque. El movimiento de la barra lo conecta con otras partes del motor y mueve un engranaje que hace que el motor se encienda. Otra aplicación de este principio se encuentra en las máquinas de lavar. Las válvulas que controlan el paso del agua en la máquina se abren y se cierran gracias a la acción de una barra de hierro que se mueve dentro de un solenoide.

También se usan electroimanes en los teléfonos, telégrafos, e interruptores en aparatos como las grabadoras. Los electroimanes también son importantes para las máquinas grandes que sirven para mover chatarra de un lugar a otro.

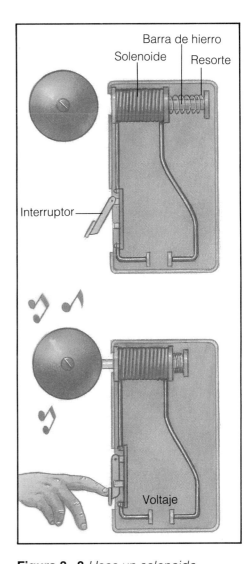

Figura 3−8 *Usas un solenoide cada vez que tocas el timbre de una puerta. Al presionar el botón, la corriente fluye por el cable, causando que el solenoide actúe como un imán. Entonces, éste atrae la barra de hierro hasta que toca el timbre haciéndolo sonar.*

3−1 Repaso de la sección

1. ¿Cómo se relaciona el magnetismo con la electricidad?
2. ¿Qué es un electroimán? ¿Cuáles son algunos de sus usos?
3. ¿En qué se diferencia un electroimán de un imán permanente?
4. ¿Cómo convierte un electroimán energía eléctrica en energía mecánica dentro de un motor eléctrico?

Pensamiento crítico—*Hacer comparaciones*
5. ¿En qué se diferencia el efecto de una corriente eléctrica sobre la aguja de una brújula del efecto magnético terrestre sobre ésta?

3–2 Electricity From Magnetism

If magnetism can be produced from electricity, can electricity be produced from magnetism? Scientists who learned of Oersted's discovery asked this very question. In 1831, the English scientist Michael Faraday and the American scientist Joseph Henry independently provided the answer. It is interesting to note that historically Henry was the first to make the discovery. But because Faraday published his results first and investigated the subject in more detail, his work is better known.

Electromagnetic Induction

In his attempt to produce an electric current from a magnetic field, Faraday used an apparatus similar to the one shown in Figure 3–9. The coil of wire on the left is connected to a battery. When current flows through the wire, a magnetic field is produced. The strength of the magnetic field is increased by the iron, as in an electromagnet. Faraday hoped that the steady current would produce a magnetic field strong enough to create a current in the wire on the right. But no matter how strong the current he used, Faraday could not achieve his

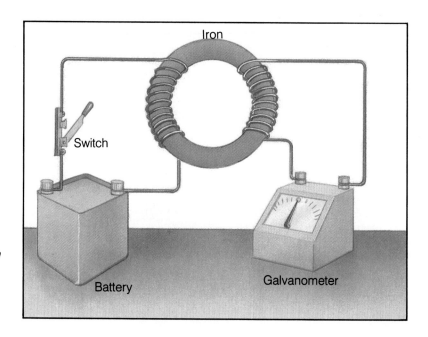

Figure 3–9 *Using this setup, Faraday found that whenever the current in the wire on the left changed, a current was induced in the wire on the right. The changing current produced a changing magnetic field, which in turn gave rise to a current.*

3–2 Electricidad del magnetismo

Si la electricidad puede producir magnetismo, ¿puede producirse electricidad del magnetismo? Los científicos que se enteraron del descubrimiento de Oersted se preguntaron lo mismo. En 1831, un científico inglés, Michael Faraday, y un americano, Joseph Henry, respondieron a esta pregunta cada uno por su cuenta. Históricamente, Henry hizo el descubrimiento primero. Pero el trabajo de Faraday es más conocido porque publicó sus resultados primero e investigó el tema en más detalle.

Inducción electromagnética

En su intento de producir una corriente eléctrica de un campo magnético, Faraday usó un aparato similar al de la figura 3–9. La bobina de la izquierda va conectada a una batería. Cuando la corriente fluye por el alambre, se produce un campo magnético, cuya fuerza es aumentada por el hierro como en un electroimán. Faraday esperaba que la corriente continua produjera un campo magnético suficientemente fuerte para crear una corriente en el alambre de la derecha. Pero no importa cuánta corriente usara, Faraday no logró

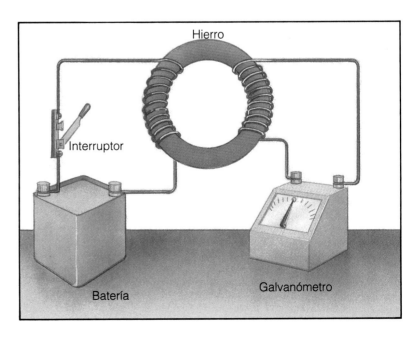

Figura 3–9 *Con este equipo, Faraday descubrió que cada vez que cambiaba la corriente del alambre de la izquierda, inducía una corriente en el de la derecha. La corriente cambiante producía un campo magnético cambiante, que a su vez generaba una corriente.*

desired results. The magnetic field did not produce a current in the second wire. However, something rather strange caught Faraday's attention. The needle of the galvanometer deflected whenever the current was turned on or off. Thus a current was produced in the wire on the right, but only when the current (and thus the magnetic field) was changing.

Faraday concluded that although a steady magnetic field produced no electric current, a changing magnetic field did. Such a current is called an **induced current.** The process by which a current is produced by a changing magnetic field is called **electromagnetic induction.**

Faraday did many other experiments into the nature of electromagnetic induction. In one, he tried moving a magnet near a closed loop of wire. What he found out was that when the magnet is held still, there is no current in the wire. But when the magnet is moved, a current is induced in the wire. The direction of the current depends on the direction of movement of the magnet. In another experiment he tried holding the magnet still while moving the wire circuit. In this case, a current is again induced.

The one common element in all Faraday's experiments is a changing magnetic field. It does not matter whether the magnetic field changes because the magnet moves, the circuit moves, or the current

Figure 3–10 *A current is induced in a wire that is exposed to a changing magnetic field. Here the magnet is moved past a stationary wire. On what does the direction of the current depend?*

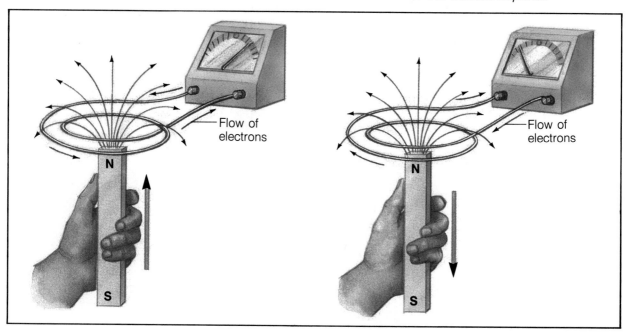

obtener los resultados deseados. El campo magnético no producía una corriente en el segundo alambre. Sin embargo, algo extraño llamó la atención de Faraday. La aguja del galvanómetro se desviaba cada vez que encendía o apagaba la corriente. Por lo tanto, se producía una corriente en el cable de la derecha pero sólo cuando la corriente (y por ende, el campo magnético) cambiaba.

Faraday concluyó que aunque un campo magnético continuo no produce corriente eléctrica, un campo magnético cambiante sí la produce. Una corriente así se llama **corriente inducida**. El proceso en el cual se produce corriente por un campo magnético cambiante se llama **inducción electromagnética**.

Faraday experimentó mucho con la inducción electromagnética. Una vez probó acercar un imán a un cable en circuito cerrado. Descubrió que manteniendo el imán inmóvil, no hay corriente en el cable. Pero al moverlo, se induce corriente en el cable y su dirección depende de la dirección del movimiento del imán. En otro experimento, dejó el imán quieto mientras movía el cable en circuito. En este caso también se inducía corriente.

El elemento común de todos los experimentos de Faraday es un campo magnético cambiante. No importa si el campo magnético cambia porque el imán se mueve, el circuito se mueve o la corriente que genera el

ACTIVIDAD

PARA AVERIGUAR

Interferencia de una brújula

Con una brújula averigua las propiedades magnéticas de un cuarto. Coloca la brújula en distintas partes del cuarto y mira hacia dónde señala la aguja. ¿Encuentras algún lugar donde la aguja no señale el norte? ¿Por qué señala en distintas direcciones?

■ ¿Qué precauciones debe tomar un navegante al usar una brújula?

Figura 3–10 *Se induce una corriente en un alambre expuesto a un campo magnético cambiante. Aquí, el imán se coloca más allá del cable estacionario. ¿De qué depende la dirección de la corriente?*

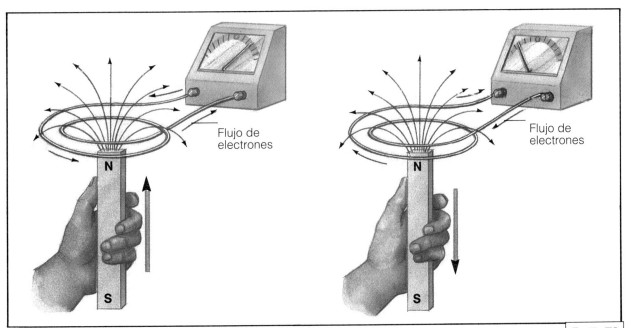

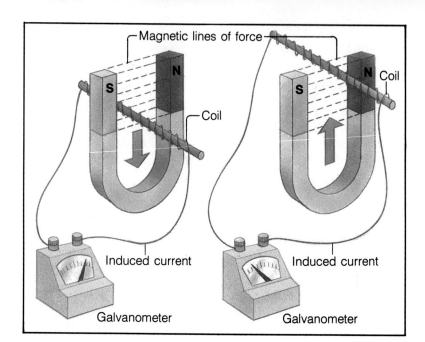

Figure 3-11 *A current is also induced in a wire when the wire is moved through a stationary magnetic field.*

giving rise to the magnetic field changes. It matters only that a changing magnetic field is experienced. **An electric current will be induced in a circuit exposed to a changing magnetic field.**

It may help you to think about electromagnetic induction in terms of magnetic lines of force. In each case magnetic lines of force are being cut by a wire. When a conducting wire cuts across magnetic lines of force, a current is produced.

GENERATORS An important application of electromagnetic induction is a **generator.** A generator is a device that converts mechanical energy into electrical energy. How does this energy conversion compare with that in an electric motor? Generators in power plants are responsible for producing about 99 percent of the electricity used in the United States.

A simple generator consists of a loop of wire mounted on a rod, or axle, that can rotate. The loop of wire, which is attached to a power source, is placed between the poles of a magnet. When the loop of wire is rotated by the power source, it moves through the field of the magnet. Thus it experiences a changing magnetic field (magnetic lines of force are being cut). The result is an induced current in the wire.

As the loop of wire continues to rotate, the wire moves parallel to the magnetic lines of force. At this point the field is not changing and no lines of force

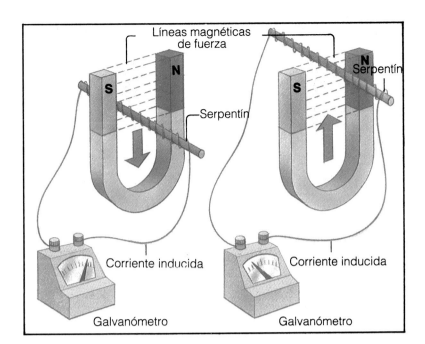

Líneas magnéticas de fuerza

N
S
Serpentín

N
S
Serpentín

Corriente inducida

Corriente inducida

Galvanómetro

Galvanómetro

Figura 3–11 *También se induce una corriente en un cable al mover el cable a través de un campo magnético estacionario.*

Actividad

PARA ESCRIBIR

La historia del electromagnetismo

Varios científicos establecieron la relación entre la electricidad y el magnetismo. Usando los libros y materiales de referencia de la biblioteca, escribe un reporte sobre los científicos nombrados a continuación. Incluye información sobre sus vidas y sus contribuciones a la comprensión del electromagnetismo.

Hans Christian Oersted
André Ampère
Michael Faraday
Joseph Henry
Nikola Tesla

campo magnético cambia. Sólo importa que se produce un campo magnético cambiante. **Una corriente eléctrica se induce en un circuito expuesto a un campo magnético cambiante.**

Te ayudará pensar en la inducción electromagnética en términos de las líneas de fuerza magnética. En cada caso, un alambre corta las líneas de fuerza magnética. Cuando un cable conductor atraviesa las líneas de fuerza magnética, se produce una corriente.

GENERADORES Un **generador** es una aplicación importante de inducción electromagnética. Un generador es un aparato que convierte energía mecánica en energía eléctrica. ¿Cómo se compara esta conversión de energía con la de un motor eléctrico? Los generadores en las centrales eléctricas producen casi el 99 por ciento de la electricidad que se usa en los Estados Unidos.

Un generador simple consiste en un circuito cerrado de cable montado en una barra o eje que puede rotar. El circuito de cable, que está conectado a una fuente de energía, se coloca entre los polos de un imán. Cuando la fuente de energía hace rotar el circuito, el cable atraviesa el campo del imán. Por lo tanto, experimenta un campo magnético cambiante (las líneas de fuerza magnética se cortan). El resultado es la inducción de una corriente en el cable.

A medida que el circuito de cable continúa rotando, el cable se mueve paralelo a las líneas de fuerza magnética. En este punto el campo no cambia, no se

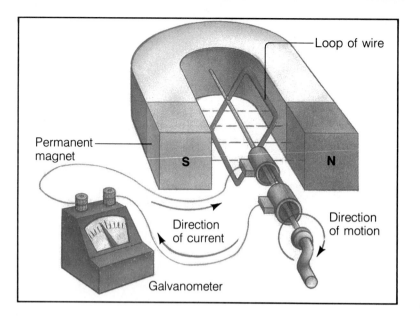

Figure 3–12 *Inside a basic generator, a loop of wire is rotated through a stationary magnetic field. Because the wire continuously changes its direction of movement through the field, the induced current keeps reversing direction. What type of current is produced?*

are cut, so no current is produced. Further rotation moves the loop to a position where magnetic lines of force are cut again. But this time the lines of force are cut from the opposite direction. This means that the induced current is in the opposite direction. Because the direction of the electric current changes with each complete rotation of the wire, the current produced is AC, or alternating current.

The large generators in power plants have many loops of wire rotating inside large electromagnets. The speed of the generators is controlled very carefully. The current is also controlled so that it reverses direction 120 times each second. Because two reversals make one complete cycle of alternating

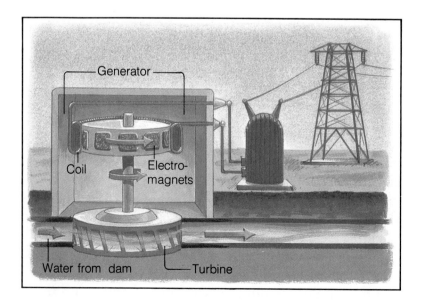

Figure 3–13 *In the operation of a modern generator, a source of mechanical energy—such as water—spins a turbine. The turbine moves large electromagnets encased in coils of insulated wire. As the electromagnets move, the coiled wire cuts through a magnetic field, inducing an electric current in the wire.*

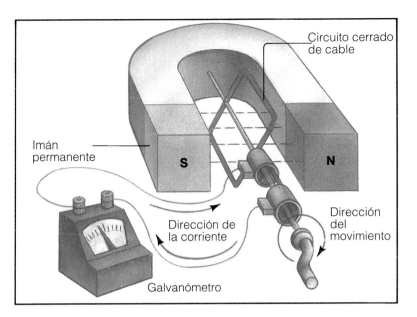

Figura 3–12 *Dentro de un generador básico, un circuito cerrado de cable rota a través de un campo magnético estacionario. Debido a que el cable cambia continuamente la dirección de su movimiento en el campo, la corriente inducida revierte su dirección constantemente. ¿Qué tipo de corriente se produce?*

Imán permanente

S

N

Circuito cerrado de cable

Dirección de la corriente

Dirección del movimiento

Galvanómetro

cortan las líneas de fuerza magnética y no se produce corriente. Al seguir rotando, el circuito de cable llega a una posición donde cruza de nuevo las líneas de fuerza magnética. Pero esta vez las atraviesa en dirección contraria. Esto significa que la corriente inducida es en dirección opuesta. Debido a que la dirección de la corriente eléctrica cambia con cada vuelta completa del cable, la corriente producida es AC, o corriente alterna.

Los enormes generadores de las centrales eléctricas tienen muchos circuitos cerrados de cables rotando dentro de grandes electroimanes. La velocidad de los generadores se controla cuidadosamente. También se controla la corriente para que cambie de dirección 120 veces por segundo. Debido a que dos reversiones forman un ciclo completo de corriente alterna, la

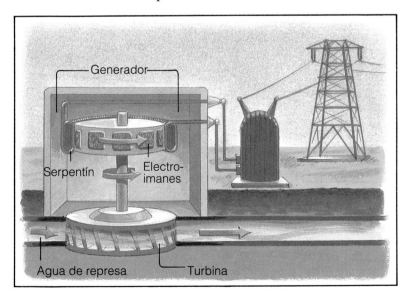

Generador

Serpentín

Electro-imanes

Agua de represa

Turbina

Figura 3–13 *En un generador moderno, una fuente de energía mecánica—como el agua—hace girar una turbina. La turbina mueve electroimanes grandes cubiertos por serpentines de alambre aislado. A medida que se mueven los electroimanes, atraviesan un campo magnético, induciendo una corriente eléctrica en el cable.*

current, the electricity generated has a frequency of 60 hertz. (Frequency is the number of cycles per second, measured in hertz.) Alternating current in the United States has a frequency of 60 hertz. In many other countries, the frequency of alternating current is 50 hertz.

Generators can also be made to produce direct current. In fact, the system proposed and developed by Thomas Edison distributed direct-current electricity. However, the method of alternating current, developed by Edison's rival Nikola Tesla, eventually took its place. When only direct current is used, it has to be produced at high voltages, which are extremely dangerous to use in the home and office. Alternating current, however, can be adjusted to safe voltage levels.

You may wonder about what type of power source is responsible for turning the loop of wire in a generator. In certain generators it can be as simple as a hand crank. But in large generators turbines provide the mechanical energy to turn the axles. Turbines are wheels that are turned by the force of moving wind, water, or steam. Most of the power used in the United States today is generated at steam

Figure 3–14 *The force of moving water can be used to spin turbines in generators located in a power plant such as this one at Hoover Dam. What energy conversion takes place in a generator?*

electricidad generada tiene una frecuencia de 60 hertz. (La frecuencia es el número de ciclos por segundo, medidos en hertz.) La corriente alterna en los Estados Unidos tiene una frecuencia de 60 hertz. En otros países, la frecuencia de la corriente alterna es de 50 hertz.

Los generadores también pueden producir corriente directa. De hecho, el sistema desarrollado por Thomas Edison distribuía electricidad de corriente directa. Pero el método de la corriente alterna desarrollado por Nikola Tesla, rival de Edison, eventualmente predominó. Cuando se usa sólo corriente directa, hay que producirla a altos voltajes, que son muy peligrosos para usarlos en las casas y oficinas. La corriente alterna, en cambio, puede ajustarse a niveles de voltaje más seguros.

Quizás te preguntes qué tipo de fuente de energía es la que hace girar el circuito cerrado de cable en un generador. En ciertos generadores puede ser una simple manivela. La energía mecánica que hace girar los ejes en los generadores grandes, la producen las turbinas. Las turbinas son ruedas que giran gracias a la fuerza del movimiento del viento, agua o vapor. La mayoría de la energía que se usa hoy en los Estados Unidos la generan

Figura 3–14 *La fuerza del agua en movimiento hace girar turbinas de generadores ubicadas en plantas centrales como ésta en Hoover Dam. ¿Qué conversión de energía tiene lugar en un generador?*

plants. There the heat from the burning of fossil fuels (coal, oil, natural gas) or from nuclear fission boils water to produce high-pressure steam that turns the turbines. In many modern generators, the loop remains stationary, but the magnetic field rotates. The magnetic field is produced by a set of electromagnets that rotate.

If you own a bicycle that has a small generator attached to the wheel to operate the lights, you are the source of power for the generator. To turn the lights on, a knob on the generator is moved so that it touches the wheel. As you pedal the bike, you provide the mechanical energy to turn the wheel. The wheel then turns the knob. The knob is attached to a shaft inside the generator. The shaft rotates a coil of wire through a magnetic field. What happens to the lights when you stop pedaling?

A small electric generator, often called an alternator, is used to recharge the battery in a car while the engine is running. Even smaller electric generators are used extensively in the conversion of information into electric signals. When you play a conventional record, for example, the grooves in the record cause the needle to wiggle. The needle is connected to a tiny magnet mounted inside a coil. As the magnet wiggles, a current is induced that corresponds to the sounds in the record grooves. This signal drives loudspeakers, which themselves use magnetic forces to convert electric signals to sound.

When you play a videotape or an audiotape, you are again taking advantage of induced currents. When information is taped onto a videotape or audiotape, it is in the form of an electric signal. The electric signal is fed to an electromagnet. The strength of the field of the electromagnet depends on the strength of the electric signal. The tape is somewhat magnetic. When it passes by the electromagnet, the magnetic field pulls on the magnetic domains of the tape. According to the electric signal, the domains are arranged in a particular way. When the recorded tape is played, a tiny current is induced due to the changing magnetic field passing the head of the tape player. The magnetic field through the tape head changes with the changing magnetic field of the tape, inducing a current that corresponds to

Figure 3–15 *A light powered by a generator on a bicycle uses the mechanical energy of the spinning tire to rotate the wire. Can the light be on when the bicycle is not in use?*

plantas de vapor. Ahí el calor de los combustibles fósiles (carbón, petróleo o gas natural) o el calor de la fisión nuclear hierve el agua hasta producir vapor de alta presión que hace girar las turbinas. En muchos generadores modernos, el cable permanece estacionario pero el campo magnético gira. El campo magnético lo producen unos electroimanes que giran.

Si tienes una bicicleta con un pequeño dínamo adosado a la rueda que hace funcionar las luces, tú eres la fuente de energía del dínamo. Para encender las luces, mueves una perilla del dínamo hasta que toque la rueda. Al pedalear, tú provees la energía mecánica para hacer girar la rueda, que a su vez hace girar la perilla. La perilla va conectada a un eje dentro del dínamo. Este eje hace rotar una bobina a través de un campo magnético. ¿Qué pasa con las luces cuando dejas de pedalear?

Se usa un pequeño generador eléctrico, llamado alternador, para recargar la batería de un automóvil cuando su motor está funcionando. Incluso, se usan generadores eléctricos más pequeños para convertir información en señales eléctricas. Por ejemplo, cuando escuchas un disco convencional, sus surcos mueven la aguja que está conectada a un pequeño imán montado dentro de una bobina. Al moverse el imán, se induce una corriente que corresponde a los sonidos de los surcos del disco. Esta señal acciona los altavoces, que a su vez usan fuerzas magnéticas para convertir señales eléctricas en sonido.

Cuando miras un video o escuchas un cassette, estás usando corrientes inducidas. Se graba información en un video o un cassette en forma de señal eléctrica. La señal eléctrica se pasa a un electroimán, cuya fuerza depende de la fuerza de la señal eléctrica. La cinta es en cierta forma magnética, y cuando pasa por el electroimán, su campo magnético tira de los dominios magnéticos de la cinta. Los dominios se ordenan de cierta forma según la señal eléctrica. Cuando pones la cinta, se induce una pequeña corriente debido al campo magnético cambiante que pasa por el cabezal, del tocacintas. El campo magnético a través del cabezal cambia con el campo magnético cambiante de la cinta, induciendo una corriente que corresponde a la información—

Figura 3–15 *El dínamo, que hace funcionar las luces de una bicicleta, usa la energía mecánica de la rueda para hacer rotar el cable. ¿Funcionan las luces cuando la bicicleta está parada?*

the information—audio, video, or computer data—recorded on the tape. Magnetic disks used for information storage in computers work on the same principle. For this reason, placing a tape next to a strong magnet or a device consisting of an electromagnet can destroy the information on the tape.

Devices that use electromagnetic induction have a wide variety of applications. In the field of geophysics, a device called a geophone, or seismometer, is used to detect movements of the Earth—especially those associated with earthquakes. A geophone consists of a magnet and a coil of wire. Either the magnet or the wire is fixed to the Earth and thus moves when the Earth moves. The other part of the geophone is suspended by a spring so that it does not move. When the Earth moves, a changing magnetic field is experienced and an electric current is induced. This electric current is converted into an electric signal that can be detected and measured. Why is a geophone a valuable scientific instrument?

TRANSFORMERS A **transformer** is a device that increases or decreases the voltage of alternating current. A transformer operates on the principle that a current in one coil induces a current in another coil.

A transformer consists of two coils of insulated wire wrapped around the same iron core. One coil is called the primary coil and the other coil is called the secondary coil. When an alternating current passes through the primary coil, a magnetic field is created. The magnetic field varies as a result of the alternating current. Electromagnetic induction causes a current to flow in the secondary coil.

If the number of loops in the primary and the secondary coils is equal, the induced voltage of the secondary coil will be the same as that of the primary coil. However, if there are more loops in the secondary coil than in the primary coil, the voltage of the secondary coil will be greater. Since this type of transformer increases the voltage, it is called a step-up transformer.

In a step-down transformer, there are fewer loops in the secondary coil than there are in the primary coil. So the voltage of the secondary coil is less than that of the primary coil.

Transformers play an important role in the transmission of electricity. Power plants are often situated

ACTIVITY

DISCOVERING

An Electrifying Experience

1. Remove the insulation from both ends of a length of thin insulated wire.

2. Coil the wire into at least 7 loops.

3. Connect each uninsulated end of the wire to a terminal of a galvanometer.

4. Move the end of a bar magnet halfway into the loops of the wire. Observe the galvanometer needle.

5. Move the magnet faster and slower. Observe the needle.

6. Increase and decrease the number of loops of the wire. Observe the needle.

7. Move the magnet farther into the loops and not as far. Observe the needle.

8. Use a strong bar magnet and a weak one. Observe the needle.

■ What process have you demonstrated?

■ Explain all your observations.

■ What variables affect the process the most? The least?

auditiva, visual o de informática—grabada en la cinta. Los discos magnéticos de información para computadoras funcionan gracias al mismo principio. Por esta razón el acercar una cinta a un imán fuerte o a un aparato que tiene un electroimán puede destruir la información de la cinta.

Los aparatos que usan inducción electromagnética tienen varios usos. En la geofísica se usa un aparato llamado sismómetro para detectar los movimientos de la Tierra—especialmente aquellos relacionados con los terremotos. Un sismómetro consiste de un imán y una bobina de alambre. Uno de los dos está fijo a la Tierra, de modo que se mueve con ella. La otra parte del sismómetro va suspendida de un resorte y no se mueve. Al moverse la Tierra, se produce un campo magnético cambiante y se induce una corriente eléctrica. Esta corriente eléctrica se convierte en una señal eléctrica que se puede detectar y medir. ¿Por qué es el sismómetro un valioso instrumento científico?

TRANSFORMADORES Un **transformador** es un aparato que aumenta o reduce el voltaje de la corriente alterna. El funcionamiento de un transformador se basa en el principio de que la corriente en una bobina induce corriente en otra bobina.

Un transformador consiste de dos bobinas de alambre aislado enrollados sobre un mismo núcleo de hierro. Una bobina se llama primaria y la otra, secundaria. Cuando una corriente alterna pasa por la bobina primaria, se crea un campo magnético que varía debido a la corriente alterna. La induccción electromagnética causa que fluya corriente a la bobina secundaria.

Si ambas bobinas tienen igual número de vueltas de hilo eléctrico, el voltaje inducido en la bobina secundaria será igual a la de la primaria. Pero, si hay más vueltas en la bobina secundaria, su voltaje será mayor que la de la primaria. Como este tipo de transformador aumenta el voltaje, se llama transformador elevador.

En un transformador reductor hay menos vueltas de alambre eléctrico en la bobina secundaria. Por lo tanto, su voltaje es menor que el de la bobina primaria.

Los transformadores tienen un papel importante en la transmisión de electricidad. Las centrales eléctricas a

ACTIVIDAD

PARA AVERIGUAR

Una experiencia electrificante

1. Quítale la aislación a ambos extremos de un trozo de cable fino aislado.

2. Enrolla el cable por lo menos 7 vueltas.

3. Conecta cada extremo al terminal de un galvanómetro.

4. Coloca la punta de un imán de barra hasta la mitad dentro del cable enrollado. Observa la aguja del galvanómetro.

5. Mueve el imán rápidamente y lentamente. Observa la aguja.

6. Aumenta y disminuye el número de vueltas del cable. Observa la aguja.

7. Coloca el imán más adentro; sácalo más afuera. Observa la aguja.

8. Usa un imán de barra fuerte y uno débil. Observa la aguja.

■ ¿Qué proceso comprobaste?

■ Explica todas tus observaciones.

■ ¿Cuáles variables tienen mayor efecto sobre el proceso? ¿Menor efecto?

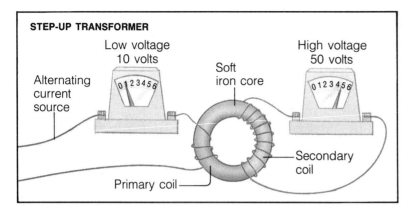

STEP-UP TRANSFORMER

Low voltage 10 volts

High voltage 50 volts

Soft iron core

Alternating current source

Secondary coil

Primary coil

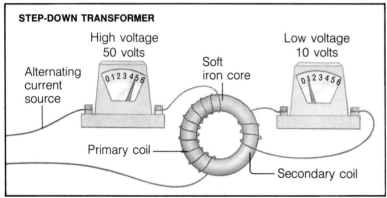

STEP-DOWN TRANSFORMER

High voltage 50 volts

Low voltage 10 volts

Soft iron core

Alternating current source

Primary coil

Secondary coil

Figure 3–16 *A transformer either increases or decreases the voltage of alternating current. A step-up transformer increases voltage. A step-down transformer decreases voltage. Which coil has the greater number of loops in each type of transformer?*

long distances from metropolitan areas. As electricity is transmitted over long distances, there is a loss of energy. At higher voltages and lower currents, electricity can be transmitted with less energy wasted. But if power is generated at lower voltages and also used at lower voltages, how can high-voltage transmission be achieved? By stepping up the voltage before transmission (step-up transformer) and stepping it back down before distribution (step-down transformer), power can be conserved.

Step-up transformers are used by power companies to transmit high-voltage electricity to homes and offices. They are also used in fluorescent lights and X-ray machines. In television sets, step-up transformers increase ordinary household voltage from 120 volts to 20,000 volts or more.

Figure 3–17 *Electric current is most efficiently transmitted at high voltages. However, it is produced and used at low voltages. For this reason, electric companies use transformers such as these to adjust the voltage of electric current. Why is alternating current more practical than direct current?*

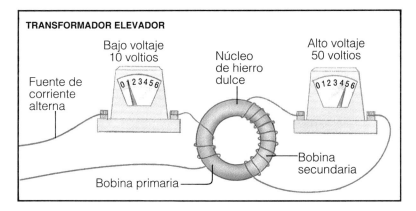

TRANSFORMADOR ELEVADOR

Bajo voltaje
10 voltios

Alto voltaje
50 voltios

Fuente de
corriente
alterna

Núcleo
de hierro
dulce

Bobina
secundaria

Bobina primaria

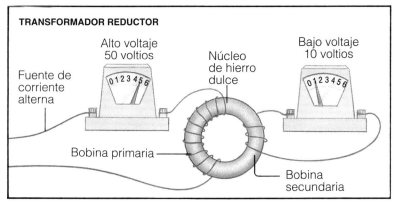

TRANSFORMADOR REDUCTOR

Alto voltaje
50 voltios

Bajo voltaje
10 voltios

Fuente de
corriente
alterna

Núcleo
de hierro
dulce

Bobina primaria

Bobina
secundaria

Figura 3–16 *Un transformador eleva o reduce el voltaje de la corriente alterna. Un transformador elevador aumenta el voltaje; uno reductor, lo reduce. En cada tipo de transformador, ¿cuál bobina tiene más vueltas?*

menudo se sitúan a grandes distancias de las áreas metropolitanas. Hay una pérdida de energía al transmitir electricidad a grandes distancias. Se desperdicia menos energía si se transmite a voltajes altos y corrientes bajas. Pero, ¿cómo se puede transmitir energía de alto voltaje si ésta es generada y usada a voltajes más bajos? Elevando el voltaje antes de la transmisión (transformador elevador) y reduciéndolo antes de la distribución (transformador reductor), se puede conservar energía.

Las plantas eléctricas usan los transformadores elevadores para transmitir electricidad de alto voltaje a casas y oficinas. También se usan en las luces fluorescentes y las máquinas de rayos X. En los televisores, los transformadores elevadores aumentan el voltaje común de los hogares de 120 a 20,000 voltios o más.

Figura 3–17 *La corriente eléctrica se transmite mejor a altos voltajes. Pero se produce y se usa a bajos voltajes. Las compañías eléctricas usan transformadores como éstos para ajustar el voltaje de la corriente. ¿Por qué es más práctica la corriente alterna que la corriente directa?*

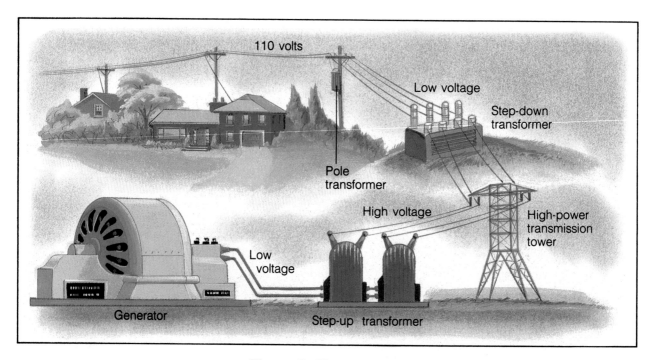

Figure 3–18 *Low-voltage current produced at a power plant is stepped-up before being sent over long wires. Near its destination, high-voltage current is stepped-down before it is distributed to homes and other buildings. Current may be further transformed in appliances that require specific voltages.*

Step-down transformers reduce the voltage of electricity from a power plant so it can be used in the home. Step-down transformers are also used in doorbells, model electric trains, small radios, tape players, and calculators.

3–2 Section Review

1. What is electromagnetic induction?
2. How can an electric current be produced from a magnetic field?
3. What is the purpose of a generator?
4. What is the difference between a step-up and a step-down transformer?

Connection—*You and Your World*
5. What are some common objects that use either electromagnetism or electromagnetic induction?

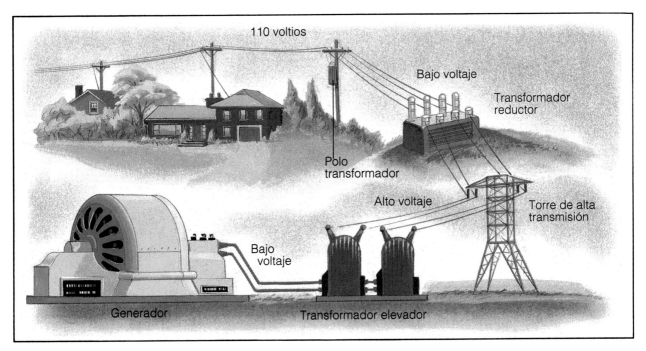

Figura 3–18 *Antes de enviarla por los cables, se eleva el voltaje de la corriente producida en una central eléctrica. Cerca de su destino y antes de ser distribuida a hogares y a otros edificios, se reduce su voltaje. La corriente también se puede transformar por aparatos domésticos que requieren voltajes específicos.*

Los transformadores reductores reducen el voltaje de la electricidad de una planta eléctrica para que sea usada en el hogar. Estos transformadores también se usan en los timbres de las puertas, modelos de trenes eléctricos, radios, grabadores de cinta y calculadoras.

3–2 Repaso de la sección

1. ¿Qué es la inducción electromagnética?
2. ¿Cómo se puede producir una corriente eléctrica de un campo magnético?
3. ¿Cuál es el propósito de un generador?
4. ¿Cuál es la diferencia entre un transformador elevador y uno reductor?

Conexión—*Tú y tu mundo*
5. ¿Qué objetos comunes usan electromagnetismo o inducción electromagnética?

CONNECTIONS

Smaller Than Small

When you have difficulty seeing a very small object, do you use a magnifying glass to help you? A magnifying glass enlarges the image of the object you are looking at. If you want to see an even smaller object, you may need a *microscope.* A microscope is an instrument that makes small objects appear larger. The Dutch biologist Anton van Leeuwenhoek is given credit for developing the first microscope. His invention used glass lenses to focus light.

The light microscope, which has descended from Van Leeuwenhoek's original device, still uses lenses in such a way that an object is magnified. Light microscopes are very useful. But due to the properties of light, there is a limit to the magnification light microscopes can achieve. How then can objects requiring greater magnification be seen? In the 1920s, scientists realized that a beam of electrons could be used in much the same way as light was. But microscopes that use electron beams cannot use glass lenses. Instead, they use lenses consisting of magnetic fields that exert forces on the electrons to bring them into focus. The magnetic fields are produced by electromagnets.

Electron microscopes have one major drawback. The specimens to be viewed under an electron microscope must be placed in a vacuum. This means that the specimens can no longer be alive. Despite this disadvantage, electron microscopes are extremely useful for studying small organisms, parts of organisms, or the basic structure of matter. Electron microscopes have opened up a new world!

High-precision microscopes have enabled researchers to peer into the world of the tiny. On this scale you may hardly recognize an ant's head, the cells responsible for pneumonia, or a stylus traveling through the grooves of a record.

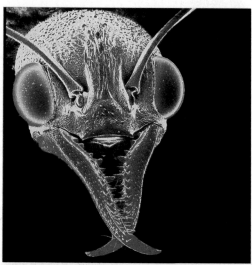

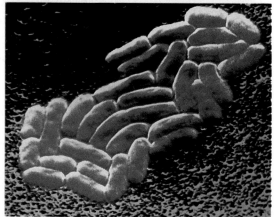

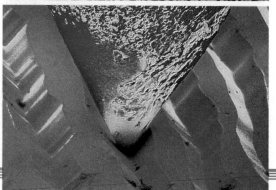

Aún más pequeño

Cuando tienes dificultad para ver un objeto pequeño, ¿usas una lupa para verlo? Una lupa aumenta la imagen del objeto que estás mirando. Si quieres ver algo más pequeño aún, vas a necesitar un *microscopio*. Un microscopio es un instrumento que aumenta los objetos pequeños. El biólogo holandés, Anton van Leeuwenhoek, fue quien desarrolló el primer microscopio. Su invención usaba lentes de cristal para enfocar la luz.

El microscopio óptico, descendiente del instrumento original de Van Leeuwenhoek, aún usa lentes para aumentar un objeto. Estos microscopios ópticos son muy útiles. Pero debido a las propiedades de la luz, los microscopios ópticos tienen un límite en su poder de aumento. Entonces, ¿cómo se pueden ver los objetos que requieren un aumento mayor? En los años 20, los científicos descubrieron que un rayo de electrones se puede usar de la misma manera en que se usa la luz. Pero los microscopios que usan rayos de electrones no pueden usar lentes de cristal; usan lentes que consisten de campos magnéticos que ejercen fuerzas sobre los electrones para enfocarlos. Los campos magnéticos son producidos por electroimanes.

Los microscopios electrónicos tienen una gran desventaja. Los ejemplares observados bajo un microscopio electrónico tienen que estar al vacío. Esto significa que no pueden estar vivos. A pesar de esto, estos microscopios son extremadamente útiles para estudiar pequeños organismos, partes de organismos o la estructura básica de la materia. ¡El microscopio electrónico ha abierto un mundo nuevo!

Los microscopios de alta precisión permiten a los investigadores observar el mundo minúsculo. A esta escala, no podrías reconocer la cabeza de una hormiga, las células que causan neumonía o la aguja marcando los surcos de un disco de fonógrafo.

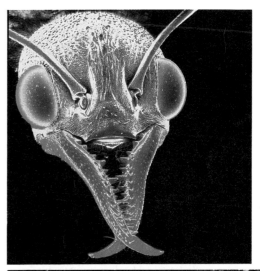

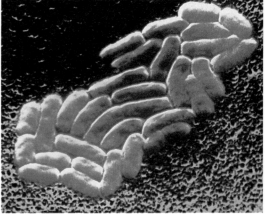

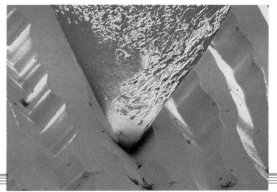

Laboratory Investigation

Electromagnetism

Problem

What factors affect the strength of an electro-magnet? What materials are attracted to an electromagnet?

Materials *(per group)*

dry cell	nickel
6 paper clips	dime
5 iron nails, 10 cm long	
2 meters of bell wire	
small piece of aluminum foil	
penny or copper sheet	
other objects to be tested	

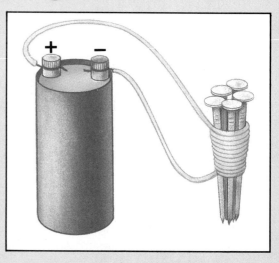

Procedure ▪|▪▪

1. Hold the five nails together and neatly wrap the wire around them. Do not allow the coils to overlap. Leave about 50 cm of wire at one end and about 100 cm at the other end.

2. Attach the shorter end of the wire to one terminal of the dry cell.

3. Momentarily touch the 100-cm end of the wire to the other terminal of the dry cell. **CAUTION:** *Do not operate the electro-magnet for more than a few seconds each time.*

4. When the electromagnet is on, test each material for magnetic attraction. Record your results.

5. During the time the electromagnet is on, determine the number of paper clips it can hold.

6. Wrap the 100-cm end of wire over the first winding to make a second layer. You should use about 50 cm of wire. There should be approximately 50 cm of wire remaining.

7. Connect the wire once again to the dry cell. Determine the number of paper clips the electromagnet can now hold. Record your results.

8. Carefully remove three nails from the windings. Connect the wire and deter-mine the number of paper clips the elec-tromagnet can hold. Record your results.

9. Determine whether the electromagnet at-tracts the penny, nickel, dime, and other test objects.

Observations

What materials are attracted to the electromagnet?

Analysis and Conclusions

1. What do the materials attracted to the magnet have in common?

2. When you increase the number of turns of wire, what effect does this have on the strength of the electromagnet?

3. How does removing the nails affect the strength of the electromagnet?

4. **On Your Own**   How can you increase or decrease the strength of an electro-magnet without making any changes to the wire or to the nails? Devise an experi-ment to test your hypothesis.

Investigación de laboratorio

Electromagnetismo

Problema

¿Qué factores afectan la fuerza de un electroimán? ¿Qué materiales son atraídos por un electroimán?

Materiales *(para cada grupo)*

pila seca
6 sujetapapeles
5 clavos de hierro de 10 cm de largo
2 metros de hilo metálico
trozo pequeño de papel aluminio
un centavo o lámina de cobre
otros objetos para probar
moneda de cinco centavos
moneda de diez centavos

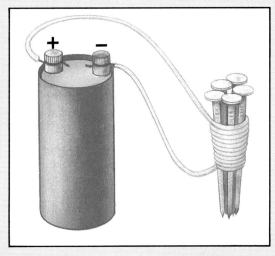

Procedimiento

1. Sujeta los cinco clavos juntos y enrróllalos con el hilo metálico. No permitas que las vueltas del hilo se sobrepongan.
   Deja 50 cm de hilo a un extremo y casi 100 cm al otro.

2. Conecta el extremo corto del hilo a uno de los polos de la pila seca.

3. Brevemente toca con el extremo de 100 cm el otro polo de la pila. **CUIDADO:** *No hagas funcionar el electroimán más de un par de segundos cada vez.*

4. Cuando el electroimán está funcionando, prueba la atracción magnética de cada material. Anota tus resultados.

5. Cuando el electroimán está funcionando, determina el número de sujetapapeles que puede sostener.

6. Enrolla los 100 cm de hilo sobre la primera vuelta para formar una segunda capa. Deberías usar unos 50 cm de hilo y deberían sobrarte otros 50 cm.

7. Conecta el hilo nuevamente a la pila seca. Determina el número de sujetapapeles que el electroimán puede sostener. Anota tus resultados.

8. Con mucho cuidado, quita tres de los clavos. Conecta el hilo y determina el número de sujetapapeles que el electroimán puede sostener. Anota tus resultados.

9. Determina si el electroimán atrae el centavo, las monedas de cinco y de diez centavos y otros objetos.

Observaciones

¿Qué materiales son atraídos por el electroimán?

Análisis y conclusiones

1. ¿Qué tienen en común los materiales atraídos por un electroimán?

2. Cuando aumentas el número de vueltas del hilo, ¿qué efecto tiene ésto sobre la fuerza del electroimán?

3. ¿Cómo afecta la fuerza del electroimán el quitarle clavos?

4. **Por tu cuenta** ¿Cómo puedes aumentar o disminuir la fuerza de un electroimán sin hacer cambios en el hilo ni en los clavos? Diseña un experimento para probar tu hipótesis.

Summarizing Key Concepts

3-1 Magnetism From Electricity

▲ A magnetic field is created around a wire that is conducting electric current.

▲ The relationship between electricity and magnetism is called electromagnetism.

▲ A coiled wire, known as a solenoid, acts as a magnet when current flows through it. A solenoid with a core of iron acts as a strong magnet called an electromagnet.

▲ A magnetic field exerts a force on a wire conducting current.

▲ An electric motor converts electric energy into mechanical energy that is used to do work.

▲ A galvanometer is a device consisting of an electromagnet attached to a needle that can be used to measure the strength and direction of small currents.

3-2 Electricity From Magnetism

▲ During electromagnetic induction, an electric current is induced in a wire exposed to a changing magnetic field.

▲ One of the most important uses of electromagnetic induction is in the operation of a generator, which converts mechanical energy into electric energy.

▲ A transformer is a device that increases or decreases the voltage of alternating current. A step-up transformer increases voltage. A step-down transformer decreases voltage.

Reviewing Key Terms

Define each term in a complete sentence.

3-1 Magnetism From Electricity
electromagnetism
solenoid
electromagnet
electric motor
galvanometer

3-2 Electricity From Magnetism
induced current
electromagnetic induction
generator
transformer

Resumen de conceptos claves

3-1 Magnetismo de la electricidad

▲ Se genera un campo magnético alrededor de un cable que conduce corriente eléctrica.

▲ La relación entre electricidad y magnetismo se llama electromagnetismo.

▲ Un cable enrollado, conocido como solenoide, actúa como un imán cuando una corriente fluye por él. Un solenoide con un núcleo de hierro actúa como un imán poderoso llamado electroimán.

▲ Un campo magnético ejerce una fuerza sobre un cable que conduce una corriente.

▲ Un motor eléctrico convierte energía eléctrica en energía mecánica que se usa para hacer trabajo.

▲ Un galvanómetro es un instrumento que consiste de un electroimán conectado a una aguja que se usa para medir la fuerza y la dirección de pequeñas corrientes.

3-2 Electricidad del magnetismo

▲ Durante la inducción electromagnética se induce una corriente eléctrica en un cable expuesto a un campo magnético cambiante.

▲ Uno de los usos más importantes de la inducción electromagnética es el funcionamiento de un generador, que convierte la energía mecánica en energía eléctrica.

▲ Un transformador es un aparato que eleva o reduce el voltaje de la corriente alterna. Un transformador elevador aumenta el voltaje. Un transformador reductor reduce el voltaje.

Repaso de palabras claves

Define cada palabra o palabras con una oración completa.

3-1 Magnetismo de la electricidad

electromagnetismo
solenoide
electroimán
motor eléctrico
galvanómetro

3-2 Electricidad del magnetismo

corriente inducida
inducción electromagnética
generador
transformador

Chapter Review

Content Review

Multiple Choice

Choose the letter of the answer that best completes each statement.

1. The strength of the magnetic field of an electromagnet can be increased by
   a. increasing the number of coils in the wire only.
   b. increasing the amount of current in the wire only.
   c. increasing the amount of iron in the center only.
   d. all of these.

2. A generator can be considered the opposite of a(an)
   a. galvanometer.   c. electric motor.
   b. transformer.   d. electromagnet.

3. A device that changes the voltage of alternating current is a(an)
   a. transformer.   c. generator.
   b. electric motor.   d. galvanometer.

4. The scientist who discovered that an electric current creates a magnetic field is
   a. Faraday.   c. Henry.
   b. Oersted.   d. Maxwell.

5. A device with an electromagnet that continually rotates because of a changing electric current is a(an)
   a. doorbell.   c. galvanometer.
   b. solenoid.   d. electric motor.

6. The creation of an electric current by a changing magnetic field is known as
   a. electromagnetic induction.
   b. generation.
   c. transformation.
   d. stepping-up.

True or False

If the statement is true, write "true." If it is false, change the underlined word or words to make the statement true.

1. The relationship between electricity and magnetism is called <u>electromagnetism</u>.
2. A solenoid with a piece of iron in the center is called an <u>electromagnet</u>.
3. A <u>commutator</u> and <u>brushes</u> are found in an electric motor running on direct current.
4. A <u>generator</u> is used to detect small currents.
5. In a generator, <u>mechanical</u> energy is converted to <u>electric</u> energy.
6. Large generators at power plants often get their mechanical energy from <u>steam</u>.
7. An induced current is produced by a changing <u>electric</u> field.
8. A <u>transformer</u> changes the voltage of an electric current.

Concept Mapping

Complete the following concept map for Section 3–1. Refer to pages P6–P7 to construct a concept map for the entire chapter.

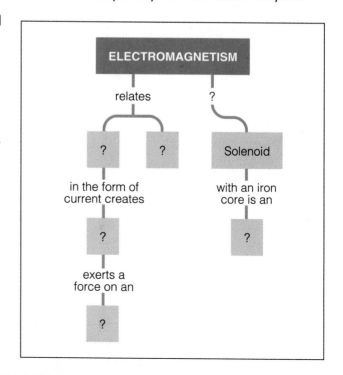

Repaso del capítulo

Repaso del contenido

Selección múltiple

Selecciona la letra de la respuesta que mejor complete cada frase.

1. La fuerza del campo magnético de un electroimán se puede aumentar
   a. sólo al aumentar el número de vueltas en el cable.
   b. sólo al aumentar la cantidad de corriente en el cable.
   c. sólo al aumentar la cantidad de hierro del núcleo.
   d. todas éstas.

2. Puede considerarse un generador como lo contrario de un
   a. galvanómetro.   c. motor eléctrico.
   b. transformador.   d. electroimán.

3. Un aparato que cambia el voltaje de la corriente alterna es un
   a. transformador.   c. generador.
   b. motor eléctrico.   d. galvanómetro.

4. El científico que descubrió que la corriente eléctrica crea un campo magnético fue
   a. Faraday.   c. Henry.
   b. Oersted.   d. Maxwell.

5. Un aparato con un electroimán que rota continuamente debido a una corriente eléctrica cambiante es un
   a. timbre de puerta. c. galvanómetro.
   b. solenoide.   d. motor eléctrico.

6. La creación de una corriente eléctrica por un campo magnético cambiante se conoce como
   a. inducción electromagnética.
   b. generación.
   c. transformación.
   d. elevación.

Verdadero o falso

Si la afirmación es verdadera, escribe "verdad." Si es falsa, cambia las palabras subrayadas para que sea verdadera.

1. La relación entre electricidad y magnetismo se llama <u>electromagnetismo</u>.
2. Un solenoide con un trozo de hierro en su centro se llama <u>electroimán</u>
3. En un motor eléctrico que funciona con corriente directa se encuentran un <u>conmutador</u> y unas escobillas.
4. Un <u>generador</u> se usa para detectar corrientes pequeñas.
5. Un generador convierte energía <u>mecánica</u> en energía <u>eléctrica</u>.
6. Los grandes generadores de las centrales eléctricas obtienen su energía mecánica del <u>vapor</u>.
7. Un campo <u>eléctrico</u> cambiante produce una corriente inducida.
8. Un <u>transformador</u> cambia el voltaje de una corriente eléctrica.

Mapa de conceptos

Completa el siguiente mapa de conceptos para la sección 3–1. Para hacer un mapa de conceptos de todo el capítulo, consulta las páginas P6–P7.

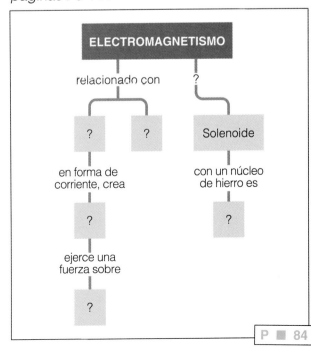

Concept Mastery

Discuss each of the following in a brief paragraph.

1. Does a magnetic field exert a force on a wire carrying electric current? Explain.
2. Describe how an electric motor operates. How does its operation differ depending on the type of current used to run the motor?
3. Explain how a galvanometer works.
4. Describe how a generator operates.
5. Describe the discoveries of Oersted and Faraday. How are these discoveries related?
6. What is a solenoid? An electromagnet?
7. What is a step-up transformer? A step-down transformer? Why are transformers important for the transmission of electricity?

Critical Thinking and Problem Solving

Use the skills you have developed in this chapter to answer each of the following.

1. **Making comparisons** Explain the difference between an electric motor and an electric generator in terms of energy conversion.
2. **Making diagrams** Use a diagram to show how the rotation of a wire loop in a generator first induces a current in one direction and then a current in the other direction.
3. **Applying concepts** The process of electromagnetic induction might seem to disobey the law of conservation of energy, which says that energy cannot be created. Explain why this is actually not so.
4. **Applying definitions** Indicate whether each of the following characteristics describes (a) a step-up transformer, (b) a step-down transformer, (c) both a step-up and a step-down transformer.
   a. Voltage in the secondary coil is greater.
   b. Involves electromagnetic induction.
   c. Voltage in the primary coil is greater.
   d. Used in doorbells and model trains.
   e. Consists of two insulated coils wrapped around opposite sides of an iron core.
   f. More loops in the secondary coil.
5. **Making inferences** Explain why a transformer will not operate on direct current.

6. **Making comparisons** Thomas Edison originally designed a power plant that produced direct current. Alternating current, however, has become standard for common use. Compare and contrast the two types of currents in terms of production and use.
7. **Using the writing process** Several devices that work on the principle of electromagnetism and electromagnetic induction have been mentioned in this chapter. Choose three of these devices and imagine what your life would be like without them. Write a short story or a poem that describes your imaginings.

Dominio de conceptos

Comenta cada uno de los puntos siguientes en un párrafo breve.

1. ¿Un campo magnético ejerce fuerza sobre un cable con corriente eléctrica? Explica.
2. Describe cómo funciona un motor eléctrico. ¿Cómo cambia su funcionamiento según el tipo de corriente que usa el motor?
3. Explica cómo funciona un galvanómetro.
4. Describe cómo funciona un generador.
5. Describe los descubrimientos de Oersted y Faraday. ¿En qué se relacionan estos descubrimientos?
6. ¿Qué es un solenoide ¿Un electroimán?
7. ¿Qué es un transformador elevador? ¿Un transformador reductor? ¿Por qué son importantes los transformadores para la transmisión de electricidad?

Pensamiento crítico y solución de problemas

Usa las destrezas que has desarrollado en este capítulo para resolver lo siguiente.

1. **Hacer comparaciones** Explica la diferencia entre un motor eléctrico y un generador eléctrico en términos de la conversión de energía.
2. **Hacer diagramas** Haz un diagrama para mostrar cómo la rotación de un cable en un generador induce primero corriente en una dirección y después en la dirección opuesta.
3. **Aplicar conceptos** El proceso de inducción electromagnética parece contradecir la ley de la conservación de energía que afirma que la energía no puede ser creada. Explica por qué no es así.
4. **Aplicar definiciones** Indica si las siguientes características describen (a) un transformador elevador, (b) un transformador reductor, (c) uno elevador y uno reductor.
   a. El voltaje en la bobina secundaria es mayor.
   b. Comprende la inducción electromagnética.
   c. El voltaje en la bobina primaria es mayor.
   d. Se usa en timbres de puerta y modelos de trenes.
   e. Consiste de dos serpentines aislados enrollados en los lados opuestos de un núcleo de hierro.
   f. Más vueltas en la bobina secundaria.
5. **Hacer inferencias** Explica por qué un transformador no funciona con corriente directa.

6. **Hacer comparaciones** Thomas Edison originalmente diseñó una central eléctrica que producía corriente directa. Sin embargo, para el uso común se ha estandarizado la corriente alterna. Compara los dos tipos de corriente en cuanto a su producción y uso.
7. **Usar el proceso de la escritura** En este capítulo se mencionaron varios aparatos que funcionan gracias al electromagnetismo y a la inducción electromagnética. Escoge tres de ellos e imagina cómo sería tu vida sin ellos. Escribe un cuento corto o un poema que describa lo que imaginas.

Electronics and Computers

It was 1952—and not many people were familiar with computers. In fact, there were some who had never heard the word. But on Election Day of that year, millions of Americans came face to face with the computer age.

The presidential contest that year pitted Republican Dwight D. Eisenhower against Democrat Adlai E. Stevenson. Early in the evening, even before the voting polls had closed, newscaster Walter Cronkite announced to viewers than an "electronic brain" was going to predict the outcome of the election. The "electronic brain" was the huge UNIVAC I computer.

What UNIVAC predicted, based on just 3 million votes, was a landslide victory for Eisenhower. An amazed nation sat by their television sets into the early hours of the morning, convinced that the "electronic brain" could not have predicted as it did.

UNIVAC was not wrong, however. When all the votes were counted, the computer's prediction turned out to be remarkably close to the actual results. In this chapter you will learn about some of the devices that have brought the computer age and the electronic industry to where it is now.

Journal *Activity*

You and Your World Do you watch television often? If so, what kinds of shows do you watch? If not, why not? Television is an electronic device in widespread use in modern society. In your journal, compare the positive contributions television has made with its negative aspects. Explain how you would improve the use of television.

A photographer's view of some of the electronic components that make computer technology possible.

La electrónica y las computadoras

Guía para la lectura

Después de leer las secciones siguientes, vas a poder

Era 1952—y no mucha gente conocía las computadoras. De hecho, había quienes nunca habían escuchado la palabra. Pero ese año, para el día de las elecciones, millones de americanos se vieron enfrentados a la era de las computadoras.

En la campaña presidencial de ese año, el republicano Dwight D. Eisenhower se oponía al demócrata, Adlai E. Stevenson. Esa tarde, antes de que se cerraran las urnas, el periodista Walter Cronkite anunció a los espectadores que un "cerebro electrónico" iba a predecir el resultado de la elección. El "cerebro electrónico" era la enorme computadora UNIVAC I.

Lo que UNIVAC predijo, basado sólo en 3 millones de votos contados, fue la aplastante victoria de Eisenhower. Hasta las primeras horas de la mañana, una nación maravillada estuvo sentada frente a sus televisores convencida de que el "cerebro electrónico" no podría haber hecho esa predicción.

Sin embargo, UNIVAC no se equivocó. Al hacer el recuento total de votos, la predicción de la computadora resultó muy cercana a los verdaderos resultados. En este capítulo, vas a aprender sobre algunos de los instrumentos que permitieron a las computadoras y la industria electrónica alcanzar su nivel actual.

Diario *Actividad*

Tú y tu mundo ¿Miras televisión a menudo? Si es así, ¿qué clase de programas miras? Si no, ¿por qué no? La televisión es un instrumento electrónico de amplio uso en la sociedad moderna. En tu diario, compara sus contribuciones positivas con sus aspectos negativos. Explica cómo mejorarías el uso de la televisión.

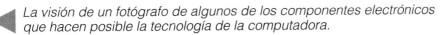

La visión de un fotógrafo de algunos de los componentes electrónicos que hacen posible la tecnología de la computadora.

4–1 Electronic Devices

Were you awakened this morning by the buzz of an alarm clock? Did you rely on a radio or a cassette player to get the day started with music? Did your breakfast include food that was warmed in a microwave oven? Can you get through the day without using the telephone or watching television?

You probably cannot answer these questions without realizing that electric devices have a profound effect on your life. The branch of technology that has developed electric devices is called **electronics.** Electronics is a branch of physics closely related to the science of electricity. **Electronics is the study of the release, behavior, and control of electrons as it relates to use in helpful devices.**

Although electronic technology is relatively new—it can be traced back only 100 years or so— electronics has rapidly changed people's lives. For example, telephones, radio, television, and compact disc players have revolutionized communication and

Figure 4–1 *Familiar electronic devices such as these have shaped the way people live and work. Have you used any of these devices?*

Guía para la lectura

*Piensa en estas preguntas
mientras lees.*

▶ *¿Qué es la electrónica?*

▶ *¿Cómo se relacionan los
electrones a los aparatos
electrónicos?*

4–1 Aparatos electrónicos

¿Te despertó esta mañana la alarma del despertador? ¿O dejaste que una radio o un tocacassette te ayudara a empezar el día? ¿Comiste al desayunar algo calentado en un horno microonda? ¿Puedes pasar este día sin usar el teléfono o mirar televisión?

Probablemente no puedas responder estas preguntas sin darte cuenta del profundo impacto que tienen los aparatos electrónicos en tu vida. La rama de la tecnología que los ha desarrollado se llama la **electrónica**. La electrónica es una rama de la física estrechamente vinculada a la electricidad. **La electrónica estudia la liberación, la conducta y el control de los electrones en cuanto a su uso en aparatos útiles.**

Aunque la electrónica es una tecnología joven (ha comenzado alrededor de hace 100 años), ha cambiado rápidamente la vida de la gente. Por ejemplo, el teléfono, el radio, la televisión y los tocadiscos compactos han revolucionado la comunicación y las

Figura 4–1 *Aparatos tan comunes como éstos han determinado cómo la gente vive y trabaja. ¿Has usado alguno de ellos?*

P ■ 88

entertainment. Computers and robots have increased speed in business and industry. Electronic devices help physicians diagnose diseases and save lives. All forms of travel depend on electronic devices.

Perhaps you wonder how electronics differs from the study of electricity. After all, both deal with electrons and electric currents. The study of electricity concentrates on the use of electric currents to power a wide range of devices, such as lamps, heaters, welding arcs, and other electrical appliances. In such devices, the kinetic energy of moving electrons is converted into heat and light energy. Electronics treats electric currents as a means of carrying information. Currents that carry information are called electric signals. Carefully controlled, electrons can be made to carry messages, magnify weak signals, draw pictures, and even do arithmetic.

Vacuum Tubes

The ability to carefully control electrons began with the invention of the **vacuum tube.** The American inventor Thomas Edison (also known as the inventor of the phonograph) invented the first vacuum tube but unfortunately did not realize its importance. A simple vacuum tube consists of a filament, or wire, and at least two metal parts called electrodes. When a current flows through the filament, much as it does through a light bulb, the filament gives off heat. This heat warms the electrodes. One of the electrodes gives off electrons when heated. For this reason, it is called an emitter. This electrode is negatively charged. The other electrode, which does not give off electrons, is positively charged. This electrode is called the collector because electrons flow to it from the negatively charged emitter. As a result, a current of electrons flows through the vacuum tube. Thus a vacuum tube is a one-way valve, or gate, for a flow of electrons. Electrons are permitted to move in only one direction through the vacuum tube.

Both the electrodes and the filament are contained in a sealed glass tube from which almost all the air has been removed. How does this fact explain the name given to this tube? A vacuum tube may have several other parts between the electrodes. It

formas de entretenimiento. Las computadoras y los robots han aumentado la productividad del comercio y la industria. Instrumentos electrónicos ayudan a diagnosticar enfermedades y salvar vidas. Todos los medios de transporte dependen de la electrónica.

Quizás te preguntes en qué se diferencia la electrónica de la electricidad. Después de todo, ambos dependen de electrones y corrientes eléctricas. La electricidad se concentra en el uso de corrientes eléctricas para hacer funcionar objetos como lámparas, calentadores, arcos voltaicos y otros aparatos eléctricos. En ellos, la energía cinética de los electrones en movimiento se convierten en calor y luz. La electrónica usa las corrientes eléctricas como medios para transmitir información. Las corrientes que llevan información se llaman señales eléctricas. Si se controlan, los electrones pueden llevar mensajes, aumentar señales muy débiles, hacer dibujos y hasta hacer ejercicios de aritmética.

Tubos de vacío

La habilidad de controlar los electrones empezó con la invención del **tubo de vacío**. Thomas Edison, inventor norteamericano del fonógrafo, inventó el primer tubo de vacío, pero no se percató de su importancia. Un tubo de vacío simple consta de un filamento, o alambre, y por lo menos dos partes de metal llamadas electrodos. Cuando una corriente fluye por el filamento, tal como lo hace por una bombilla, el filamento despide calor que calienta los electrodos. Al calentarse, uno de ellos libera electrones. Por esto, se llama emisor. Este electrodo tiene carga negativa. El otro, que no libera electrones, tiene carga positiva. Éste se llama colector, porque recibe los electrones del emisor con carga negativa. Como resultado, una corriente de electrones fluye por el tubo de vacío. Por lo tanto, éste es una válvula, o entrada, para un flujo de electrones, en la que los electrones pueden moverse en una sola dirección.

Los electrodos y el filamento se encuentran dentro de un tubo de vidrio sellado, del que se ha extraído casi todo el aire. ¿Cómo explica esto el nombre de este tubo? Un tubo de vacío puede tener

ACTIVIDAD

PARA AVERIGUAR

La electrónica en tu hogar

Durante el curso de un día observa y haz una lista de todos los aparatos electrónicos que usas en casa.

■ ¿Cuál de ellos contienen transistores? ¿Tubos de rayos catódicos? ¿Tubos de vacío? ¿Circuitos integrados?

■ ¿Algunos aparatos tienen tipos múltiples de instrumentos? Si es así, ¿cuáles?

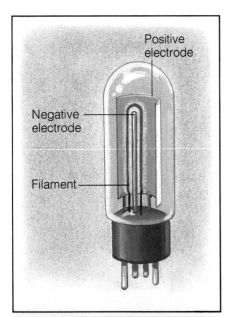

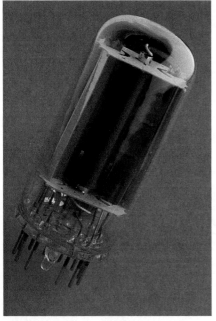

Figure 4-2 *A diode is the simplest type of vacuum tube. In a diode, electrons flow in one direction, from the negative electrode to the positive electrode. Diodes are used as rectifiers in many electronic devices. Why?*

may also have charged plates or magnets that can bend the stream of electrons.

Because vacuum tubes produce a one-way current, they have many applications in electronics. Two important applications of vacuum tubes are as rectifiers and as amplifiers. Vacuum tubes also acted as switches in early electronic computers.

Rectifiers

A **rectifier** is a vacuum tube that converts alternating current to direct current. The current supplied to your home is alternating current. Certain household appliances, however, cannot operate on alternating current. They need direct current. So these appliances have rectifiers built into their circuits. As the alternating current passes through the rectifier, it is changed into direct current.

The type of vacuum tube used most often as a rectifier is called a **diode.** A diode contains two electrodes. When alternating current is sent to a diode, the emitter will be charged by the current. However, it will emit a current only when it has a negative charge. And this happens only when the current is flowing in one direction. Thus the current leaving the diode is direct current.

Rectifiers are used in devices such as televisions, stereos, and computers. Converters that allow you to plug battery-operated devices into household electric outlets also contain rectifiers.

Amplifiers

An **amplifier** is an electronic device that increases the strength of an electric signal. (Remember, an electric signal is a current that carries information.) In an amplifier, a small input current is converted to a large output current. The large output current produces a stronger signal. The strengthening of a weak signal is called amplification. Amplification is perhaps the most important function of an electric device.

Another type of vacuum tube, a **triode,** is often used for amplification. A triode consists of a filament, a plate, and a wire screen, or grid. The

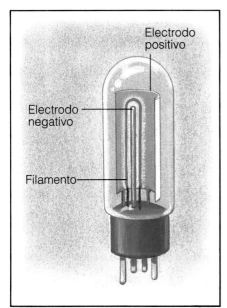

Figura 4–2 *Un diodo es el tipo más simple de tubo de vacío. En él los electrones fluyen en una dirección, del electrodo negativo al positivo. Los diodos se usan como rectificadores en muchos aparatos electrónicos. ¿Por qué?*

varias otras partes entre los electrodos. También puede tener placas cargadas o imanes que curvan el flujo de electrones.

Debido a que producen corriente en una sola dirección, los tubos de vacío tienen muchas aplicaciones en la electrónica. Dos de ellas son los rectificadores y los amplificadores. En las primeras computadoras los tubos de vacío se usaron como interruptores.

Rectificadores

Un **rectificador** es un tubo de vacío que convierte corriente alterna en corriente continua. En tu hogar hay corriente alterna. Ciertos electrodomésticos no funcionan con corriente alterna; necesitan corriente continua. Por esto, tienen rectificadores en sus circuitos. Cuando la corriente alterna pasa por el rectificador, éste la cambia a corriente continua.

El tipo de tubo de vacío más usado es el **diodo**. Un diodo contiene dos electrodos. Cuando se envía corriente alterna al diodo, la corriente carga el emisor. Pero emite una corriente sólo cuando tiene una carga negativa. Y esto sucede sólo cuando la corriente fluye en un solo sentido. Por lo tanto, la corriente que genera el diodo es corriente continua.

Los rectificadores se usan en televisores, aparatos estereofónicos y computadoras. Convertidores que permiten conectar aparatos que funcionan con baterías en los enchufes domésticos también tienen rectificadores.

Amplificadores

Un **amplificador** es un aparato electrónico que aumenta la fuerza de una señal eléctrica. (Recuerda, una señal eléctrica es una corriente que lleva información.) En un amplificador, una corriente de entrada pequeña se convierte en una de salida más grande. Esta corriente grande de salida produce una señal más fuerte. El aumento de una señal débil se llama amplificación. La amplificación es quizás la función más importante de un aparato electrónico.

Otro tipo de tubo de vacío, el **triodo**, se usa a menudo para la amplificación. Un triodo consta de un filamento, una placa y una rejilla. La rejilla

addition of the grid allows the flow of electrons between the negatively charged emitter and the positively charged collector to be better controlled. The invention of the triode was responsible for the rapid growth of the radio and television industry.

Amplifiers strengthen both sound and picture signals. The signals that carry sound and picture information are often very weak as a result of traveling long distances through the air. By the time an antenna picks up the signals, they are too weak to produce an accurate copy of the original sound. Radio and television amplifiers strengthen the incoming signals. Fully amplified signals can be millions or billions of times stronger than the signal picked up by the antenna.

Without amplifiers, devices such as hearing aids, public-address systems, tape recorders, and radar would not operate. Amplifiers are also essential to the operation of medical instruments used to diagnose certain injuries and diseases. Human heart waves and brain waves can be studied by doctors because the weak electric signals given off by these organs are amplified.

Solid-State Devices

Electron devices can be divided into two main groups according to their physical structure. The vacuum tubes you have just read about make up one group. The other group consists of **solid-state devices.** Solid-state physics involves the study of the structure of solid materials.

From the 1920s until the 1950s, vacuum tubes dominated the world of electronics. In the 1950s, however, solid-state devices took over. The reason for this is obvious: Solid-state devices have several advantages over vacuum tubes. They are much smaller and lighter than vacuum tubes and give off much less heat. They also use far less electric power, are more dependable, and last longer. And in most cases, they are less expensive.

In solid-state devices, an electric signal flows through certain solid materials instead of through a vacuum. The use of solid-state devices was made possible by the discovery of **semiconductors.** Semiconductors are solid materials that are able

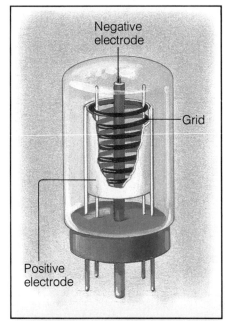

Figure 4–3 A triode vacuum tube consists of a filament, a plate, and a grid. The addition of a grid allows the electron flow to be amplified, or strengthened. Triodes are used in microphones to amplify sound.

permite controlar mejor el flujo de electrones entre el emisor negativo y el colector positivo. La invención del triodo hizo posible el rápido crecimiento de la industria de radio y televisión.

Los amplificadores fortalecen tanto señales de sonido como de imagen. A menudo las señales que llevan esta información son muy débiles porque deben viajar grandes distancias por el aire. Cuando finalmente las recoge una antena, son demasiado débiles para producir una copia exacta del sonido original. Los amplificadores de radio y televisión amplifican las señales de ingreso. Las señales totalmente amplificadas son millones de veces más fuertes que las recogidas por la antena.

Sin los amplificadores no podrían funcionar aparatos como los audífonos, grabadoras y el radar. Los amplificadores son esenciales en instrumentos médicos que se usan para diagnosticar ciertas enfermedades. Las ondas del corazón y el cerebro humano pueden ser estudiadas por los médicos gracias a que las débiles señales emitidas por estos órganos se pueden amplificar.

Los aparatos de estado-sólido

Según su estructura, los aparatos electrónicos se dividen en dos grupos principales. Un grupo lo constituyen los tubos de vacío y el otro, los **aparatos de estado-sólido.** La física de estos últimos comprende el estudio de la estructura de los materiales sólidos.

Desde 1920 a 1950 los tubos de vacío dominaron la electrónica. Pero en los años 50, los **aparatos de estado-sólido** pasaron a primer plano. La razón es obvia: los aparatos de estado-sólido tienen varias ventajas sobre los tubos de vacío. Son mucho más pequeños y livianos que los tubos de vacío y dan menos calor. Usan mucho menos energía eléctrica, son más seguros y duran más tiempo. Y en su mayor parte, son más baratos.

En aparatos de estado-sólido, una señal eléctrica fluye por ciertos materiales sólidos, y no por un vacío. Su uso fue posible gracias al descubrimiento de los **semiconductores**. Éstos son materiales sólidos que pueden conducir

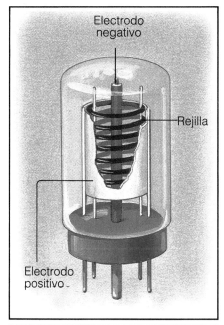

Figura 4–3 *Un tubo de vacío triodo consta de un filamento, una placa y una rejilla. Al agregar una rejilla, se amplifica o fortalece el flujo de electrones. Los triodos se usan en micrófonos para amplificar el sonido.*

Figure 4–4 *Devices that used vacuum tubes were large, heavy, and cumbersome. They also gave off a considerable amount of heat. Devices that use semiconductors can be made extremely small. In addition, they are more dependable, last longer, use less energy, and give off less heat.*

Figure 4–5 *Doping a semiconductor material increases its conductivity. In an n-type, the impurity adds extra electrons that can flow. In a p-type, doping creates holes that are missing electrons. What impurity is used to make an n-type semiconductor? A p-type?*

to conduct electric currents better than insulators do but not as well as true conductors do.

Silicon and germanium are the most commonly used semiconductors. These elements have structures that are determined by the fact that their atoms have four outermost electrons. Silicon and germanium acquire their usefulness in electronics when an impurity (atoms of another element) is added to their structure. Adding impurities to semiconductors increases their conductivity. The process of adding impurities is called **doping.**

There are two types of semiconductors. These types are based on the impurity used to dope the semiconductor. If the impurity is a material whose atoms have 5 outermost electrons (such as arsenic), the extra electrons will not fit into the structure of the semiconductor. Thus the doping contributes extra electrons that are somewhat free to move and that can form a current. This type of semiconductor is called an n-type, meaning negative-type. Silicon doped with arsenic is an n-type semiconductor.

If a semiconductor is doped with a material whose atoms have three outermost electrons (such as gallium), there will be empty holes in the semiconductor's crystal structure. These holes can also be used to form a current. Semiconductors doped with atoms that have fewer electrons, which is equivalent to saying extra protons, are called p-type semiconductors. Silicon doped with gallium is a p-type semiconductor. What do you think p-type means?

The arrangement of impurities on one type of semiconductor allows current to flow in only one

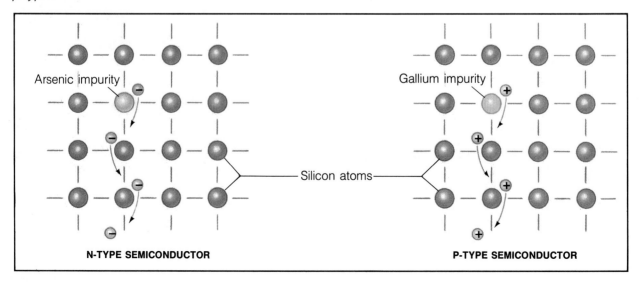

N-TYPE SEMICONDUCTOR

Arsenic impurity

Silicon atoms

Gallium impurity

P-TYPE SEMICONDUCTOR

Figura 4–4 *Los aparatos que usaban tubos de vacío eran grandes, pesados, difíciles de manejar y producían mucho calor. Los aparatos que usan semiconductores pueden ser muy pequeños. Además, son más seguros, duran más, usan menos energía y dan menos calor.*

Figura 4–5 *Al dopar un material semiconductor, se aumenta su conductividad. En un tipo N, la impureza añade electrones que fluyen. En un tipo P se crean huecos a los que le faltan electrones. ¿Qué impureza se usa para hacer un semiconductor de tipo N? ¿Uno de tipo P?*

corrientes eléctricas mejor que los materiales aislantes pero no tan bien como los conductores.

El silicio y el germanio son los semiconductores más usados. Estos elementos tienen estructuras determinadas por el hecho que sus átomos tienen cuatro electrones externos. El silicio y el germanio adquieren utilidad para la electrónica cuando una impureza (átomos de otro elemento) se agrega a su estructura. La adición de impurezas a los semiconductores aumenta su conductividad. Este proceso de agregar impurezas se llama **dopado.**

Hay dos tipos de semiconductores. Sus tipos se basan en las impurezas que se usan para dopar el semiconductor. Si la impureza es un material cuyos átomos tienen 5 electrones externos (como el arsénico), los electrones extras no caben en la estructura del semiconductor. Por lo tanto, el dopado aporta electrones extras que pueden moverse un poco y que pueden formar una corriente. Este tipo de semiconductor se llama tipo N, es decir, tipo negativo. Silicio, dopado con arsénico, es un semiconductor tipo N.

Si se dopa un semiconductor con un material cuyos átomos tienen tres electrones externos (como el galio), habrá agujeros vacíos en la estructura de cristal del semiconductor. Estos agujeros también se pueden usar para formar una corriente. Los semiconductores dopados con átomos que tienen menos electrones, o sea, que tienen protones extras, se llaman semiconductores de tipo P. Silicio dopado con galio es un semiconductor de tipo P. ¿Qué crees que significa tipo P?

El orden de las impurezas en un tipo de semiconductor permite que la corriente fluya en sólo una dirección. Por lo

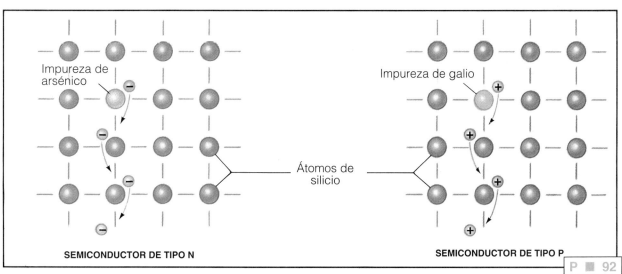

Impureza de arsénico

Átomos de silicio

Impureza de galio

SEMICONDUCTOR DE TIPO N

SEMICONDUCTOR DE TIPO P

direction. Thus this type of semiconductor acts as a diode. A different arrangement of impurities produces another solid-state device, which you are now going to read about.

Transistors

A **transistor** is a sandwich of three layers of semiconductors. A transistor is often used to amplify an electric current or signal. It is the arrangement of the impurities in the semiconductor that enables it to act as an amplifier. A weak signal, corresponding to a weak current, enters the transistor and is amplified so that a strong signal is produced.

Transistors come in a variety of shapes and sizes. Perhaps you are familiar with some of them. Transistors are commonly used in radios, televisions, stereos, computers, and calculators. The small size, light weight, and durability of transistors have helped in the development of communication satellites.

Figure 4–6 *Transistors come in a variety of shapes and sizes. What does a transistor do?*

Integrated Circuits

When you studied electric circuits in Chapter 1, you learned that a circuit can consist of many parts connected by wires. Complicated circuits organized in this fashion, however, become very large. In the 1960s, scientists found a way to place an entire circuit on a tiny board, thereby eliminating the need for separate components. This new type of circuit is known as an **integrated circuit.** An integrated circuit combines many diodes and transistors on a thin slice of silicon crystal. This razor-thin piece of silicon is often called a **chip.** A single integrated circuit, or chip, may often contain thousands of diodes and transistors in a variety of complex combinations.

To turn a silicon chip into an integrated circuit, it must be doped in some places with arsenic and in other places with gallium. Certain areas of the chip become diodes, while other areas become transistors. Connections between these diodes and transistors are then made by painting thin "wires" on the chip. Wires are attached to the integrated circuit so it can be connected to other devices.

tanto, este semiconductor actúa como un diodo. Un orden diferente de las impurezas produce otro aparato de estado-sólido sobre el cual vas a leer ahora.

Los transistores

Un **transistor** es un sandwich formado por tres capas de semiconductores. Un transistor se usa a menudo para amplificar una corriente eléctrica o señal. Es el orden de las impurezas lo que le permite al semiconductor actuar como un amplificador. Una señal débil, o sea, una corriente débil, entra al transistor y es amplificada para producir una señal fuerte.

Los transistores vienen en una variedad de formas y tamaños. Quizás algunas te son familiares. Comúnmente se usan transistores en radios, televisores, aparatos estereofónicos, computadoras y calculadoras. Su tamaño, peso y durabilidad han ayudado en el desarrollo de los satélites de comunicación.

Figura 4–6 *Los transistores vienen en una variedad de formas y tamaños. ¿Qué hace un transistor?*

Los circuitos integrados

En el capítulo 1 aprendiste que un circuito consiste de muchas partes conectadas por un cable. Circuitos complicados organizados de esta manera llegan a ser muy grandes. En los años 60, los científicos descubrieron cómo poner un circuito entero en un panel minúsculo, eliminando la necesidad de componentes separados. Este nuevo tipo de circuito se conoce como **circuito integrado**. Un circuito integrado combina muchos diodos y transistores sobre un cristal delgado de silicio. Este finísimo cristal de silicio se llama **chip**. Un solo circuito integrado, o chip, contiene a menudo miles de diodos y transistores en una variedad de complejas combinaciones.

Para convertir un chip de silicio en un circuito integrado hay que doparlo en algunos puntos con arsénico y en otros con galio. Ciertas áreas del chip se vuelven diodos y las otras transistores. Las conexiones entre estos diodos y los transistores se hacen pintando delgados "cables" en el chip. Los cables se conectan al circuito integrado de modo que pueda conectarse a otros aparatos.

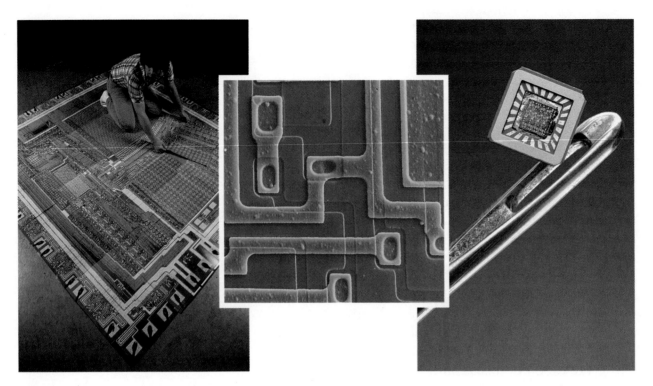

Figure 4-7 *An integrated circuit, or chip, contains thousands of diodes and transistors on a thin slice of silicon crystal (right). A computer scientist designs a new computer chip by first drawing a large version and then having the design miniaturized (left). Magnified 175 times by a scanning electron microscope, the integrated circuit paths can be seen (center). A human hair is wider than 150 of these paths!*

Integrated circuits are used as amplifiers and switches in a wide variety of devices. Computers and microcomputers, calculators, radios, watches, washing machines, refrigerators, and even robots use integrated circuits.

4-1 Section Review

1. What is electronics? How is it different from the study of electricity?
2. How are electrons used in a vacuum tube? How is a vacuum tube used as a rectifier? As an amplifier?
3. What is a semiconductor?
4. How are semiconductors used to make integrated circuits? What are some advantages of the use of integrated circuits?

Connection—*Language Arts*

5. The words rectify and amplify are not limited to scientific use. Explain what these words mean and give examples of their use in everyday language. Then explain why they are appropriate for the electronic devices they name.

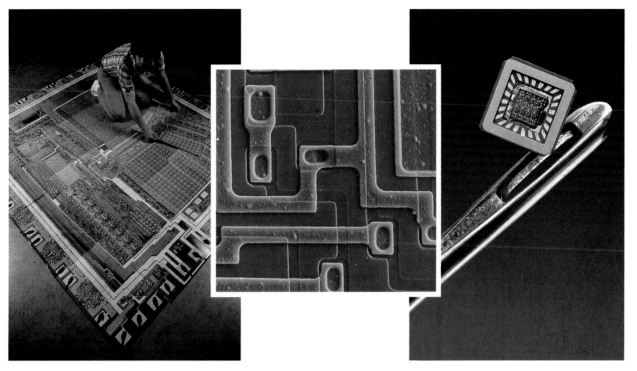

Figura 4–7 *Un circuito integrado, o chip, contiene miles de diodos y transistores sobre un fino cristal de silicio (derecha). Un científico diseña un nuevo chip dibujando primero una versión grande y miniaturizándola luego (izquierda). Al aumentarla 175 veces con un microscopio electrónico de barrido, se pueden ver las vías del circuito integrado (centro). ¡Un pelo humano es más ancho que 150 de estas vías!*

Los circuitos integrados se usan como amplificadores y como interruptores en una amplia gama de aparatos. Las computadoras, calculadoras, radios, relojes, máquinas de lavar, neveras y hasta los robots usan circuitos integrados.

4–1 Repaso de la sección

1. ¿Qué es la electrónica? ¿En qué se diferencia del estudio de la electricidad?
2. ¿Cómo se usan los electrones en un tubo de vacío? ¿Cómo se usa un tubo de vacío como rectificador? ¿Como amplificador?
3. ¿Qué es un semiconductor?
4. ¿Cómo se usan los semiconductores para hacer circuitos integrados? ¿Cuáles son las ventajas de usar circuitos integrados?

Conexión—*Artes del lenguaje*
5. Las palabras rectificar y amplificar no tienen sólo un uso científico. Explica lo que significan y da ejemplos de su uso en el lenguaje coloquial. Luego, explica por qué son apropiadas para los aparatos electrónicos que nombran.

4–2 Transmitting Sound

Since the first telegraph line was connected and the first telegraph message was sent in 1844, people have become accustomed to instant communication. Each improvement in the speed, clarity, and reliability of a communication device has been based on a discovery in the field of electronics.

One particular discovery that is the basis for many devices used to transmit information is an interesting relationship between electricity and magnetism. The discoveries made by Oersted, Faraday, and others that you have read about in Chapter 3 clearly illustrate that electricity and magnetism are related. Another scientist, James Clerk Maxwell, used the discoveries of his predecessors to open a new world of scientific technology.

Maxwell showed that all electric and magnetic phenomena could be described by using only four equations involving electric and magnetic fields. Thus he unified in one theory all phenomena of electricity and magnetism. These four equations are as important to electromagnetism as Newton's three laws are to motion.

Perhaps the most important outcome of Maxwell's work is the understanding that not only does a changing magnetic field give rise to an electric field, but a changing electric field produces a magnetic field. In other words, if a magnetic field in space is changing, like the up and down movements of a wave, a changing electric field will form. But a changing electric field will also produce a changing magnetic field. The two will keep producing each other over and over. The result will be a wave consisting of an electric field and a magnetic field. Such a wave is called an **electromagnetic wave.** Electromagnetic waves are like waves on a rope except that they do not consist of matter. They consist of fields.

You are already more familiar with electromagnetic waves than you may realize. The most familiar electromagnetic wave is light. All the light that you see is composed of electromagnetic waves. The microwaves that heat food in a microwave oven are also electromagnetic waves. The X-rays that a doctor takes are electromagnetic waves. And as you will

Guide for Reading

Focus on this question as you read.

▶ *How do sound-transmitting devices work?*

ACTIVITY

WRITING

Telephone and Radio History

The invention of the telephone and the invention of the radio were two important advances in electronic technology. Using books and other reference materials in the library, find out about the invention of each. Be sure to include answers to the following questions.

1. Who invented the device?

2. When was it invented?

3. Were there any interesting or unusual circumstances surrounding the invention?

4. How was the invention modified through the years?

Present the results of your research in a written or oral report. Accompany your report with illustrations.

4-2 Transmisión de sonido

Desde que se conectó la primera línea de telégrafo y se envió el primer mensaje telegráfico, en 1844, la gente se ha acostumbrado a la comunicación instantánea. Cada avance en la velocidad, claridad y seguridad de un aparato de comunicación está basada en un descubrimiento en el campo de la electrónica.

Un descubrimiento en particular, base de muchos aparatos usados para transmitir información, es una relación interesante entre la electricidad el y magnetismo. Los descubrimientos hechos por Oersted, Faraday y otros demuestran claramente que la electricidad y el magnetismo están relacionados. Otro científico, James Clerk Maxwell, usó el trabajo de sus predecesores para abrir un nuevo mundo a la tecnología científica.

Maxwell demostró que todo fenómeno eléctrico y magnético puede ser descrito usando sólo cuatro ecuaciones que abarcan campos eléctricos y magnéticos. Así fue como él unificó, en una teoría, todo el fenómeno de la electricidad y el magnetismo. Estas cuatro ecuaciones son tan importantes al electromagnetismo como las tres leyes de Newton lo son al movimiento.

Quizás el resultado más importante del trabajo de Maxwell fue la comprensión de que un campo magnético cambiante no sólo genera un campo eléctrico, sino que un campo eléctrico cambiante produce un campo magnético. En otras palabras, si un campo magnético en el espacio cambia, o sea, sube y baja como en los movimientos de una onda, va a formar un campo eléctrico cambiante. Pero éste a su vez va a producir un campo magnético cambiante. Los dos van a generarse una y otra vez, creando una onda que tiene un campo eléctrico y un **campo magnético**. Esta onda se llama onda electromagnética. Estas ondas son como las de una cuerda excepto que no son de materia. Están hechas de campos.

Las ondas electromagnéticas te son más familiares de lo que crees. La más conocida es la luz. Toda la luz que ves está compuesta de ondas electromagnéticas. Las ondas que calientan los alimentos en un horno microondas y los rayos X son ondas electromagnéticas. Tal como vas a aprender pronto, la predicción y verificación de las ondas

ACTIVIDAD
PARA ESCRIBIR

Historia del teléfono y el radio

La invención del teléfono y de la radio fueron dos avances importantes para la tecnología electrónica. En la biblioteca, usa libros y otros materiales de referencia para averiguar sobre la invención de cada uno. Asegúrate de responder las siguientes preguntas.

1. ¿Quién inventó el aparato?

2. ¿Cuándo fue inventado?

3. ¿Hubieron algunas circunstancias interesantes o insólitas acerca del invento?

4. ¿Cómo fue modificada la invención con el correr de los años?

Presenta los resultados de tu investigación en un reporte escrito u oral. También presenta ilustraciones.

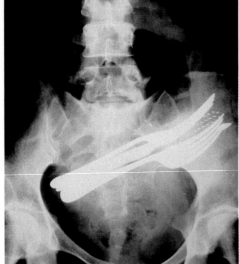

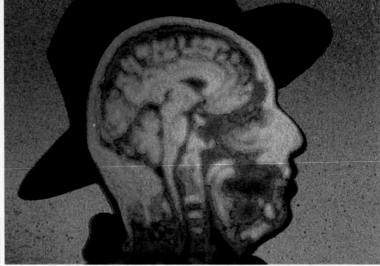

Figure 4–8 *Electromagnetic waves in the form of X-rays enable you to see the forks, pen, and toothbrush in this person's intestine! Another type of EM wave allows scientists to study the composition of the brain and other parts of the body. Believe it or not, this photograph of a river was taken in total darkness using infrared waves. What type of electromagnetic wave can be seen in the bottom photograph?*

soon learn, the prediction and verification of electromagnetic waves opened up a whole new world of communication—from the first wireless telegraph to radio and television to artificial space satellites.

Radio Communication

Would you be surprised to learn that radio broadcasting once played the same role that television plays today? People would gather around a radio to listen to a variety of programs: musical performances, comedy shows, mystery hours, and news broadcasts. Today, radio broadcasting is still a great source of entertainment and information. But its role has been greatly expanded.

Radios work by changing sound vibrations into electromagnetic waves called radio waves. The radio waves, which travel through the air at the speed of light, are converted back into sound vibrations when they reach a radio receiver.

A radio program usually begins at a radio station. Here, a microphone picks up the sounds that are being broadcast. An electric current running through the microphone is disturbed by the sound vibrations in such a way that it creates its own vibrations that match the sound.

The electric signals that represent the sounds of a broadcast are now sent to a transmitter. The transmitter amplifies the signals and combines them with a radio wave that will be used to carry the information. How the wave carries the information determines if the information will be broadcast as AM or FM radio. The final wave carrying the signal is then sent to a transmitting antenna. The antenna sends

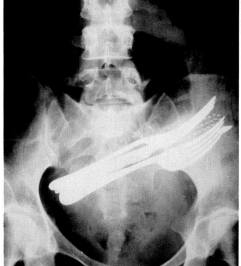

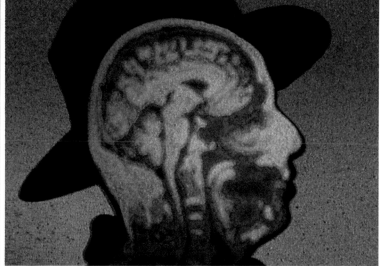

Figura 4–8 *Ondas electromagnéticas en forma de rayos X te permiten ver tenedores, lapiceros y un cepillo de dientes, ¡en el intestino de esta persona! Otro tipo de onda EM permite a los científicos estudiar el cerebro y otras partes del cuerpo. Aunque no lo creas, esta fotografía de un río fue tomada en la oscuridad usando ondas infrarrojas. ¿Qué tipo de onda EM puede verse en la fotografía de abajo?*

electromagnéticas abrieron un nuevo mundo a la comunicación—desde el primer telégrafo inalámbrico hasta la radio, la televisión y los satélites artificiales.

La radiocomunicación

¿Te sorprendería saber que la emisión de radio una vez desempeñó el mismo papel que desempeña la televisión hoy? La gente se reunía a escuchar una gran variedad de programas: musicales, comedias, de misterio y noticieros. Hoy, la transmisión de radio sigue siendo una gran fuente de información y entretenimiento. Pero su papel se ha expandido grandemente.

Las radios funcionan convirtiendo vibraciones de sonido en ondas electromagnéticas llamadas radioondas. Estas ondas viajan por el aire a la velocidad de la luz y vuelven a convertirse en vibraciones de sonido cuando llegan al receptor.

Un programa de radio empieza en la estación emisora. Ahí, un micrófono recoge los sonidos emitidos. Las vibraciones del sonido alteran la corriente eléctrica que pasa por el micrófono, creando otras vibraciones que duplican el sonido.

Las señales eléctricas que representan los sonidos de una emisión son enviadas a un transmisor. El transmisor amplifica las señales y las combina con una radioonda que llevará la información. Lo que determina cómo la onda lleva esta información es cómo se emite la información: por radio AM o FM. La onda final que lleva la señal es enviada a una antena transmisora. La antena envía las radioondas

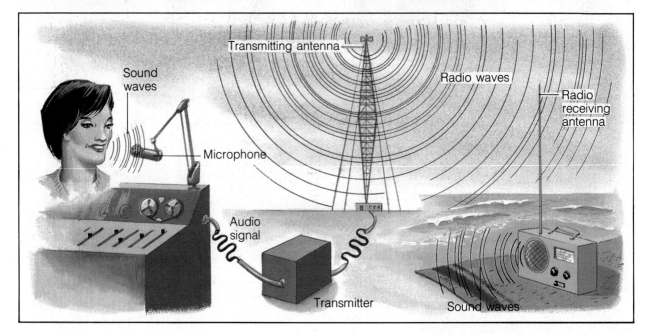

Sound waves

Microphone

Transmitting antenna

Radio waves

Radio receiving antenna

Audio signal

Transmitter

Sound waves

the radio waves out into the air. Why do you think many radio stations locate their antennas at high elevations, in open areas, or on top of towers?

Radio waves are converted back into sound waves by means of a radio receiver. A radio receiver picks up and amplifies the radio waves originally sent out from a radio station. When a radio receiver picks up sounds corresponding to a specific frequency, it is described as being tuned in.

Have you ever wondered how a telephone call can be made from a moving vehicle such as a car or an airplane? Cellular telephones (movable telephones) use signals that are sent out by an antenna as radio waves. Other antennas pick up the radio waves and convert them back into sound. To understand more about cellular telephones, you must first learn how a telephone operates.

Figure 4–9 *Radios work by converting sound vibrations into electromagnetic waves. The waves are amplified and sent out into the air. Picked up by a receiving antenna, the radio waves are converted back into sound waves. What else does the receiver do with the radio waves?*

Telephone Communication

Have you ever stopped to think about the amazing technology that enables you to talk to someone else, almost anywhere in the world, in seconds? The device that makes this communication possible is the telephone. The first telephone was invented in 1876 by Alexander Graham Bell. Although modern telephones hardly resemble Bell's, the principle on which all telephones work is the same. A telephone sends and receives sound by means of electric signals. A telephone has two main parts.

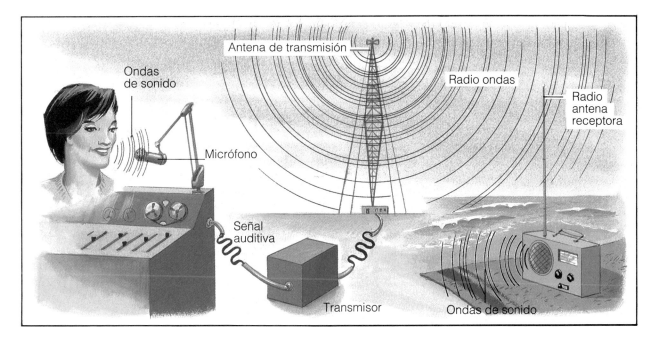

Ondas de sonido

Antena de transmisión

Radio ondas

Micrófono

Radio antena receptora

Señal auditiva

Transmisor

Ondas de sonido

Figura 4–9 *Las radios funcionan convirtiendo las vibraciones de sonido en ondas electromagnéticas. Las ondas se amplifican y se envían al aire. Una antena receptora las recibe convirtiéndolas de nuevo en ondas de sonido. ¿Qué más hace el receptor con estas radioondas?*

al aire. ¿Por qué muchas estaciones de radio colocan sus antenas en lugares elevados, abiertos o en la parte superior de una torre?

Las radioondas se vuelven a convertir en ondas de sonido mediante un radio receptor. El receptor de radio recoge y amplifica las radioondas originales enviadas desde una estación de radio. Cuando el receptor recoge sonidos que corresponden a una frecuencia específica, se dice que está en sintonía.

¿Te has preguntado alguna vez cómo se hace una llamada telefónica desde un vehículo en movimiento como un automóvil o un avión? Los teléfonos celulares (móviles) usan señales que envía una antena como radioondas. Otras antenas las recogen y las convierten de nuevo en sonido. Para entender mejor los teléfonos celulares, tienes que aprender primero cómo funciona un teléfono.

Comunicación telefónica

¿Has pensado alguna vez en la asombrosa tecnología que te permite en segundos hablar con alguien en casi cualquier parte del mundo? El aparato que lo hace posible es el teléfono. El primer teléfono lo inventó Alexander Graham Bell en 1876. Aunque los teléfonos modernos no se parecen al de Bell, el principio que los hace funcionar es el mismo. Un teléfono envía y recibe sonido mediante señales eléctricas. Un teléfono tiene dos partes principales.

Figure 4–10 *The first telephone was invented in 1876 by Alexander Graham Bell. Today, you push buttons or dial to make calls. But up until the early 1950s, telephone calls were placed by switchboard operators, whose familiar phrase was "Number, please."*

TRANSMITTER   The transmitter is located behind the mouthpiece of a telephone. Sound waves produced when a person speaks into a telephone cause a thin metal disk located in the transmitter to vibrate. These vibrations vary according to the particular sounds. The vibrations, in turn, are converted to an electric current. The pattern of vibrations regulates the amount of electric current produced and sent out over telephone wires. You can think of the electric current as "copying" the pattern of the sound waves. The electric current travels over wires to a receiver.

RECEIVER   The receiver, located in the earpiece, converts the changes in the amount of electric current sent out by a transmitter back into sound. The receiver uses an electromagnet to produce this conversion.

When the electric current transmitted by another telephone goes through the coil of the electromagnet, the electromagnet becomes magnetized. It pulls on another thin metal disk, causing it to vibrate. The vibrations produce sound waves that the listener hears.

Alexander Graham Bell used carbon grains in the transmitter to convert sound to electricity. Today's telephones use a small semiconductor crystal. Transistors then amplify the electric signal. In modern telephone earpieces, semiconductor devices have replaced electromagnets. And fiber-optic systems, in which the vibrations travel as a pattern of changes in a beam of laser light, are replacing copper cables used for ordinary transmission.

Figure 4–11 *A telephone, consisting of a transmitter and a receiver, sends and receives sounds by means of electric signals. Where are transistors used? For what purpose?*

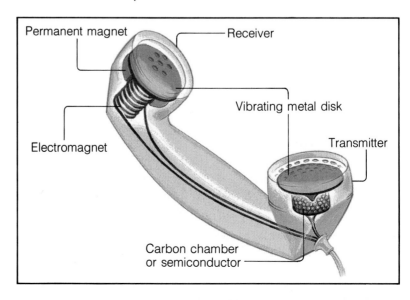

Permanent magnet
Receiver
Electromagnet
Vibrating metal disk
Transmitter
Carbon chamber or semiconductor

Figura 4–10 *El primer teléfono lo inventó Alexander Graham Bell en 1876. Hoy, se presionan botones para hacer una llamada. Pero a comienzos de los 50, las llamadas telefónicas eran hechas por operadoras cuya frase característica era "Número, por favor."*

TRANSMISOR El transmisor se ubica detrás de la bocina del teléfono. Las ondas de sonido que produce una persona al hablar en el teléfono causan que vibre un fino disco de metal en el transmisor. Las vibraciones varían según los sonidos y son convertidas en una corriente eléctrica. El patrón de las vibraciones regula la cantidad de corriente eléctrica producida y enviada por los cables del teléfono. Puedes pensar que la corriente eléctrica "copia" el patrón de las ondas de sonido. La corriente viaja por los cables hasta un receptor.

RECEPTOR El receptor, ubicado en el auricular, vuelve a convertir los cambios en la cantidad de corriente enviados por un transmisor en sonido. Para hacerlo el receptor usa un electroimán.

Cuando la corriente eléctrica transmitida por otro teléfono pasa por la bobina del electroimán, el electroimán se magnetiza; tira de otro disco fino de metal haciéndolo vibrar. Las vibraciones producen las ondas de sonido que escucha el oyente.

Alexander Graham Bell usó granos de carbono en el transmisor para convertir el sonido en electricidad. Hoy, los teléfonos usan un pequeño cristal semiconductor. Los transistores amplifican luego la señal eléctrica. En los auriculares de los teléfonos modernos, los semiconductores han reemplazado a los electroimanes. Y los sistemas de fibra óptica, donde las vibraciones viajan como un patrón de cambios en un rayo laser, están reemplazando a los cables de cobre usados para la transmisión ordinaria.

Figura 4–11 *Un teléfono, que consiste de un transmisor y un receptor, envía y recibe sonidos mediante señales eléctricas. ¿Dónde se usan los transistores? ¿Para qué?*

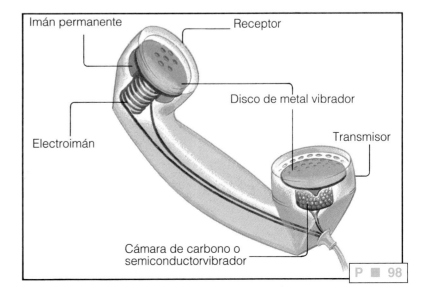

Imán permanente
Receptor
Disco de metal vibrador
Transmisor
Electroimán
Cámara de carbono o semiconductorvibrador

4–2 Section Review

1. Describe the relationship between sound and electric current in devices that transmit sound.
2. Describe the two main parts of a telephone.
3. Describe the broadcast of a radio program.
4. How do you think solid-state devices have affected telephones and radios?

Connection—*You and Your World*
5. How do you think radio communication has affected the development of business and industry?

4–3 Transmitting Pictures

You would probably agree that a video game would be far less exciting if the images were unclear and did not move very quickly. The same is true of your favorite television show. The images on a video screen and a television screen are produced by a special type of vacuum tube.

Cathode-ray Tubes

Television images are produced on the surface of a type of vacuum tube called a **cathode-ray tube,** or CRT. Cathode-ray tubes are also responsible for images produced by video games, computer displays, and radar devices.

A cathode-ray tube is an electronic device that uses electrons to produce images on a screen. This special type of vacuum tube gets its name from the fact that inside the glass tube, a beam of electrons (cathode rays) is directed to a screen to produce a picture. The electrons, moving as a beam, sweep across the screen and cause it to glow. The screen glows because it is coated with fluorescent material. Fluorescent material glows briefly when struck by electrons.

The electrons in a CRT come from the negatively charged filament within the sealed glass vacuum tube. An electric current heats the metal filament

Guide for Reading

Focus on this question as you read.

▶ *How does a cathode-ray tube operate?*

Figure 4–12 *When you play a video game, you are taking advantage of a cathode-ray tube.*

1. Describe la relación entre sonido y corriente eléctrica en aparatos que transmiten sonidos.
2. Describe las dos partes principales del teléfono.
3. Describe la transmisión de un programa de radio.
4. ¿Cómo han afectado los aparatos de estado-sólido a los teléfonos y a las radios?

Conexión—*Tú y tu mundo*
5. ¿Cómo ha afectado la radiocomunicación el desarrollo del comercio y de la industria?

4–3 Transmisión de imágenes

Probablemente estás de acuerdo con que un juego de video sería menos excitante si las imágenes no fueran claras ni se movieran rápido. Puedes decir lo mismo de tu programa favorito de televisión. Las imágenes de las pantallas de video y televisión las produce un tipo especial de tubo de vacío.

Tubos de rayos catódicos

Las imágenes de televisión se producen en la superficie de un tubo de vacío llamado **tubo de rayos catódicos** o CRT. Estos tubos también producen las imágenes de los juegos de video, los monitores de las computadoras y los aparatos de radar.

Un tubo de rayos catódicos es un aparato electrónico que usa electrones para producir imágenes en una pantalla. Este tubo de vacío se llama así porque dentro de él un rayo de electrones (rayos catódicos) es dirigido hacia una pantalla para producir una imagen. Los electrones barren la pantalla y la hacen brillar. La pantalla está revestida de un material fluorescente que brilla brevemente cuando los electrones la tocan.

Los electrones en un CRT vienen del filamento con carga negativa dentro del tubo de vacío. Una corriente eléctrica calienta el filamento de metal y hace que los

Guía para la lectura
Piensa en esta pregunta mientras lees.

▶ *¿Cómo funciona un tubo de rayos catódicos?*

Figura 4–12 *Cuando juegas con un juego de video usas un tubo de rayos catódicos.*

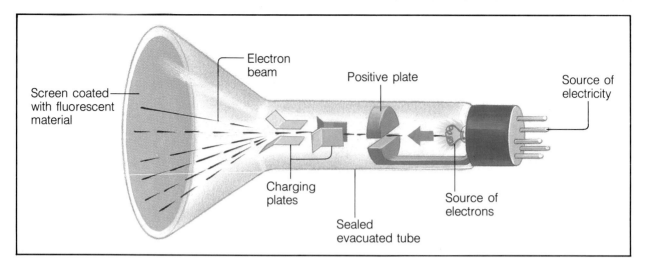

Electron beam

Positive plate

Source of electricity

Screen coated with fluorescent material

Charging plates

Sealed evacuated tube

Source of electrons

Figure 4–13 *A cathode-ray tube is a sealed evacuated tube in which a beam of electrons is focused on a screen coated with fluorescent material. As electrons strike the fluorescent material, visible light is given off and an image is formed.*

and causes electrons to "boil" off it. The electrons are accelerated toward the screen and focused into a narrow beam. Because the electrons move so quickly in a concentrated beam, the source is sometimes referred to as an electron gun. The moving electrons produce a magnetic field that can be used to control the direction of the beam. Electromagnets placed outside the CRT cause the beam to change its direction, making it move rapidly up and down and back and forth across the screen.

At each point where the beam of electrons strikes the fluorescent material of the CRT screen, visible light is given off. The brightness of the light is determined by the number of electrons that strike the screen. The more electrons, the brighter the light. The continuous, rapid movement of the beam horizontally and vertically across the screen many times per second produces a pattern of light, or a picture on the screen. In the United States, the electron beam in a CRT traces 525 lines as it zigzags up and down, creating a whole picture 30 times each second. In some other countries the beam moves twice as fast, creating an even clearer image.

Television Transmission

A cathode-ray tube in a color television set differs from a simple cathode-ray tube in two important ways. First, the screen of a color television set is coated with three different materials placed close together in clusters of dots or in thin stripes at each point on the screen. Each material glows with a different color of light—red, blue, or green—when struck by a beam of electrons. Various colors are

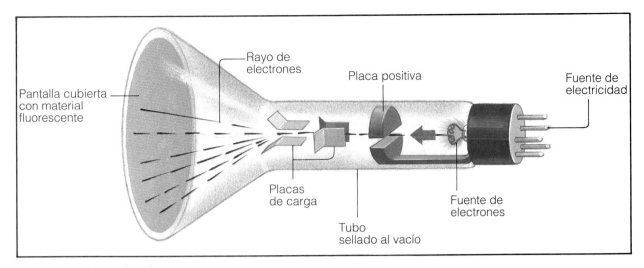

Rayo de electrones

Placa positiva

Fuente de electricidad

Pantalla cubierta con material fluorescente

Placas de carga

Tubo sellado al vacío

Fuente de electrones

Figura 4–13 *Un tubo de rayos catódicos es un tubo sellado al vacío en el que un rayo de electrones se enfoca sobre una pantalla revestida de material fluorescente. Al tocar este material fluorescente, se emite una luz visible y se forma una imagen.*

electrones "hiervan." Los electrones se aceleran hacia la pantalla y son enfocados en un rayo estrecho. Debido a que los electrones se mueven tan rápidamente en un rayo concentrado, la fuente se llama pistola electrónica. Los electrones en movimiento producen un campo magnético, que se usa para controlar la dirección del rayo. Electroimanes puestos fuera del CRT hacen que el rayo cambie su dirección, haciendo que se mueva rápidamente por toda la pantalla.

Se emite luz visible en cada punto donde el rayo de electrones toca el material fluorescente de la pantalla del CRT. El brillo de la luz es determinado por el número de electrones que tocan la pantalla. Cuantos más electrones, más brillante la luz. El rápido y continuo movimiento horizontal y vertical del rayo por la pantalla produce un patrón de luz o imagen sobre la pantalla. En los Estados Unidos, el rayo de electrones en un CRT deja 525 líneas al zigzaguear y crea una imagen completa 30 veces por segundo. En otros países, el rayo se mueve dos veces más rápido creando una imagen incluso más clara.

Transmisión de televisión

Existen dos diferencias importantes entre un tubo de rayos catódicos en un televisor de color y un tubo de rayos catódicos simple. Primero, la pantalla de un televisor de color está cubierta con tres materiales diferentes, agrupados en manchas o en finas rayas sobre cada punto de la pantalla. Cada material brilla con un color de luz diferente—rojo, azul o verde—cuando lo toca un rayo de electrones. Se producen varios colores al ajustar las fuerzas de los rayos de electrones. Por ejemplo, el rojo se

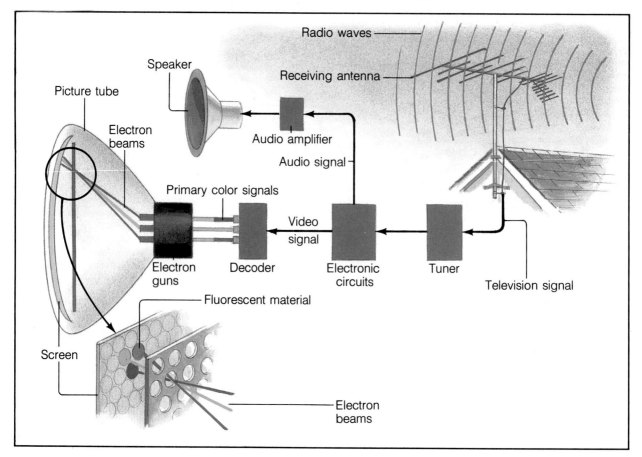

Figure 4-14 *The CRT in a color television contains three electron guns—one each for red, blue, and green signals. The screen of the CRT is coated with three different fluorescent materials, each of which glows with a different primary color of light when struck by a beam of electrons.*

produced by adjusting the strengths of the electron beams. For example, red is produced when electrons strike only the red material. Purple is produced when electrons strike both red and blue material. When do you think white is produced?

Second, a color television CRT contains three electron guns—one for each color (red, green, and blue). The information for controlling and directing the beams from the three electron guns is coded within the color picture signal that is transmitted from a TV station.

4-3 Section Review

1. What is a cathode-ray tube? Describe how it works.
2. How does a color television CRT differ from a simple CRT?

Critical Thinking—*Making Inferences*
3. Photographs of a TV picture taken with an ordinary camera often show only part of the screen filled. Explain why.

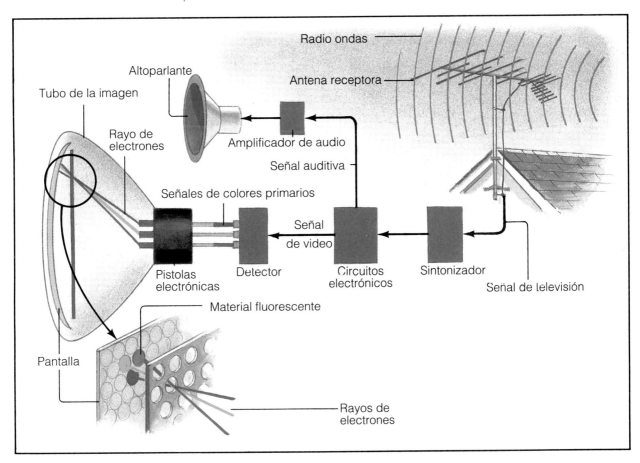

Figura 4–14 *El CRT en un televisor de color contiene tres pistolas electrónicas—para las señales rojas, azules y verdes. La pantalla del CRT está revestida con tres materiales fluorescentes diferentes, cada uno brilla con un color primario diferente cuando lo toca un rayo de electrones.*

produce cuando los electrones tocan sólo el material rojo. El morado, cuando los electrones tocan el material rojo y el azul. ¿Cuándo se produce el blanco?

Segundo, el CRT de un televisor de color contiene tres pistolas electrónicas—una para cada color (rojo, verde y azul). La información para controlar y dirigir los rayos de las tres pistolas está codificada dentro de la señal de la imagen de color transmitida desde una estación de televisión.

4–3 Repaso de la sección

1. ¿Qué es un tubo de rayos catódicos? Describe cómo funciona.
2. ¿En qué se diferencia el CRT de un televisor de color de un CRT simple?

Pensamiento crítico—*Hacer inferencias*
3. Fotografías de la imagen de una televisión tomadas con una cámara ordinaria a menudo sólo muestran parte de la pantalla. Explica por qué.

4-4 Computers

Computers have quickly become a common sight over the past few decades. You see computers in stores, doctors' and dentists' offices, schools, and businesses. Perhaps you even have one in your home. **A computer is an electronic device that performs calculations and processes and stores information.** A modern electronic computer can do thousands of calculations per second. At equally incredible speed, it can file away billions of bits of information in its memory. Then it can rapidly search through all that information to pick out particular items. It can change numbers to letters to pictures to sounds—and back to numbers again.

Using these abilities, modern computers are guiding spaceships, navigating boats, diagnosing diseases and prescribing treatment, forecasting weather, and searching for ore. Computers make robots move, talk, and obey commands. Computers can play games and make music. They can even design new computers. The pages of this textbook were composed and printed with the help of a computer (although people still do the writing)!

Computer Development

The starting point of modern computer development is thought to be 1890. In preparation for the United States census that year, Herman Hollerith

Figure 4-15 *Early computers, which used large vacuum tubes were neither fast nor reliable. And like the ENIAC, they certainly were enormous in size! A modern computer that fits on a desk top once required an entire room.*

4–4 Las computadoras

En las últimas décadas se ven computadoras en todas partes. Se ven en tiendas, en oficinas de médicos y dentistas, en escuelas y centros comerciales. Quizás tengas una en tu casa. **Una computadora es un aparato electrónico que hace cálculos, procesa y archiva información.** Una computadora moderna hace miles de cálculos por segundo. Con igualmente increíble velocidad, puede archivar millones de pedacitos de información en su memoria. Entonces puede buscar rápidamente a través de toda esa información y elegir un tema particular. Puede cambiar números a letras, a imágenes, a sonido, para volverlos a números nuevamente.

Gracias a estas habilidades, las computadoras modernas guían naves espaciales y barcos, diagnostican enfermedades y recetan tratamientos, pronostican el tiempo y buscan minerales. Las computadoras hacen que robots se muevan, hablen y obedezcan instrucciones. Las computadoras juegan juegos y componen música. Pueden incluso diseñar nuevas computadoras. Las páginas de este libro fueron compuestas e impresas con la ayuda de una computadora (aunque fueron escritas por personas).

Desarrollo de las computadoras

Se cree que en 1890 comenzó el desarrollo de la computadora moderna. Ese año, mientras se preparaba para el censo de Estados Unidos, Herman Hollerith diseñó

Figura 4–15 *Las primeras computadoras usaban tubos de vacío grandes y no eran ni rápidas ni seguras. Como la ENIAC, ¡eran enormes! Una computadora moderna que cabe sobre un pupitre antes requería un cuarto entero.*

devised an electromagnetic machine that could handle information punched into cards. The holes allowed small electric currents to pass through and activate counters. Using this system, Hollerith completed the 1890 census in one fourth the time it had taken to do the 1880 census! Hollerith's punch card became the symbol of the computer age.

The first American-built computer was developed in 1946 by the United States Army. The Electronic Numerical Integrator and Calculator, or ENIAC, consisted of thousands of vacuum tubes and occupied a warehouse. It cost millions of dollars to build and maintain. It was constantly breaking down and had to be rebuilt each time a new type of calculation was done. ENIAC required great amounts of energy, generated huge amounts of heat, and was very expensive. By today's standards, ENIAC was slow. It could do only 100,000 calculations per second.

The first general-purpose computer was introduced in 1951. It was called the Universal Automatic Computer, or UNIVAC. UNIVAC was certainly an improvement over ENIAC, but it was still large, expensive, and slow.

Increased demand for computers encouraged more advanced computer technology. Technical breakthroughs such as transistors and integrated

ACTIVITY
CALCULATING

Computing Speed

Shuffle a deck of playing cards. Have a friend time you as you sort the cards, first into the four suits, and then from the 2 through the ace in each suit. Determine how many sorts you made.

Calculate how many sorts you made per second.

A bank check-sorting machine can make 1800 sorts per minute.

How much faster than you is this machine?

Figure 4–16 *The uses of computers are wide and varied. Computer applications include the identification of worldwide ozone concentrations (bottom left), the analysis of the body mechanics of a runner (top), and the study of fractal geometry in mathematics (bottom right).*

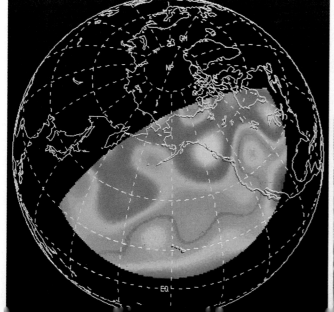

una máquina electromagnética que podía manipular información sobre tarjetas perforadas. Los agujeros permitían el paso de pequeñas corrientes eléctricas para activar contadores. Gracias a este sistema, Hollerith completó el censo de 1890 en un cuarto del tiempo que tomó hacer el censo anterior. La tarjeta perforada de Hollerith pasó a ser el símbolo de la era de la computadora.

La primera computadora americana fue desarrollada en 1946 por el ejército de los Estados Unidos. La Calculadora e Integradora Numérica Electrónica o ENIAC, por sus siglas en inglés, consistía de miles de tubos de vacío y ocupaba un almacén completo. Costó millones de dólares construirla y mantenerla. Se dañaba constantemente y había que reconstruirla cada vez que se quería hacer un nuevo tipo de cálculo. ENIAC usaba grandes cantidades de energía, generaba mucho calor y era muy cara. Comparada con los parámetros actuales, era muy lenta. Sólo podía hacer 100,000 cálculos por segundo.

La primera computadora de uso general fue presentada en 1951. Se llamaba Computadora Universal Automática o UNIVAC. Por cierto, UNIVAC significó un gran avance, pero aún era grande, cara y lenta.

La gran demanda de computadoras generó tecnologías más avanzadas de computadora. Descubrimientos técnicos como los transistores y los circuitos integrados redujeron el

ACTIVIDAD

PARA CALCULAR

Rápido como computadora

Baraja un mazo de naipes. Pídele a un amigo que tome el tiempo mientras tú las separas; primero, sus cuatro palos. Luego, ordena cada palo del 2 al as. Calcula cuántas selecciones haces.

Calcula cúantas selecciones haces por segundo.

Una máquina de banco que ordena cheques hace 1800 selecciones por segundo.

¿Cuánto más rápida que tú es esta máquina?

Figura 4–16 *Los usos de las computadoras son amplios y variados. Algunas de sus aplicaciones son la identificación de la concentración del ozono en el mundo (izquierda), el análisis de la mecánica del cuerpo de un corredor (arriba) y el estudio de la geometría fractal en matemáticas (derecha).*

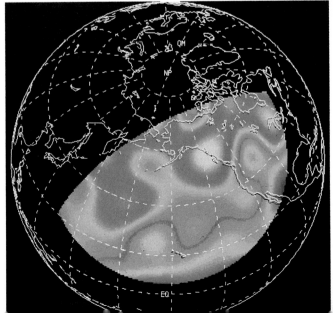

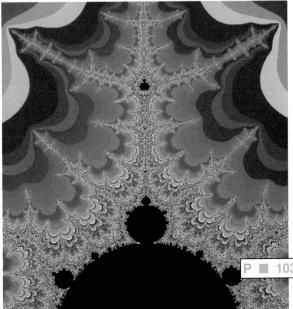

circuits reduced the size and cost of computers. They also increased the efficiency, speed, and uses of computers. And equally important, they brought the computer within everyone's reach.

The future of computers lies in both the very small and the very large. Integrated circuits called microprocessors can hold an entire processing capability on one small chip. At the other extreme, groups of computers are being linked together to form supercomputers.

Computer Hardware

Computer **hardware** refers to the physical parts of a computer. **Computer hardware includes a central processing unit, main storage, input devices, and output devices.**

The "brain" of a computer is known as the **central processing unit,** or CPU. A CPU controls the operation of all the components of a computer. It executes the arithmetic and logic instructions that it receives in the form of a computer program. A computer program is a series of instructions that tells the computer how to perform a certain task. A computer program can be written in one of several different computer languages.

The main storage of a computer is often referred to as the **main memory.** The main memory contains data and operating instructions that are processed by the CPU. In the earliest computers, the main memory consisted of thousands of vacuum tubes. Modern computer memory is contained on chips. The most advanced memory chip can store as much information as 1 million vacuum tubes can.

Data are fed to the central processing unit by an **input device.** One common input device is a keyboard. A keyboard looks very much like a typewriter. Using a keyboard, a person can communicate data and instructions to a computer. Other input devices include magnetic tape, optical scanners, and disk drives.

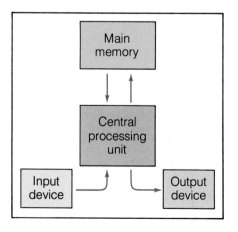

Figure 4–17 *Computer hardware includes a central processing unit, main memory, an input device, and an output device. What is the function of each?*

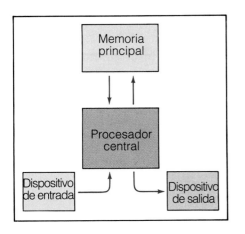

tamaño y el costo de las computadoras. También aumentaron su eficacia, su velocidad y sus usos y la pusieron al alcance de todos.

El futuro avance de las computadoras es tanto para las más pequeñas como para las más grandes. Circuitos integrados llamados microprocesadores contienen una capacidad procesadora completa en un pequeño chip. Al otro extremo se hallan los grupos de computadoras conectadas entre sí para formar supercomputadoras.

Mecánica o hardware de las computadoras

La parte mecánica o **hardware** de una computadora se refiere a sus partes físicas. **El hardware incluye el procesador central, la memoria principal y los dispositivos de entrada y de salida.**

El "cerebro" de la computadora es el **procesador central**, o CPU, que controla el funcionamiento de todos sus componentes. Éste realiza las instrucciones aritméticas y lógicas que recibe a través de un programa para computadora. Estos programas son una serie de instrucciones que le indican cómo realizar cierta tarea. Un programa puede ser escrito en distintos lenguajes de computadora.

La unidad principal de archivo se conoce como **memoria principal**. Contiene datos e instrucciones de operación que son procesados por el CPU. En las primeras computadoras, la memoria principal consistía de miles de tubos de vacío. La memoria de las computadoras modernas está contenida en chips. El chip de memoria más avanzado puede archivar tanta información como un millón de tubos de vacío.

Se entran datos al procesador central por medio de un **dispositivo de entrada**. Uno de los más comunes es un teclado, parecido a una máquina de escribir. Mediante el teclado, una persona entra datos y da instrucciones a una computadora. Otros dispositivos de entrada son cintas magnéticas, scaners ópticos y unidades de disco.

Figura 4–17 *El hardware de una computadora está compuesto por el procesador central, la memoria principal, un dispositivo de entrada y uno de salida. ¿Cuál es la función de cada uno?*

A **disk drive** reads information off a disk and enters it into the computer's memory or into the CPU. Information from a disk drive can be placed into a computer very quickly.

Information produced by a computer can be removed and stored on a disk. So a disk drive is also an **output device.** An output device receives data from the central processing unit. Output devices include printers, cathode-ray tubes, magnetic tape drives, and voice synthesizers. Even robots are output devices.

CONNECTIONS

The Human Computer

The organization of the human body is pretty amazing, isn't it? Think of all the various organs constantly working independently as well as interacting with one another to keep you alive, healthy, and functioning normally. What's even more amazing is that the body does all its work without your having to think about it! You don't even have to worry about nourishing your body because it reminds you to do so by making you feel hungry. Now that's pretty awesome! What is even more incredible, perhaps, is that you have the ability to think, reason, reach conclusions, and use your imagination. What a wonderful device the human body is!

The organ of your body that controls the various body systems and is also the seat of intelligence is the *brain.* Different parts of the brain have different functions. One part enables you to coordinate your movements quickly and gracefully. Another part controls body processes, such as heartbeat, breathing, and blood pressure—not to mention swallowing, sneezing, coughing, and blinking. And still another part is responsible for your ability to think.

Many attempts have been made to simulate the activities of the brain. There is, in fact, a field of computer research that aims to create artificial intelligence—that is, computers capable of thinking and reasoning like humans. Currently, however, such attempts to unravel the interconnections of the human brain have proved largely unsuccessful. For now, at least, the human brain still holds its many secrets.

Una **unidad de disco** lee la información de un disco magnético y la pasa a la memoria o al CPU. Esto se puede hacer rápidamente.

La información producida por una computadora puede sacarse y archivarse en un disco magnético. Así, una unidad de disco es también un **dispositivo de salida**. Un dispositivo de salida recibe datos del procesador central. Impresores, tubos de rayos catódicos, unidades de cintas magnéticas y sintetizadores de voces y hasta los robots son todos dispositivos de salida.

CONEXIONES

La computadora humana

La organización del cuerpo humano es asombrosa, ¿verdad? Piensa en todos los órganos que trabajan en forma independiente o interactuando entre sí para mantenerte vivo, saludable y funcionando normalmente. Más asombroso aún es que el cuerpo hace todo sin que tengas que pensar en ello. Ni siquiera necesitas preocuparte de alimentar tu cuerpo porque él te lo recuerda cuando sientes hambre. Lo más increíble es que puedes pensar, razonar, sacar conclusiones y usar tu imaginación. ¡Qué maravilloso instrumento es el cuerpo humano!

El órgano que controla nuestros distintos sistemas y donde reside la inteligencia es el *cerebro*. Distintas partes del cerebro cumplen distintas funciones. Una te permite coordinar tus movimientos con gracia y rapidez. Otra parte controla procesos como el latido del corazón, la respiración y la presión sanguínea—sin mencionar tragar, estornudar, toser y parpadear. Otra parte más es responsable de tu capacidad de pensar.

Se han hecho muchos intentos por imitar las actividades del cerebro. De hecho, hay un campo en la investigación de computadoras que intenta crear inteligencia artificial, o sea, computadoras que piensan y razonan como seres humanos. Pero los intentos por descifrar las interconexiones del cerebro humano no han tenido éxito. Hasta ahora, el cerebro humano sigue guardando sus secretos.

Like a disk drive, a **modem** is an input and output device. A modem changes electronic signals from a computer into signals that can be carried over telephone lines. It also changes the sounds back into computer signals. A modem allows a computer to communicate with other computers, often thousands of kilometers away. As computers link in this way, they form a network in which information can be shared. A modem allows use of this network by accessing (getting) information from a central data bank. A data bank is a vast collection of information stored in a large computer.

The Binary System

Computer hardware would be useless if computer **software** did not exist. **Software is the program or set of programs the computer follows.** Software must be precise because in most cases a computer cannot think on its own. A computer can only follow instructions. For example, to add two numbers, a program must tell a computer to get one number from memory, hold it, get the other number from memory, combine the two numbers, and print the answer. After completing the instruction, the computer must be told what to do next.

A computer can execute instructions by counting with just two numbers at a time. The numbers are 0 and 1. The system that uses just these two numbers is called the **binary system.**

Computer circuits are composed of diodes. As you learned in the previous sections, diodes are gates that are either open or closed to electric current. If the gate is open, current is off. If the gate is closed, current is on. To a computer, 0 is current off and 1 is current on. Each digit, then, acts as a tiny electronic switch, flipping on and off at unbelievable speed.

Each single electronic switch is called a **bit.** A string of bits—usually 8—is called a **byte.** Numbers, letters, and other symbols can be represented as a byte. For example, the letter A is 01000001. The letter K is 11010010. The number 9 is 00001001.

You do not need to be reminded of the importance of computers. You have only to look around you. The uses of computers are many, and their presence is almost universal. Any list of computer

A̲ctivity Bank

Computer Talk, p.132

ACTIVITY

THINKING

Helpful Prefixes

Several terms related to electronic devices may be easier for you to understand if you know the meaning of their prefixes. Find out the meaning of each prefix that is underlined in the words below. Then write a sentence explaining how the prefix will help you to learn the definition of the word.

binary system
diode
integrated circuit
microprocessor
semiconductor
triode
transistor

Pozo de actividades

El idioma de las computadoras, p. 132

ACTIVIDAD

PARA PENSAR

Prefijos útiles

Varias expresiones relacionadas con la electrónica te serían más fácil de entender si conocieras el significado de sus prefijos. Averigua el significado de los prefijos subrayados en la lista de palabras. Luego, escribe una oración explicando cómo te ayuda el prefijo a aprender la definición de la palabra.

sistema binario
diodo
circuito integrado
microprocesador
semiconductor
triodo
transistor

Igual que una unidad de disco, un **modem** es un dispositivo de entrada y salida. Un modem cambia las señales electrónicas de una computadora en señales que pueden ser llevadas por las líneas de teléfono. También cambia los sonidos en señales de computadoras. Un modem permite a una computadora comunicarse con otra a miles de kilómetros de distancia. Al conectarse de esta manera, las computadoras forman una red que comparte la información. Un modem permite el uso de esta red mediante el acceso a la información de un banco central de datos. El banco central de datos es una vasta colección de información archivada en una computadora grande.

El sistema binario

El hardware de la computadora no tendría utilidad si no existieran sus programas o el **software. El software es el programa o una serie de programas que la computadora sigue.** Tiene que ser muy preciso, porque la computadora no puede pensar por sí misma; sólo puede seguir instrucciones. Por ejemplo, para sumar dos números, la computadora tiene que sacar un número de su memoria, guardarlo, sacar otro, combinar ambos e imprimir la respuesta. Después de completar la instrucción, la computadora necesita una nueva orden.

Una computadora ejecuta instrucciones mediante el conteo de sólo dos números cada vez. Estos números son el 0 y el 1. El sistema que usa sólo estos dos números se llama **sistema binario.**

Los circuitos de computadora están compuestos por diodos. Ya sabes que los diodos son entradas que se abren o se cierran a la corriente eléctrica. Si la entrada está abierta, no hay corriente. Si está cerrada, hay corriente. Para una computadora, el 0 significa que no hay corriente y el 1 que hay corriente. Cada dígito actúa como un interruptor electrónico que se prende y se apaga a una velocidad increíble.

Cada interruptor electrónico se llama **bitio**. Una serie de bitios—usualmente 8—se llama **byte**. Números, letras y otros símbolos pueden ser representados por un byte. Por ejemplo la letra A es 01000001; la K es 11010010. El número 9 es 00001001.

No necesitas que te recuerden de la importancia de las computadoras; basta con que mires a tu alrededor. Sus usos son muchos y su presencia es casi universal. Hoy en día,

PROBLEM Solving

Go With the Flow

A computer follows a series of activities that take place in a definite order, or process. If you think about it, so do you. You get dressed one step at a time. When you follow a recipe, you add each ingredient in order.

It is useful to have a method to describe such processes, especially when writing computer programs. A flowchart is one method of describing a process. In a flowchart the activities are written within blocks whose shapes indicate what is involved in that step.

Designing a Flowchart It is a good thing you know how to write a flowchart because you are hosting the class luncheon today. But the chef that you have hired can cook only from a flowchart. Write a flowchart showing the chef how to prepare today's menu.

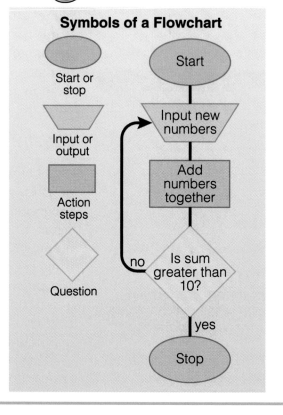

Symbols of a Flowchart

Start or stop

Input or output

Action steps

Question

applications cannot really be completed today. For by the time today is over, another application will have been devised. The future of computers is exciting, indeed!

4–4 Section Review

1. What is a computer? How are its hardware and software involved in its operation?
2. What is a modem? How is it related to a data bank?
3. How is the binary system used by a computer?

Critical Thinking—*Making Calculations*
4. Show how the following numbers would be represented by a byte: 175, 139, 3, 45, 17.

ACTIVITY READING

Artificial Intelligence

It is difficult to imagine using wires and crystals to construct a device that can think as you can. Read David Gerrold's *When H.A.R.L.I.E. Was One* and discover what such a device would be like.

PROBLEMA ?? a resolver

Paso a paso

Una computadora sigue una serie de actividades que ocurren en orden. Si lo piensas bien, también lo haces tú. Cuando te vistes, lo haces paso a paso. Cuando sigues una receta, añades cada ingrediente en orden.

Es útil tener un método para describir tales procesos, especialmente cuando escribes un programa para computadora. Un diagrama es un método para describir un proceso. En un diagrama las actividades están escritas en bloques cuyas formas indican lo necesario para cada paso.

Diseñar un diagrama Por suerte sabes hacer un diagrama, porque hoy eres el anfitrión del almuerzo de tu clase. Pero el cocinero que empleaste sólo sabe cocinar siguiendo un diagrama. Escribe un diagrama que le indique cómo preparar el menú de hoy.

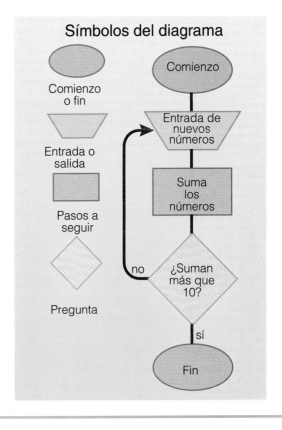

Símbolos del diagrama

Comienzo o fin

Entrada o salida

Pasos a seguir

Pregunta

Comienzo

Entrada de nuevos números

Suma los números

¿Suman más que 10?

no

sí

Fin

cualquier lista de sus aplicaciones no puede estar completa. Porque antes de que termine el día, una nueva aplicación habrá sido diseñada. En realidad, ¡el futuro de las computadoras es muy emocionante!

4–4 Repaso de la sección

1. ¿Qué es una computadora? ¿Qué rol tienen el hardware y el software en su funcionamiento?
2. ¿Qué es un modem?¿En qué se relaciona con un banco de datos?
3. ¿Cómo usa el sistema binario una computadora?

Pensamiento crítico—*Hacer cálculos*
4. Muestra cómo se representan los siguientes números en un byte: 175, 139, 3, 45, 17.

ACTIVIDAD
PARA LEER

Inteligencia artificial

Es difícil imaginarse usar cables y cristales para construir un aparato que piense como tú. Lee *When H.A.R.L.I.E Was One* de David Gerrold y descubre cómo sería tal aparato.

Laboratory Investigation

The First Calculator: The Abacus

Problem

How can an abacus serve as a counting machine?

Materials *(per group)*

abacus

Procedure

1. The columns of beads on the abacus represent, from right to left, units of ones, tens, hundreds, thousands, and millions.

2. The single bead in the upper section of each column, above the partition, equals 5 beads in the lower section of that column.

3. Always start from the lower section of the far right, or ones, column.

4. Count to 3 by sliding 3 beads of the ones column to the partition.

5. Continue counting to 8. Slide the fourth bead up to the partition. You should be out of beads in this section. Slide all 4 beads back down and slide the single bead from the upper section of this column down to the partition. Remember that the top bead equals 5 lower beads. Continue counting from 6 to 8 by sliding the beads in the lower section of the ones column up to the partition. Before doing any further counting, check with your teacher to see that you are using the abacus correctly.

6. Continue counting to 12. Slide the last bead in the ones column up to the partition. You should now have a total of 9. And you should be out of beads in the ones column. Slide all these beads back

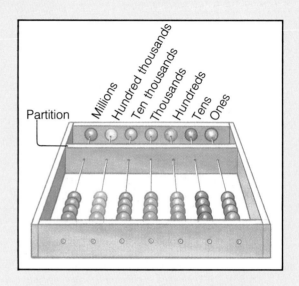

to their original zero position. Slide 1 bead in the lower section of the tens column up to the partition. This represents 10. Continue counting in the ones column until you reach 12.

Observations

1. Count to each of these numbers on the abacus: 16, 287, 5016, 1,816,215.

2. How would you find 8 + 7 on the abacus? Start by counting to 8 on the abacus. Then continue adding 7 more beads Find the following sums: 7 + 8, 3 + 4, 125 + 58.

Analysis and Conclusions

1. On what number system is the operation of the abacus based?

2. How does this compare with the operation of a computer?

3. **On Your Own** Try designing a number system that uses more than 2 numerals but fewer than 10. Count to 20 in your system.

Investigación de laboratorio

La primera calculadora: el ábaco

Problema

¿Cómo puede servir un ábaco como máquina de contar?

Materiales *(para cada grupo)*

ábaco

Procedimiento

1. Las columnas de cuentas del ábaco representan de derecha a izquierda: unidades, decenas, centenas, miles y millones.

2. La cuenta única en la sección de arriba de cada columna, sobre el tabique, equivale a 5 cuentas de la sección de abajo de esa columna.

3. Siempre empieza en la sección de abajo a la derecha, en la columna de las unidades.

4. Cuenta hasta 3 deslizando hasta el tabique 3 cuentas de la columna de las unidades.

5. Sigue contando hasta 8. Desliza la cuarta cuenta hasta el tabique. No quedan más cuentas en esta columna. Devuelve las 4 cuentas y desliza la cuenta de la sección de arriba hasta el tabique. Recuerda que esa cuenta equivale a 5 cuentas de abajo. Sigue contando de 6 hasta 8 con las cuentas de la columna de las unidades. Antes de seguir contando, verifica con tu maestra si estás usando bien el ábaco.

6. Sigue contando hasta 12. Desliza la última cuenta de las unidades hasta el tabique. Debes tener un total de 9 y no quedan más cuentas en esta columna. Devuelve las cuentas a la posición original, o sea cero. Desliza una cuenta

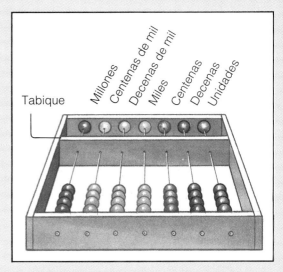

de la sección de abajo de la columna de las decenas hasta el tabique. Ésta representa 10. Sigue contando con las unidades hasta 12.

Observaciones

1. En el ábaco cuenta hasta cada uno de estos números: 16, 287, 5016, 1, 816, 215.

2. ¿Cómo indicarías 8 + 7 en el ábaco? Empieza contando hasta 8. Luego, sigue sumando 7 cuentas más. Haz las siguientes sumas: 7 + 8, 3 + 4, 125 + 58.

Análisis y conclusiones

1. ¿En qué sistema numérico se basa el ábaco'?

2. ¿En qué se parece o diferencia del funcionamiento de una computadora?

3. **Por tu cuenta** Intenta diseñar un sistema numérico que usa más de 2 números pero menos de 10. Cuenta hasta 20 con tu sistema.

Summarizing Key Concepts

4–1 Electronic Devices

▲ Electronics is the study of the release, behavior, and control of electrons as it relates to use in practical devices.

▲ In a tube in which most of the gases have been removed—a vacuum tube—electrons flow in one direction.

▲ A rectifier is an electronic device that converts alternating current to direct current.

▲ An amplifier is an electronic device that increases the strength of an electric signal.

▲ Semiconductors are materials that are able to conduct electric currents better than insulators do but not as well as true conductors do.

▲ Adding impurities to semiconductors is called doping.

▲ An integrated circuit combines diodes and transistors on a thin slice of silicon crystal.

4–2 Transmitting Sound

▲ Radios work by changing sound vibrations into electromagnetic waves, or radio waves.

▲ A telephone sends and receives sound by means of electric signals. A telephone has two main parts: a transmitter and a receiver.

4–3 Transmitting Pictures

▲ A cathode-ray tube, or CRT, is an electronic device that uses electrons to produce images on a screen.

▲ A cathode-ray tube in a color television set contains three electron guns—one each for red, blue, and green signals.

4–4 Computers

▲ Integrated circuits called microprocessors can hold the entire processing capability on one small chip.

▲ Computer hardware consists of a central processing unit, main storage, input devices, and output devices.

▲ A computer program is a series of instructions that tell the computer how to perform a certain task.

Reviewing Key Terms

Define each term in a complete sentence.

4–1 Electronic Devices
electronics
vacuum tube
rectifier
diode
amplifier
triode
solid-state device
semiconductor
doping
transistor
integrated circuit
chip

4–2 Transmitting Sound
electromagnetic wave

4–3 Transmitting Pictures
cathode-ray tube

4–4 Computers
hardware
central processing unit
main memory
input device
disk drive
output device
modem
software
binary system
bit
byte

Resumen de conceptos claves

4–1 Aparatos electrónicos

▲ La electrónica es el estudio de la liberación, la conducta y el control de los electrones en cuanto a su uso en aparatos prácticos.

▲ En un tubo del que se han extraído la mayoría de los gases— tubo de vacío—los electrones fluyen en una dirección.

▲ Un rectificador es un aparato electrónico que convierte corriente alterna en corriente continua.

▲ Un amplificador es un aparato electrónico que aumenta la fuerza de una señal eléctrica.

▲ Los semiconductores son materiales que conducen corrientes eléctricas mejor que los aislantes pero no tan bien como los conductores.

▲ Agregar impurezas a los semiconductores se llama dopado.

▲ Un circuito integrado combina diodos y transistores sobre un cristal delgado de silicio.

4–2 Transmisión de sonido

▲ Las radios funcionan convirtiendo vibraciones de sonido en ondas electromagnéticas, o radioondas.

▲ Un teléfono envía y recibe sonido por medio de señales eléctricas. Un teléfono tiene dos partes principales: un transmisor y un receptor.

4–3 Transmisión de imágenes

▲ Un tubo de rayos catódicos, o CRT, es un aparato electrónico que produce imágenes en una pantalla.

▲ Un tubo de rayos catódicos en un televisor de color contiene tres pistolas electrónicas—una para las señales rojas, una para las azules y otra para las verdes.

4–4 Las computadoras

▲ Los circuitos integrados llamados microprocesadores contienen una capacidad procesadora completa en un chip.

▲ El hardware de una computadora consiste del procesador central, la memoria principal y los dispositivos de entrada y de salida.

▲ Un programa de computadora es una serie de instrucciones que le indica cómo realizar cierta tarea.

Repaso de palabras claves

Define cada palabra o palabras con una oración completa.

4–1 Aparatos electrónicos

la electrónica
tubo de vacio
rectificador
diodo
amplificador
triodo
aparato de estado-sólido
semiconductor
dopado
transistor
circuito integrado
chip

4–2 Transmisión de sonido

onda electromagnética

4–3 Transmisión de imágenes

tubo de rayos
 catódicos

4–4 Las computadoras

hardware
procesador central
memoria principal
dispositivo de entrada
unidad de disco
dispositivo de salida
modem
software
sistema binario
bitio
byte

Chapter Review

Content Review

Multiple Choice

Choose the letter of the answer that best completes each statement.

1. Diode vacuum tubes are used as
   a. transistors.
   b. rectifiers.
   c. amplifiers.
   d. triodes.
2. Which electronic device was particularly important to the rapid growth of the radio and television industry?
   a. triode
   b. diode
   c. punch card
   d. disk drive
3. Which of the following is a semiconductor material?
   a. copper
   b. plastic
   c. silicon
   d. oxygen
4. A sandwich of three semiconductor materials used to amplify an electric signal is a(an)
   a. diode.
   b. transistor.
   c. integrated circuit.
   d. modem.
5. Radios work by changing sound vibrations into
   a. cathode rays.
   b. gamma rays.
   c. electric signals.
   d. bytes.
6. Which is not an advantage of solid-state devices in telephones and radios?
   a. smaller size
   b. increased cost
   c. better amplification
   d. greater energy efficiency
7. The physical parts of a computer are collectively referred to as computer
   a. software.
   b. peripherals.
   c. programs.
   d. hardware.
8. Which is computer software?
   a. printer
   b. disk drive
   c. program
   d. memory

True or False

If the statement is true, write "true." If it is false, change the underlined word or words to make the statement true.

1. A device that converts alternating current to direct current is a <u>rectifier</u>.
2. A telephone sends and receives sound by means of <u>electric</u> current.
3. The beam of electrons in a <u>cathode-ray tube</u> produces a picture.
4. A color television CRT has <u>two</u> electron guns.
5. The first American-built computer was <u>UNIVAC</u>.
6. <u>Microprocessors</u> are integrated circuits that can hold the entire processing capability of a computer on one chip.
7. <u>Output</u> devices feed data to a computer.
8. A <u>data bank</u> is a vast collection of information stored in a large computer.
9. A string of bits, usually eight in number, is called a <u>byte</u>.

Concept Mapping

Complete the following concept map for Section 4–1. Refer to pages P6–P7 to construct a concept map for the entire chapter.

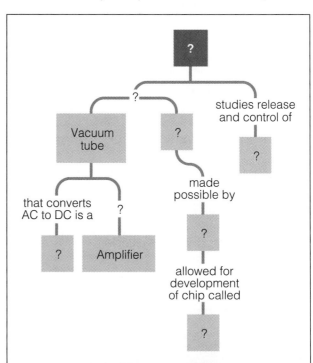

Repaso del capítulo

Repaso del contenido

Selección múltiple

Selecciona la letra de la respuesta que mejor complete cada frase.

1. Diodos de tubos de vacío se usan como
   a. transistores.
   b. rectificadores.
   c. amplificadores.
   d. triodos.

2. ¿Cuál aparato electrónico fue particular-mente importante para el crecimiento de la industria de radio y televisión?
   a. triodo
   b. diodo
   c. tarjeta perforada
   d. unidad de disco

3. ¿Cuál de los siguientes es un material semiconductor?
   a. cobre
   b. plástico
   c. silicio
   d. oxígeno

4. Un sandwich de tres materiales semicon-ductores que se usa para amplificar una señal eléctrica es un
   a. diodo.
   b. transistor.
   c. circuito integrado.
   d. modem.

5. Las radios funcionan cambiando las vibra-ciones de sonido en
   a. rayos catódicos.
   b. rayos gama.
   c. señales eléctricas.
   d. bytes.

6. ¿Cuál no es una ventaja de los aparatos de estado-sólido para los teléfonos y radios?
   a. tamaño menor
   b. costo mayor
   c. mejor amplificación
   d. mayor eficiencia energética

7. El conjunto de las partes físicas de una computadora se conoce como
   a. software.
   b. periféricos.
   c. programas.
   d. hardware.

8. ¿Cuál es un software de computadora?
   a. impresor
   b. unidad de disco
   c. programa
   d. memoria

Verdadero o falso

Si la afirmación es verdadera, escribe "verdad." Si es falsa, cambia las palabras subrayadas para que sea verdadera.

1. Un aparato que convierte corriente alterna en corriente continua es un <u>rectificador</u>.

2. Un teléfono envía y recibe sonido por medio de corriente <u>eléctrica</u>.

3. El rayo de electrones en un <u>tubo de rayos catódicos</u> produce una imagen.

4. Un televisor de color CRT tiene <u>dos</u> pistolas electrónicas.

5. La primera computadora hecha en Estados Unidos fue <u>UNIVAC</u>.

6. Los <u>microprocesadores</u> son circuitos integrados que tienen la capacidad procesadora completa de una computadora en un chip.

7. Los dispositivos <u>de salida</u> alimentan datos a la computadora.

8. Un <u>banco de datos</u> es una vasta colección de información archivada en una computa-dora grande.

9. Una serie de bitios, 8 por lo general, se llama <u>byte</u>.

Mapa de conceptos

Completa el siguiente mapa de conceptos para la sección 4–1. Para hacer un mapa de conceptos de todo el capítulo, consulta las páginas P6–P7.

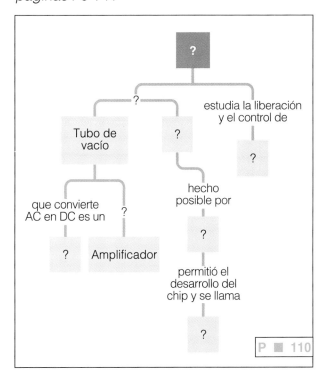

Concept Mastery

Discuss each of the following in a brief paragraph.

1. Why are electrons important to electronic devices? Give some examples.
2. Compare the functions of rectifiers and amplifiers. What type of vacuum tube is used for each?
3. Describe a semiconductor. Why are semiconductors doped?
4. What connection between electricity and magnetism is used in radio communication systems?
5. How does a telephone work?
6. How is a radio show broadcast?
7. In what ways are semiconductor diodes better than their vacuum tube ancestors?
8. Describe how a cathode-ray tube creates a picture.
9. What is a computer? What are some uses of computers?
10. What system is used in computers and calculators? Explain how it works.

Critical Thinking and Problem Solving

Use the skills you have developed in this chapter to answer each of the following.

1. **Making diagrams** Draw a diagram that shows how the four main hardware components of a computer are related.
2. **Sequencing events** The sentences below describe some of the energy conversions required for a local telephone call. Arrange them in proper order.
   a. Sound vibrates a metal plate.
   b. An electromagnet is energized.
   c. A vibrating magnet produces sound.
   d. Vibrating vocal cords produce sound.
   e. Mechanical energy is converted into an electric signal.
3. **Classifying computer devices** Many methods for putting data into a computer are similar to methods for getting data out of a computer. Identify each of the following as an input device, an output device, or both: typewriter keyboard, CRT, printer, optical scanner, magnetic tape, disk drive, punched cards, voice synthesizer.
4. **Applying concepts** A program is a list of instructions that tells a computer how to perform a task. Write a program that describes the steps involved in your task of waking up and arriving at school for your first class.
5. **Making calculations** The pictures on a television screen last for one thirtieth of a second. How many pictures are flashed on a screen during 30 minutes?
6. **Using the writing process** The electronics industry and the development of computers have evolved quite rapidly. You yourself are even witnessing obvious changes in the size and capabilities of electronic devices such as calculators, video games, computers, VCRs, compact disc players, and videodiscs. Write a story or play about how you think electronic devices will affect your life thirty or forty years from now.

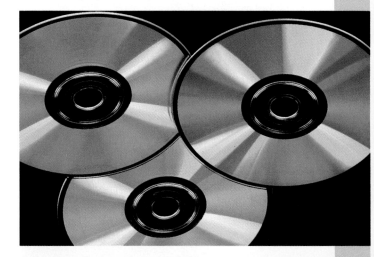

Dominio de conceptos

Comenta cada uno de los puntos siguientes en un párrafo breve.

1. ¿Por qué son importantes los electrones para los aparatos electrónicos? Da algunos ejemplos.
2. Compara las funciones de los rectificadores y los amplificadores. ¿Qué tipo de tubo de vacío usa cada uno?
3. Describe un semiconductor. ¿Por qué se dopan los semiconductores?
4. ¿Cuál conexión entre electricidad y magnetismo se usa en los sistemas de radiocomunicación?
5. ¿Cómo funciona un teléfono?
6. ¿Cómo se transmite un programa de radio?
7. ¿Por qué son mejores los diodos semiconductores que sus predecesores, los tubos de vacío?
8. Describe cómo crea una imagen un tubo de rayos catódicos.
9. ¿Qué es una computadora? ¿Cuáles son algunos de sus usos?
10. ¿Qué sistema se usa en las computadoras y las calculadoras? Explica cómo funciona.

Pensamiento crítico y solución de problemas

Usa las destrezas que has desarrollado en este capítulo para resolver lo siguiente.

1. **Hacer diagramas** Dibuja un diagrama que muestre cómo se relacionan las cuatro partes principales de una computadora.
2. **Secuencias** Las secuencias siguientes describen algunas de las conversiones de energía que se requieren para telefonear. Ordénalas correctamente.
   a. El sonido hace vibrar una placa de metal.
   b. Un electroimán es energizado.
   c. Un imán vibrante produce sonido.
   d. Cuerdas vocales vibrando producen sonido.
   e. Se convierte energía mecánica en señal eléctrica.
3. **Clasificar** Muchos métodos para entrar datos a una computadora se parecen a los métodos para sacarlos. Determina si los siguientes son un dispositivo de entrada, uno de salida, o ambos: teclado, CRT, impresor, scaner óptico, cinta magnética, unidad de disco, tarjeta perforada, sintetizador de voz.
4. **Aplicar conceptos** Un programa es una lista de instrucciones que le indica a una computadora cómo realizar una tarea. Escribe un programa que describa los pasos que hay en el despertarte y llegar a la escuela a tiempo para tu primera clase.
5. **Hacer cálculos** Las imágenes en una pantalla de televisión duran un trigésimo de segundo. ¿Cuántas imágenes se pueden proyectar en 30 minutos?
6. **Usar el proceso de la escritura** La industria de la electrónica y el desarrollo de las computadoras han evolucionado rápidamente. Tú eres testigo de los cambios de tamaño y capacidades de calculadoras, juegos de video, computadoras, VCRs, tocadiscos compactos y videodiscos. Escribe una historia sobre cómo la electrónica afectará tu vida en treinta o cuarenta años.

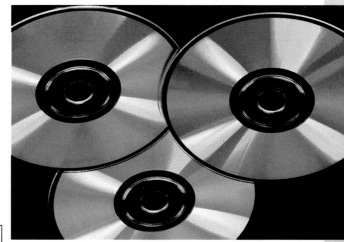

GAZETTE:
THE SEARCH FOR
SUPERCONDUCTORS

Imagine trains that fly above their tracks at airplane speeds and powerful computers that fit in the palm of your hand. Picture unlocking the secrets of the atom, or skiing on slopes made of air. Purely imagination? Not really. All of these things—and more—have been brought closer to reality by the work of Dr. Karl Alex Mueller and Dr. Johannes Georg Bednorz. These two dedicated scientists have changed fantasy to fact through their work with superconductors.

SEARCHING FOR A BETTER CONDUCTOR

Much of our electricity runs through copper wire. Copper is an example of a conductor, or a material that carries electricity well. However, copper is not a perfect conductor because it offers resistance to the flow of electricity. As a result of resistance, about 15 percent of the electric power passing through a copper wire is wasted as heat.

A superconductor has no resistance. Therefore, it can conduct electricity without any loss of power. With superconductors, power plants could produce more usable electricity at lower costs and with no waste. Electric motors could be made smaller and more powerful. Superconducting wires connecting computer chips could produce smaller, faster computers.

Scientists have known about superconductors for more than 75 years. But although the principle of superconductivity was understood, the method of creating one remained a secret...a secret that seemed to be "locked in a deep freeze." For until the time of Mueller and Bednorz's discovery, materials would not become superconductors unless they were chilled to at least –250°C!

▼ **Superconductivity pioneers Karl Mueller (left) and Johannes Bednorz.**

To cool materials to such extremely low temperatures, scientists had to use liquid helium, which is very costly. The supercold superconductors were just too expensive to be of general use.

If a substance could become superconducting at −196°C or higher, then it could be cooled with liquid nitrogen. Liquid nitrogen costs as little as a nickel a liter—less expensive than milk or soda. But what substances might become superconductors at these relatively high temperatures? That was the problem Dr. Mueller and Dr. Bednorz had to solve.

LOOKING IN A NEW DIRECTION

Many experts thought that superconductors simply did not exist at temperatures higher than −250°C. But Dr. Mueller, a highly respected physicist at IBM's research laboratory in Zurich, Switzerland, remained fascinated by high-temperature superconductors. In fact, he had already devised a new approach to finding one!

To some, his idea seemed impossible. But Dr. Mueller and his partner Dr. Bednorz were willing to follow their unusual approach under the guidance of what Dr. Mueller describes as "my intuition."

For almost three years, the two scientists mixed powders, baked them in ovens to form new compounds, and then chilled them to see if they would lose their resistance to electricity. And for three years, the two scientists kept their work a secret. "We were sure anybody would say, 'These guys are crazy,'" Dr. Bednorz later said. But despite endless hours of hard work and dedication, none of the new compounds was the superconductor Mueller and Bednorz sought.

Then in December 1985, Dr. Bednorz read about a new copper oxide. He and Dr. Mueller thought the oxide looked promising. They decided to test it for superconductivity. On January 27, 1986, Dr. Mueller and Dr. Bednorz broke the temperature barrier to superconductivity—and broke it by a

This magnetic disk may seem to be defying gravity. Actually, it is floating above a disk made of a superconductive material. The superconductive disk repels magnetic fields and causes the magnet to float in midair.

large amount. They achieved superconductivity at −243°C. By April, Mueller and Bednorz had raised the temperature of superconductivity to a new record, −238°C. Around the world, scientists began to duplicate the experiments and make even greater advances in high-temperature superconductors.

In February 1987, a team of researchers at the University of Houston led by Dr. C.W. Chu created a new oxide that shows superconductivity at −175°C. This is the first superconductor that can be cooled with liquid nitrogen—the first superconductor that might be used for everyday purposes.

Dr. Mueller and Dr. Bednorz received the 1987 Nobel Prize for Physics for their pioneering work on superconductors. Their work, however, does not end here. They look forward to the development of a room-temperature superconductor!

ELECTRICITY:
CURE-ALL OR END-ALL?

You have probably read or heard the story about Benjamin Franklin's discovery of electricity during a lightning storm. In the midst of a downpour, he and his son flew a kite with a key attached to the string. The shock they received by touching the key proved that the lightning's charge was conducted through the string and into the metal key. But could Franklin have imagined the impact of his discovery? The modern world of electric appliances, computers, stereos, washing machines, air conditioners, heaters, and more has been built upon his insight. In fact, much of society has come to rely on electricity for most of its needs. Electricity seems like the perfect symbol of technology—the answer to every modern need. Or is it?

In recent years, an increasing number of scientific reports suggest that electric current may have harmful biological effects. It is not the danger of the electric current itself that has people worried. Rather, it is the electromagnetic fields produced by certain levels of electric current in sources such as power lines, household wiring, and electric appliances. Such emissions are referred to as electromagnetic radiation. In particular, there are suggestions that there is a link between exposure to these electromagnetic fields and incidents of cancer.

A connection between high levels of electromagnetic radiation and harmful biological effects has been recognized for quite some time. But long-term exposure to levels of such high intensity are rare. Concern over the dangers caused by low levels of electromagnetic radiation, which began in the late 1970s, created new fears. Virtually all industrialized populations are commonly exposed to such levels of electromagnetic radiation.

The subject came under close scrutiny when Nancy Wertheimer, an epidemiologist (scientist who studies diseases), set out to study the homes of children who had died from cancer in a Colorado neighborhood in order to establish some connection. To her surprise, she found a statistical connection between childhood cancers and exposure to high-current power lines.

Wertheimer's work heralded a series of investigations and a bitter controversy. A similar study in the Colorado area supported her general conclusions, as did another study conducted in Europe. Several other research projects went on to show that workers regularly exposed to strong electromagnetic fields—electricians, power-station operators, telephone line workers—developed and died from leukemia, brain cancer, and brain tumors at significantly higher rates than workers in other fields. These studies also suggested a link between exposure to electromagnetic fields and low-grade illnesses such as fatigue, headaches, drowsiness, and nausea. Additional studies showed a link between the use of electric blankets and miscarriages (lost pregnancies).

▼ **Prolonged exposure to electromagnetic fields, a hazard of certain jobs, may be related to a high incidence of brain tumors. The gamma image shows a brain with a tumor.**

▲ **The electromagnetic fields in the area surrounding these high-voltage power lines are strong enough to light the fluorescent bulbs.**

Some of these studies and their related legal battles have prompted electric companies to reroute their wiring and change the location of their transformers. Often, however, cases regarding electromagnetic radiation hazards have been dismissed or postponed due to lack of clear evidence. Despite the seriousness of the issues, the research found to date does not prove a clear, direct link between electromagnetic radiation and cancer. For this reason such findings have not convinced everyone in the scientific and medical communities, the nation's courts, or those in industry of the possible dangers of electromagnetic fields. Skeptical researchers and judges complain that the studies lack scientific foundations, and that they show only a statistical link. Critics say that they need to see actual proof of a cause-and-effect relationship between the electromagnetic fields and illness.

To meet the skeptics' challenges, scientists are trying to show how electromagnetic fields actually affect and harm human cells. Researchers have found that exposure to electromagnetic fields actually promotes faster growth of cancer cells that are more resistant to anticancer drugs. Other studies indicate that exposure to electromagnetic fields inhibits human production of melatonin, a cancer-inhibiting hormone.

In addition, scientists are also trying to discover the actual mechanisms by which

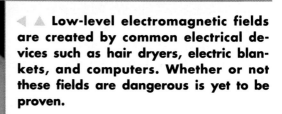

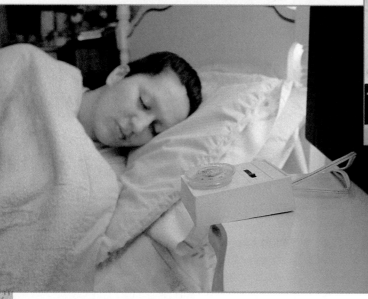

◀ ▲ **Low-level electromagnetic fields are created by common electrical devices such as hair dryers, electric blankets, and computers. Whether or not these fields are dangerous is yet to be proven.**

electromagnetic fields do their damage. They are focusing on the effect of electromagnetic fields on the flow of ions into and out of cells. Some experiments have shown that the fields may resonate (vibrate at the same frequency) with ions already present in the cell. Such vibration causes the valuable ions to pass through the membrane at an increased rate, thus leaving the cell too quickly and possibly damaging the cell membrane. Other research suggests that under certain conditions, the interaction of the Earth's magnetic field with unnatural electromagnetic fields may knock ions in the cell membrane out of place. This disrupts cell functioning, perhaps leading to illness.

The controversy over the safety or threat of electromagnetic radiation becomes increasingly serious as time goes on and society relies more and more on electric components that produce electromagnetic radiation. Until answers and resolutions to the problem are found, we shall continue to use and rely on electricity to assist and enhance our lives. And in one sense, we shall continue to be human guinea pigs in an unresolved scientific experiment.

THE COMPUTER THAT LIVES!

Ronda and her family lived in a space settlement on Pluto. One day, a strong radiation storm swept across the Purple Mountains of their planet. There had been many such storms on the planet in the year 2101. The module in which Ronda and her family lived had been directly in the path of the storm. Somehow, radioactive dust penetrated the sealed glass that served as windows in the module. As a result, Ronda was blind. Radiation had destroyed the nerves that carried the electrical signals from Ronda's eyes to her brain. Her brain could no longer interpret what her eyes were "seeing clearly."

Months after the storm, Ronda sat nervously in a plush armchair in the waiting room of Venus General Hospital. Today was the day the bandages would be removed from her eyes. Ronda was terrified that the operation to restore her sight might have been a failure. She did not want to rely on a seeing-eye robot for the rest of her life.

As the doctors removed the bandages, Ronda thought about the computer that had been implanted in her brain. No larger than a grain of rice, the computer was programmed to record all the images Ronda's eyes picked up and then translate them into messages her brain could understand. The computer was designed to work exactly like the eye nerves that had been destroyed.

The bandages fell from Ronda's eyes. She could see! The living computer inside her head had restored her sight.

TIME MARCHES ON

Today scientists believe that living computers will be a reality in the not-so-distant future. Living computers, like the one in Ronda's brain, require no outside power source and never need to be replaced. To understand how living computers may be possible, let's look briefly at how computers have evolved since the 1800s.

The first computers, made up of clunky gears and wheels, were turned by hand. They had only the simplest ability to answer questions based on the information stored inside them. By 1950, computers were run by electricity and operated with switches instead of gears. Information was stored when thousands of switch-

▲ **Vacuum tubes like these made the first computers possible.**

▲ **The computers of the 1950s used transistors instead of vacuum tubes.**

es turned on and off in certain ways. While a lot of information could be fed into electrical memory banks, the computers of the 1950s were still very crude. In fact, the typical 1950s computer took up an entire room and could do less than many video-arcade games of the 1980s.

The computers of the 1980s contain thousands of switches and can be placed on a tabletop. The reason for the compactness of these computers is the silicon chip. Engineers can put hundreds of switches on a tiny piece of the chemical silicon. These tiny pieces of silicon, known as chips, are manufactured using laser beams and microscopes. It is these chips that record the information when, for example, you tell a computer your name.

But even with the silicon chip, modern computers cannot really think creatively or reason. And a computer has less sense than an ordinary garden snail. Experts feel that in order for computers to "graduate" to higher-level tasks, a whole new way must be

developed of storing information in them. The key to developing a new system of information storage may lie in molecules of certain chemicals.

Why molecules? Scientists know that when some molecules are brought together, interesting changes take place. For example, electricity can jump from one molecule to another almost as if tiny switches were being shut on and off between them. Can we learn how to work these tiny switches? If so, then perhaps a whole new type of computer could be built!

This new computer might be able to hold more information in a single drop of liquid

▶ **When nerves connecting the eye to the brain are destroyed, no electrical signals can be carried. A person cannot see. By implanting a computer the size of a grain of rice, the person's sight is restored. The computer is designed to work exactly like the eye nerves.**

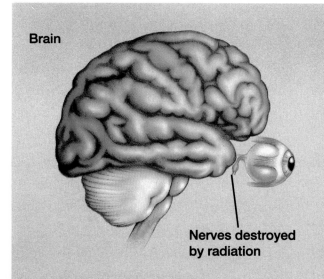

Brain

Nerves destroyed by radiation

▲ Today, thousands of transistors are packed onto a silicon chip.

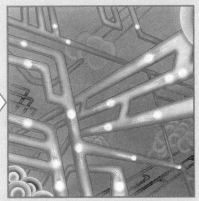

▲ A complex network of protein molecules, such as the one in this drawing, may be the electrical switches in computers of the future.

every minute of every day. Some scientists feel that bacteria can be "taught" to make special molecules. These molecules, when mixed together, could produce the flow of electricity needed to make a computer.

Of course, bacteria cannot be taught in the same sense that people can. Bacteria are not able to "learn." However, scientists can now control bacteria in many unusual ways. There are new techniques available that allow scientists to combine two different types of bacteria to produce a third, totally different, type. In the future, bacteria may produce chemicals that have never been seen before.

than today's computer could store in an entire roomful of chips. As you can imagine, the molecules in this computer of the future would have to be pretty special. And they would have to be produced in a new way.

LEAVE IT TO BACTERIA

One of the most popular current ideas concerning how these molecules could be produced is: Let bacteria do it for us! Bacteria are all around us. They constantly break down very complicated chemicals into molecules. Bacteria are at work in our bodies, in our food, and in our environment

In terms of a living computer, imagine that some bacteria have been taught to make special molecules. These bacteria could be grown in a special container and fed a particular substance to produce certain molecules. If the molecules could be told, or programmed, to do the right things, you would have a computer. And the computer would actually be alive because the bacteria would live, grow, and produce molecules inside their container.

Think about the living computer implanted in Ronda's brain, which allowed her to see again. Remember that bacteria need food to make molecules. Suppose that the computer in Ronda's brain was fed by her own blood, like all the other cells in her body. If this were the case, Ronda's computer would live as long as Ronda herself.

It may be many years before the living computer becomes a reality. Scientists must learn more about such things as how molecules react together and how they can be programmed. But many scientists await the day when they can look at a computer and say, "It's alive."

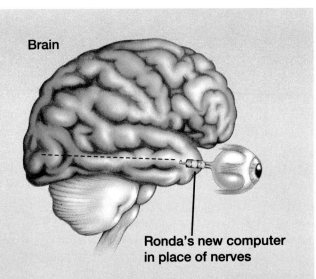

Brain

Ronda's new computer in place of nerves

GACETA

LA BÚSQUEDA DE LOS
SUPERCONDUCTORES

Imagínate: trenes volando sobre sus rieles a la velocidad de un avión y poderosas computadoras más pequeñas que la palma de tu mano. Imagínate develando los secretos del átomo o esquiando por pistas de aire ¿Sólo imaginación? No. Todas estas cosas—y otras más—son casi realidad gracias al trabajo del Dr. Karl Alex Mueller y el Dr. Johannes Georg Bednorz. Mediante su trabajo con los superconductores, estos dos dedicados científicos han convertido la fantasía en realidad.

EN BUSCA DE UN MEJOR CONDUCTOR

Mucha de nuestra electricidad fluye a través de un cable de cobre. El cobre es un ejemplo de un conductor, o sea, un material que lleva bien la electricidad. Sin embargo, el cobre no es un conductor perfecto, ya que ofrece cierta resistencia al paso de la electricidad. Casi un 15 por ciento de la energía eléctrica que fluye por un alambre de cobre se pierde en forma de calor.

Un superconductor no tiene resistencia. Por lo tanto, conduce electricidad sin pérdida alguna. Mediante los superconductores, las centrales eléctricas podrían producir más electricidad a menor costo y sin pérdidas. Los motores eléctricos podrían ser más pequeños y más poderosos. Los cables superconductores que conectan los chips de las computadoras podrían producir computadoras más pequeñas y veloces.

Los científicos conocen los superconductores desde hace más de 75 años. Aunque el principio de la superconductividad se conocía, el método para crearla era un secreto... un secreto "guardado a bajísimas temperaturas." Porque hasta el descubrimiento de Mueller y Bednorz, ningún material servía como superconductor ¡de no ser enfriado por lo menos a –250°C!

▼ **Karl Mueller (izquierda) y Johannes Bednorz (derecha) pioneros de la superconductividad.**

Para enfriar los materiales a temperaturas tan bajas, los científicos tenían que usar helio líquido, que es muy caro. Los superconductores superfríos eran demasiado caros para el uso general.

Si una sustancia podía convertirse en un superconductor a –196°C o más, entonces se podía enfriar con nitrógeno líquido, que sólo cuesta 5 centavos el litro—más barato que la leche o una soda. Pero, ¿qué sustancias podían convertirse en superconductores a esas temperaturas relativamente elevadas? Ese era el problema que el Dr. Mueller y el Dr. Bednorz tuvieron que resolver.

MIRANDO EN UNA NUEVA DIRECCIÓN

Muchos expertos creían que los superconductores no existían a temperaturas mayores de –250°C. Pero el Dr. Mueller, un físico muy respetado en el laboratorio de la IBM en Zürich, Suiza, seguía fascinado con los superconductores de alta temperatura. De hecho, ¡él ya había diseñado un nuevo enfoque para encontrar uno!

Para algunos, esta idea parecía imposible. Pero Dr. Mueller y su compañero, Dr. Bednorz, estaban dispuestos a tentar el nuevo enfoque bajo la guía de lo que el Dr. Mueller llama "mi intuición."

Durante casi tres años, los dos científicos mezclaron polvos, horneándolos para producir nuevos compuestos, y luego enfriándolos para comprobar si perdían su resistencia a la electricidad. Durante tres años, mantuvieron en secreto su trabajo. Estábamos seguros que todos dirían: "Estos tipos están locos," confesó más tarde el Dr. Bednorz. Pero a pesar de las interminables horas de trabajo y dedicación, ninguno de los nuevos compuestos era el superconductor que Mueller y Bednorz buscaban.

En diciembre de 1985 el Dr. Bednorz leyó acerca de un nuevo óxido de cobre. Él y el Dr. Mueller pensaron que ese óxido parecía prometedor y decidieron probar su superconductividad. El 27 de enero de 1986, el Dr. Mueller y el Dr. Bednorz rompieron la barrera de temperatura de la super-

▲ Pareciera que este disco magnético desafía la gravedad. En realidad, flota sobre un disco hecho de un material superconductor que repele los campos magnéticos y causa que el imán flote en el aire.

conductividad—y la rompieron por mucho. Lograron la superconductividad a –243°C. En abril, Mueller y Bednorz habían elevado la temperatura de superconductividad a un nuevo récord, –238°C. En todas partes, otros científicos empezaron a duplicar los experimentos logrando mayores progresos en los superconductores de alta temperatura.

En febrero de 1987, un equipo de investigadores de la Universidad de Houston dirigido por el Dr. C.W. Chu creó un nuevo óxido que presenta superconductividad a –175°C. Éste es el primer superconductor que puede ser enfriado con nitrógeno líquido—el primer superconductor de uso diario general.

En 1987, el Dr. Mueller y el Dr. Bednorz recibieron el Premio Nóbel de Física por su trabajo pionero en los superconductores. Sin embargo, su trabajo no termina aquí. ¡Ellos sueñan con el desarrollo de un superconductor a temperatura ambiente!

ELECTRICIDAD

¿CURA O DESTRUYE TODO?

Probablemente conoces la historia del descubrimiento de la electricidad, hecho por Benjamín Franklin durante una tormenta de rayos. En medio del aguacero, él y su hijo elevaron una cometa con una llave atada al hilo. La descarga eléctrica que recibieron al tocar la llave demostró que la carga del rayo fue conducida por el cable hasta la llave de metal. ¿Se habrá imaginado Franklin el impacto que tendría su descubrimiento? El mundo moderno de los electrodomésticos, computadoras, máquinas de lavar, acondicionadores de aire, calentadores y mucho más ha sido construido sobre su visión. De hecho, gran parte de la sociedad ha llegado a depender de la electricidad para satisfacer sus necesidades. La electricidad parece ser el símbolo perfecto de la tecnología—la respuesta a cualquier necesidad moderna. Pero, ¿es así?

En los últimos años, un gran número de informes científicos sugieren que la corriente eléctrica puede tener efectos biológicos dañinos. No ha sido el peligro de la corriente eléctrica en sí lo que preocupa a la gente. Más bien, son los campos magnéticos producidos por ciertos niveles de corriente eléctrica en fuentes como cables de transmisión, instalación eléctrica doméstica y aparatos eléctricos. Tales emisiones se conocen como radiación electromagnética. Específicamente, se cree que hay una conexión entre la exposición a estos campos electromagnéticos y la incidencia de cáncer.

Una conexión entre altos niveles de radiación electromagnética y efectos biológicos nocivos ha sido reconocida desde hace bastante tiempo. Pero exposiciones prolongadas a niveles de tan alta intensidad son raros. La preocupación por los peligros causados por bajos niveles de radiación electromagnética, que empezó en 1970, creó nuevos temores. Prácticamente toda la población de zonas industrializadas está normalmente expuesta a tales niveles de radiación electromagnética.

El tema cayó bajo un estricto escrutinio cuando Nancy Wertheimer, una epidemióloga (científico que estudia enfermedades), estudió las casas de niños muertos de cáncer en un barrio de Colorado, para establecer alguna conexión. Para su sorpresa encontró una conexión estadística entre cánceres infantiles y la exposición a los cables de alta corriente.

El trabajo de Wertheimer fue el precursor de una serie de investigaciones y una amarga controversia. Un estudio similar, en el área de Colorado, apoyaba sus conclusiones generales, igual que otro estudio conducido en Europa. Varios otros proyectos de investigación demostraron que los trabajadores expuestos regularmente a fuertes campos electromagnéticos—electricistas, operadores de centrales eléctricas, trabajadores de los cables telefónicos—contraían y morían de leucemia, cáncer al cerebro y tumores cerebrales en una proporción mayor que los trabajadores de otros campos. Estos estudios también sugirieron una conexión entre la exposición a campos electromagnéticos y enfermedades menores como fatiga, dolores de cabeza, mareos y náuseas. Estudios adicionales mostraron una relación entre el uso

Los campos electromagnéticos en el área que rodea estos cables de alto voltaje son tan fuertes que iluminan los tubos fluorescentes.

▼ **Exposición prolongada a campos electromagnéticos, un riesgo de ciertas ocupaciones, puede estar relacionada con la alta incidencia de tumores cerebrales. La imagen de rayos gama muestra un cerebro con un tumor.**

de mantas eléctricas y abortos espontáneos.

Algunos de estos estudios y sus batallas legales han impulsado a las compañías eléctricas a desviar sus alambrados y cambiar la ubicación de los transformadores. Pero a menudo los casos legales de riesgos de radiación electromagnética han sido anulados o pospuestos por falta de evidencia. A pesar de la seriedad de los problemas, hasta la fecha los resultados de las investigaciones no logran establecer un enlace directo entre esta radiación y el cáncer. Por esto, tales resultados no han convencido a todos en las comunidades científicas y médicas, en las cortes y en la industria de los posibles peligros de los campos electromagnéticos. Investigadores y jueces escépticos aducen que los estudios carecen de fundación científica y que sólo demuestran un enlace estadístico. Los críticos dicen que necesitan ver una prueba de la relación causa y efecto entre los campos electromagnéticos y las enfermedades.

Para responder al desafío de los escépticos, los científicos están tratando de demostrar cómo los campos electromagnéticos afectan y dañan las células humanas. Los investigadores han descubierto que la exposición a estos campos electromagnéticos promueve el crecimiento rápido de las células cancerosas que son más resistentes a las drogas contra el cáncer. Otros estudios indican que esta exposición inhibe la producción humana de melatonina, una hormona que inhibe el cáncer.

Además, los científicos están tratando de descubrir los mecanismos mediante los cuales

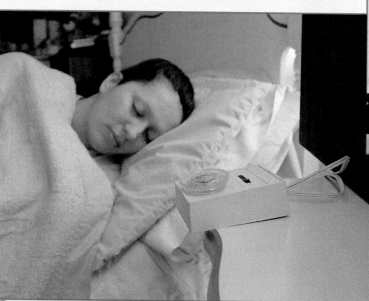

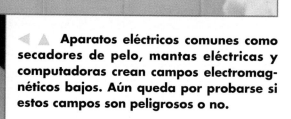

◀ ▲ **Aparatos eléctricos comunes como secadores de pelo, mantas eléctricas y computadoras crean campos electromagnéticos bajos. Aún queda por probarse si estos campos son peligrosos o no.**

los campos electromagnéticos causan daño. Su interés está en el efecto de estos campos sobre el flujo de iones a través de las células. Algunos experimentos han demostrado que los campos pueden resonar (vibrar a la misma frecuencia) con los iones ya presentes en la célula. Tal vibración hace que los valiosos iones crucen la membrana a una velocidad mayor, alejándose de la célula muy rápido y causando posiblemente daño a la membrana celular. Otra investigación sugiere que bajo ciertas condiciones, la interacción entre el campo magnético terrestre y campos magnéticos artificiales puede descolocar los iones en la membrana celular. Esto interrumpe el funcionamiento celular causando, tal vez, enfermedades.

La controversia acerca de la seguridad o la amenaza de la radiación electromagnética se agudiza a medida que pasa el tiempo y la sociedad depende cada vez más de elementos eléctricos que producen radiación electromagnética. Hasta que se encuentren las respuestas y las soluciones al problema, seguiremos usando y dependiendo de la electricidad para hacernos más fácil la vida. En cierto sentido, continuaremos siendo los conejillos de Indias en un experimento científico no resuelto.

¡LA COMPUTADORA VIVA!

Ronda y su familia vivían en una colonia espacial en Plutón. Un día, una fuerte tormenta radioactiva azotó las Montañas Moradas de su planeta. Muchas tormentas así habían ocurrido en el año 2101. El módulo donde Ronda y su familia vivían estaba directamente en el paso de la tormenta. De alguna manera, polvo radioactivo penetró por el vidrio sellado de las ventanas del módulo. Como resultado, Ronda quedo ciega. La radiación destruyó los nervios que llevan señales eléctricas desde los ojos de Ronda a su cerebro. Éste dejó de interpretar lo que sus ojos "veían claramente."

Meses después de la tormenta, Ronda se sentó nerviosamente en la sala de espera del Hospital General de Venus. Ese día le sacarían los vendajes que cubrían sus ojos. Ronda tenía mucho miedo de que la operación para devolverle la visión hubiera fallado. Ella no quería depender de un robot lazarillo por el resto de su vida.

Mientras los doctores le quitaban los vendajes, Ronda pensó en la computadora que había sido injertada en su cerebro. Del tamaño de un grano de arroz, la computadora estaba programada para registrar todas las imágenes que los ojos de Ronda recogieran y traducirlas en mensajes que su cerebro pudiera comprender. La computadora estaba diseñada para funcionar igual que los nervios oculares que habían sido destruídos.

Los vendajes cayeron y, ¡Ronda podía ver! La computadora viva dentro de su cabeza le había devuelto la vista.

EL TIEMPO SIGUE SU CURSO

Los científicos creen que las computadoras vivas van a ser una realidad en un futuro próximo. Las computadoras vivas, como la de Ronda, no necesitan una fuente externa de energía ni deben ser reemplazadas. Para entender cómo serán posibles las computadoras vivas, miremos brevemente la evolución de las computadoras desde el 1800.

Las primeras computadoras, hechas de ruidosos engranajes y ruedas, funcionaban a mano. Poseían una capacidad muy simple de responder a preguntas, basándose en la información que almacenaban. En 1950, las computadoras ya funcionaban con electricidad e interruptores. La información era almacenada cuando miles de

▲ **Tubos de vacío como éste hicieron posible las primeras computadoras.**

▲ **En los 50 las computadoras usaban transistores en vez de tubos de vacío.**

interruptores se prendían y se apagaban de ciertas maneras. Aunque podían recibir mucha información en sus bancos eléctricos de memoria, las computadoras de los 50 eran aún muy rudimentarias. En efecto, una de ellas ocupaba un cuarto entero y podía hacer menos que muchos de los juegos de video de los años 80.

Las computadoras de los 80 contienen miles de interruptores y caben sobre la superficie de una mesa. Son así de compactas gracias a los chips de silicio. Los ingenieros pueden poner cientos de interruptores en un trocito de silicio químico. Estos minúsculos trozos de silicio, llamados chips, son fabricados con rayos laser y microscopios. Son éstos los que registran la información, por ejemplo, cuando le dices a la computadora tu nombre.

Pero aún con los chips de silicio, las computadoras modernas no pueden pensar creativamente o razonar. Una computadora tiene menos sentido común que un caracol de jardín. Los expertos creen que es necesario desarrollar una nueva manera de archivar información en las computadoras para que

éstas se puedan "graduar" a niveles más complejos. El secreto para desarrollar un nuevo sistema de información tal vez esté en las moléculas de ciertas substancias químicas.

¿Por qué en moléculas? Los científicos saben que cuando ciertas moléculas se unen, ocurren cambios interesantes. Por ejemplo, la electricidad puede saltar de una molécula a otra como si entre ellas se prendieran y apagaran unos interruptores pequeñísimos. ¿Podemos aprender cómo funcionan estos interruptores? Si lo logramos, tal vez se pueda construir un nuevo tipo de computadora.

Esta nueva computadora podría contener más información en una sola gota de líquido que una computadora actual puede archivar

▶ **Cuando son destruidos los nervios que conectan los ojos al cerebro, las señales eléctricas no pueden fluir. Uno no puede ver. Al injertar una computadora del tamaño de un grano de arroz, una persona recupera la vista porque ésta funciona exactamente como los nervios ópticos.**

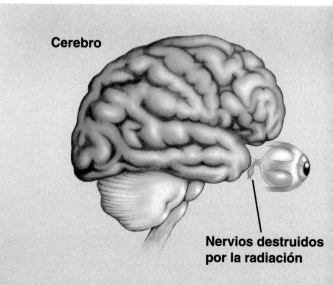

Cerebro

Nervios destruidos por la radiación

▲ Hoy, en un chip de silicio caben miles de transistores.

▲ Una compleja red de moléculas de proteína, como en este dibujo, quizás sean los interruptores de las computadoras del futuro.

"enseñar" a las bacterias a hacer moléculas especiales. Estas moléculas, al mezclarse, podrían producir el flujo de electricidad necesario para hacer una computadora.

Por supuesto, no se le puede enseñar a las bacterias como se enseña a la gente. Las bacterias no son capaces de "aprender." Pero los científicos controlan ahora las bacterias de maneras insólitas. Hay nuevas técnicas disponibles que permiten a los científicos combinar dos diferentes tipos de bacteria para producir una tercera, de un tipo totalmente diferente. En el futuro, quizás las bacterias podrán producir productos químicos nunca vistos antes.

en un cuarto lleno de chips. Como puedes imaginar, las moléculas de la computadora del futuro tendrían que ser muy especiales. Y tendrían que producirse de una forma nueva.

DÉJALO A LAS BACTERIAS

Una de las ideas actuales más populares respecto a cómo podrían producirse estas moléculas es: ¡Dejemos que las bacterias lo hagan! Estamos rodeados de bacterias. Éstas constantemente descomponen químicos complejos en moléculas. Las bacterias trabajan en nuestros cuerpos, en los alimentos y en el medio ambiente cada minuto del día. Algunos científicos piensan que se puede

En cuanto a una computadora viva, imagínate que ciertas bacterias hubieran sido enseñadas a hacer moléculas especiales. Estas bacterias se cultivarían en un recipiente especial y se alimentarían con una sustancia especial para que produjeran ciertas moléculas. Si las moléculas pudieran ser instruidas o programadas, tendríamos una computadora. La computadora se mantendría viva, porque la bacteria viviría, crecería y produciría moléculas dentro del recipiente.

Piensa en la computadora viva injertada en el cerebro de Ronda, que le permitió ver nuevamente. No olvides que las bacterias necesitan alimentos para hacer moléculas. Imagina que la computadora de Ronda fuera alimentada por su propia sangre, igual que las otras células en su cuerpo. Si esto fuera así, la computadora viviría tanto tiempo como Ronda.

Es posible que pasen muchos años antes de que la computadora viva sea una realidad. Los científicos tienen que aprender más aún sobre cómo las moléculas reaccionan entre sí y cómo pueden ser programadas. Muchos científicos esperan el día en que puedan mirar una computadora y decir: "Está viva."

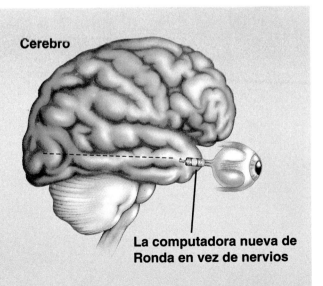

Cerebro

La computadora nueva de Ronda en vez de nervios

For Further Reading

> If you have been intrigued by the concepts examined in this textbook, you may also be interested in the ways fellow thinkers—novelists, poets, essayists, as well as scientists—have imaginatively explored the same ideas.

Chapter 1: Electric Charges and Currents

Cosner, Sharon. *The Light Bulb: Inventions that Changed Our Lives.* New York: Walker.

Franklin, Benjamin. *Autobiography of Benjamin Franklin.* New York: Airmont.

Shelley, Mary. *Frankenstein.* London, England: Penguin.

Silverstein, Shel. *A Light in the Attic.* New York: Harper & Row.

Chapter 2: Magnetism

Averons, Pierre. *The Atom.* New York: Barron.

Clark, Electra. *Robert Peary: Boy of the North Pole.* New York: Macmillan.

Clarke, Arthur C. *The Wind from the Sun: Stories of the Space Age.* New York: New American Library.

Mason, Theodore K. *Two Against the Ice: Amundsen and Ellsworth.* Spring Valley, NY: Dodd, Mead.

Vogt, Gregory. *Electricity and Magnetism.* New York: Watts.

Chapter 3: Electromagnetism

Ellis, Ella T. *Riptide.* New York: Macmillan.

Evans, Arthur N. *The Automobile.* Minneapolis, MN: Lerner Publications.

Farr, Naunerle C. *Thomas Edison—Alexander Graham Bell.* West Haven, CT: Pendulum Press.

Mazer, Harry. *When the Phone Rang.* New York: Scholastic.

Snow, Dorothea J. *Samuel Morse: Inquisitive Boy.* New York: Macmillan.

Chapter 4: Electronics and Computers

Chetwin, Grace. *Out of the Dark World.* New York: Lothrop, Lee & Shepard Books.

Clarke, Arthur C. *2001: A Space Odyssey.* New York: New American Library.

Francis, Dorothy. *Computer Crime.* New York: Lodestar.

Trainer, David. *A Day in the Life of a TV News Reporter.* Mahwah, NJ: Troll.

Otras lecturas

Si los conceptos que has visto en este libro te han intrigado, puede interesarte ver cómo otros pensadores—novelistas, poetas, ensayistas y también científicos— han explorado con su imaginación las mismas ideas.

Capítulo 1: Cargas y corrientes eléctricas

Cosner, Sharon. *The Light Bulb: Inventions that Changed Our Lives*. New York: Walker.

Franklin, Benjamin. *Autobiography of Benjamin Franklin*. New York: Airmont.

Shelley, Mary. *Frankenstein*. London, England: Penguin.

Silverstein, Shel. *A Light in the Attic*. New York: Harper & Row.

Capítulo 2: Magnetismo

Averons, Pierre. *The Atom*. New York: Barron.

Clark, Electra. *Robert Peary: Boy of the North Pole*. New York: Macmillan.

Clarke, Arthur C. *The Wind from the Sun: Stories of the Space Age*. New York: New American Library.

Mason, Theodore K. *Two Against the Ice: Amundsen and Ellsworth*. Spring Valley, NY: Dodd, Mead.

Vogt, Gregory. *Electricity and Magnetism*. New York: Watts.

Capítulo 3: Electromagnetismo

Ellis, Ella T. *Riptide*. New York: Macmillan.

Evans, Arthur N. *The Automobile*. Minneapolis, MN: Lerner Publications.

Farr, Naunerle C. *Thomas Edison—Alexander Graham Bell*. West Haven, CT: Pendulum Press.

Mazer, Harry. *When the Phone Rang*. New York: Scholastic.

Snow, Dorothea J. *Samuel Morse: Inquisitive Boy*. New York: Macmillan.

Capítulo 4: La electrónica y las computadoras

Chetwin, Grace. *Out of the Dark World*. New York: Lothrop, Lee & Shepard Books.

Clarke, Arthur C. *2001: A Space Odyssey*. New York: New American Library.

Francis, Dorothy. *Computer Crime*. New York: Lodestar.

Trainer, David. *A Day in the Life of a TV News Reporter*. Mahwah, NJ: Troll.

Activity Bank

Welcome to the Activity Bank! This is an exciting and enjoyable part of your science textbook. By using the Activity Bank you will have the chance to make a variety of interesting and different observations about science. The best thing about the Activity Bank is that you and your classmates will become the detectives, and as with any investigation you will have to sort through information to find the truth. There will be many twists and turns along the way, some surprises and disappointments too. So always remember to keep an open mind, ask lots of questions, and have fun learning about science.

Pozo de actividades

¡Bienvenido al pozo de actividades! Esta es la parte más excitante y agradable de tu libro de ciencias. Usando el pozo de actividades tendrás la oportunidad de hacer observaciones interesantes sobre ciencias. Lo mejor del pozo de actividades es que tú y tus compañeros actuarán como detectives, y como en toda investigación, deberás buscar a través de la información para encontrar la verdad. Habrá muchos tropiezos, sorpresas y decepciones a lo largo del proceso. Por eso recuerda mantener la mente abierta, haz muchas preguntas y diviértete aprendiendo sobre ciencias.

GIVE IT A SPIN

An object can acquire charge in a number of ways. One way is by friction, a process in which two objects are rubbed together. Another way is by conduction. In this case, two objects that are in contact with each other transfer charge between them. Still another way is by induction, in which a charged object brought near but not in contact with another object causes charges to rearrange themselves. In this activity you will make a normal drinking straw spin about by experimenting with two of these methods of charging.

What Materials to Gather

2 soda straws
jar (medium to large in size)
fine thread, 20 cm long
rubber comb
cloth made out of wool
scissors

What Procedure to Do

1. Tie the thread around the middle of one of the drinking straws. Lay this drinking straw across the mouth of the jar so that the thread hangs at least a few centimeters above the bottom of the jar. If the thread is too long, trim it with the scissors until it is the correct length.

2. Cut the other drinking straw in half. If you have a narrow jar, you may need to cut it shorter. The straw must be able to fit horizontally in the jar.

3. Tie this piece of drinking straw to the end of the thread attached to the first straw.

4. Lay the full straw back across the mouth of the jar so that the thread with the smaller straw hangs inside.

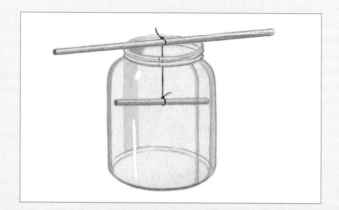

5. In a room where humidity is low, rub the comb briskly with the wool cloth. Hold the comb up to the outside of the jar. Observe what happens.

6. Rub the comb again and touch it to the jar in a different location. Observe what happens.

7. Repeat the process several more times, but each time place the comb on the jar in a different spot—even drag it around the jar. Observe what happens.

8. Try this activity in a humid environment. You can choose a steamy bathroom or a sink filled with hot water. Observe what happens in this environment.

What Ideas to Think About

1. What observations did you make in step 5?

2. What happens to the small straw in step 6?

3. Describe your observations in step 7.

4. What forms of electrical charging occurred in this activity?

5. Can you explain your observations?

6. What did you observe in step 8?

7. Why won't this activity work in high humidity?

Pozo de actividades

Un objeto puede adquirir una carga de varias maneras. Una de ellas es por fricción, un proceso donde dos objetos se frotan entre sí. Otra manera es por conducción. En este caso, dos objetos que están en contacto se transfieren cargas entre sí. Y otra manera es por inducción, en la cual un objeto cargado se acerca a otro, causando que las cargas se reordenen. En esta actividad vas a hacer girar un sorbete al experimentar con dos de estos métodos de adquirir carga.

Materiales

2 sorbetes
un frasco (mediano)
20 cm de hilo fino
peine de goma
paño de lana
tijeras

Procedimiento

1. Ata el hilo en la mitad de uno de los sorbetes. Apóyalo sobre la boca del frasco de modo que el hilo no toque el fondo. Si el hilo es muy largo, recórtalo con las tijeras hasta que tenga el largo apropiado.

2. Corta el otro sorbete por la mitad. Si el frasco es muy angosto, tendrás que cortarlo más. El sorbete tiene que caber horizontalmente en el frasco.

3. Átalo al hilo del primer sorbete.

4. Vuelve a apoyar el sorbete sobre la boca del frasco de modo que el hilo con el sorbete más pequeño cuelgue dentro del frasco.

5. Frota el peine con la lana en un cuarto con poca humedad. Acerca el peine al frasco. Observa qué pasa.

6. Frota el peine de nuevo y toca con el mismo el frasco en diferentes lugares. Observa qué pasa.

7. Repite el proceso varias veces y cada vez pon el peine cerca de un lugar diferente del frasco. Incluso arrastra el peine alrededor del mismo. Observa qué pasa.

8. Prueba esta actividad en un ambiente húmedo. Escoge un baño con vapor o un lavado lleno de agua caliente. Observa qué pasa en este ambiente.

Observaciones y conclusiones

1. ¿Qué observaste en el paso 5?

2. ¿Qué pasó con el sorbete pequeño en el paso 6?

3. Describe lo que observaste en el paso 7.

4. ¿Qué formas de cargas eléctricas ocurrieron durante esta actividad?

5. ¿Puedes explicar tus observaciones?

6. ¿Qué observaste en el paso 8?

7. ¿Por qué no funciona esta actividad en un ambiente muy húmedo?

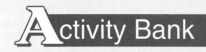
SNAKE CHARMING

Do you think static electricity and snakes have anything to do with each other? They may if the snake is made out of tissue paper. In this activity, you will take advantage of static electricity to charm a snake.

Materials You Need

large sheet of tissue paper
silk handkerchief or scarf
plastic pen
metal plate or tray
scissors
compass
metric ruler

What You Do

1. Use the compass to gently draw a circle on the tissue paper. Be very careful not to tear the paper. The diameter of the circle should be about 20 cm. Then use the scissors to cut the circle out of the tissue paper.

2. Place the pen at the center of the circle and draw a spiral that extends out to the edge of the circle. Again, draw very delicately so as not to tear the paper.

3. Slowly cut along the spiral line you drew on the paper. Cut only along the line so that when you are finished you are left with a continuous length of tissue paper.

4. Lay the tissue paper spiral on the metal plate or tray.

5. Rub the pen vigorously with the silk handkerchief or scarf.

6. Place the end of the pen slightly above the center of the spiral and slowly lift the pen.

What You Saw and Why

1. What happens to the spiral as you lift the pen?

2. What was the purpose of rubbing the pen with silk?

3. How would you describe static electricity?

4. What eventually happens to the tissue-paper snake?

ENCANTAMIENTO DE SERPIENTES

¿Crees que la electricidad estática y las serpientes tienen algo que ver la una con la otra? Puede ser, especialmente si la serpiente es de papel de seda. En esta actividad vas a aprovechar la electricidad estática para encantar una serpiente.

Materiales

pliego grande de papel de seda
pañuelo de seda
bolígrafo de plástico
placa o bandeja de metal
tijeras
compás
regla métrica

Procedimiento

1. Con el compás dibuja un círculo sobre el papel seda. Cuídate de no romper el papel. El diámetro del círculo debe ser de 20 cm. Luego, recórtalo con las tijeras.

2. Coloca el bolígrafo en el centro del círculo y dibuja una espiral que se extienda hasta el borde del mismo. Hazlo con delicadeza para no dañar el papel.

3. Lentamente recorta a lo largo de la línea de la espiral que dibujaste. Corta sólo a lo largo de la línea de modo que al final tengas un trozo largo y continuo de papel de seda.

4. Coloca la espiral de papel sobre la placa o bandeja de metal.

5. Frota vigorosamente el bolígrafo con el pañuelo de seda.

6. Sujeta el extremo del bolígrafo sobre el centro de la espiral y levántalo lentamente.

Observaciones y concluciones

1. ¿Qué pasa con la espiral al levantar el bolígrafo?

2. ¿Cuál era el propósito al frotar el bolígrafo con la seda?

3. ¿Cómo describirías la electricidad estática?

4. ¿Qué le pasa eventualmente a la serpiente de papel de seda?

COVER UP

Have you ever heard an object described as having been electroplated? Electroplating is the process in which one metal is gradually deposited on another metal by means of electricity. Modern pennies, in fact, are made primarily of zinc and then electroplated, or covered, with copper. Sometimes jewelry is made of less expensive metals and then electroplated with gold to give it the appearance of gold. In this activity you will investigate a simple example of electroplating.

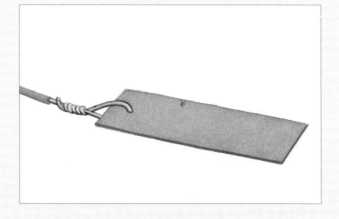

Materials

milk or juice carton, 95 mL (1 qt)

copper strip (about 2.5 cm x 7.5 cm)

several tablespoons of salt

100 mL of vinegar

2 lengths of wire, 30 cm each

key or other metal object that you have permission to use

fresh battery

scissors

tablespoon

Procedure

1. Use the scissors to carefully cut around the carton about 5 to 6 cm from the bottom. Discard the top of the carton and make sure that the bottom is thoroughly cleaned.

2. Poke a small hole in the end of the copper strip about 1 cm from the end.

3. Remove the insulation from the ends of the wire. Thread the end of one length of wire through the hole in the copper strip and twist it tightly back onto itself as shown in the accompanying diagram.

4. Bend the end of the copper strip with the wire attached so that it can hang on the edge of the carton. Carefully hang it on the edge so that the wire is on the outside of the carton.

5. Pour vinegar into the container until most of the copper strip is submerged.

6. Add a tablespoon of salt to the vinegar and stir. If all the salt dissolves, keep adding salt and stirring until no more salt can be dissolved. You will know this point because the salt will begin settling to the bottom. This means that you have made a saturated solution.

7. Attach the free end of the wire to the knob on the top of the battery.

8. Connect one end of the other piece of wire to the battery and the other end to the key (or other metal object) by looping the wire through the keyhole and twisting it. *Remember, you must obtain permission to electroplate the object.* Electroplating will not affect the use of the object. Make sure the object is clean and dry.

¿Has oído hablar alguna vez de un objeto galvanizado? El galvanizado es un proceso en el cual un metal se deposita gradualmente sobre otro por medio de la electricidad. Los centavos modernos, de hecho, son hechos de zinc y luego galvanizados, o recubiertos de cobre. A veces, ciertas joyas son hechas de materiales baratos y después galvanizadas con oro para darle la apariencia de ese metal. En esta actividad vas a estudiar un simple ejemplo de galvanización.

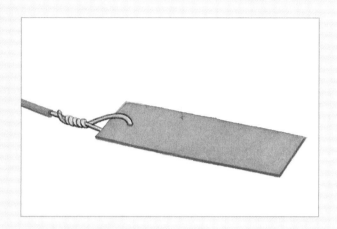

Materiales

envase de cartón de leche o jugo de 95 mL (1 qt)

lámina de cobre (2.5 cm x 7.5 cm)

varias cucharadas de sal

100 mL de vinagre

2 trozos de cable de 30 cm de largo

llave o cualquier otro objeto de metal que tengas permiso para usar

una batería nueva

tijeras

cuchara

Procedimiento

1. Con las tijeras corta cuidadosamente el cartón a unos 5 ó 6 cm de la base. Desecha el resto del envase y asegúrate que la base esté muy limpia.

2. Perfora un agujero pequeño a 1 cm del extremo de la lámina de cobre.

3. Quita la aislación a los extremos de un cable. Pasa una de las puntas del cable por el hoyito de la lámina de cobre y enróllalo cómo se muestra en el diagrama adjunto.

4. Dobla el extremo de la lámina y cuélgala de un borde del envase con el cable fuera del mismo.

5. Vierte vinagre en el recipiente hasta que casi toda la lámina de cobre esté sumergida.

6. Añade una cucharada de sal al vinagre y revuélvelo. Si se disuelve toda la sal, sigue agregándole hasta que no se disuelva más. Te vas a dar cuenta de esto porque la sal se va a quedar en el fondo. Esto indica que has hecho una solución saturada.

7. Conecta el otro extremo del cable al botón superior de la batería.

8. Conecta un extremo del otro trozo de cable a la batería y el otro a la llave (u otro objeto de metal) pasándolo por su agujero y enrollándolo. Recuerda, debes obtener permiso para galvanizar el objeto. La galvanización no va a afectar su uso. Asegúrate de que el objeto esté limpio y seco.

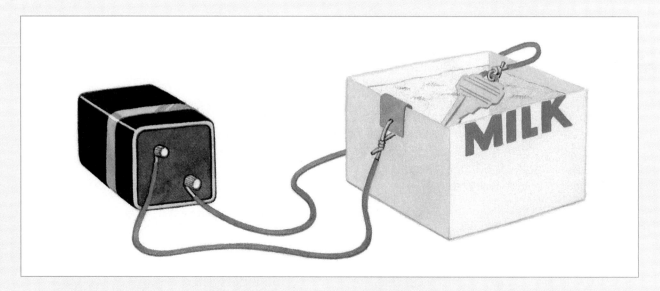

9. Immerse the key in the vinegar-salt solution except for the very top where it is connected to the wire. Make sure that the two pieces of metal, the copper strip and the key, do not touch each other.

Observations and Conclusions

- Do you see anything happening to the solution?

- What do you see on the key?
- What happens to the metal object after a while? Can you explain why? [**Note:** If the process you are observing seems to be slowing down, you may need to remove the key, wipe off the bubbles, and then return it to the solution.]
- Can you suggest reasons why electroplating is useful?

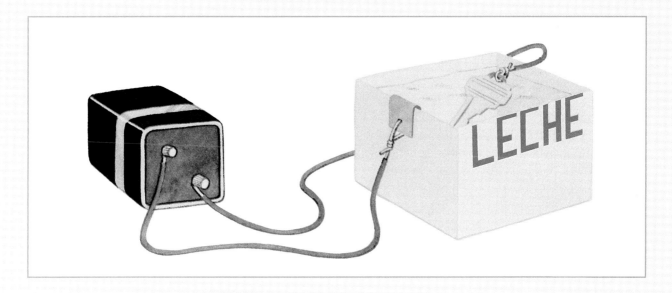

9. Sumerge la llave en la solución de vinagre y sal sin meter la parte donde está conectada al cable. Asegúrate que ambas piezas de metal, la lámina de cobre y la llave, no se toquen entre sí.

Observaciones y conclusiones

- ¿Ves que le ocurre algo a la solución?

- ¿Qué ves en la llave?

- ¿Qué pasa con el objeto de metal después de un rato? ¿Puedes explicar por qué? [**Nota:** Si el proceso que observas se retarda, vas a tener que sacar la llave, limpiarle las burbujas y volverla a meter en la solución.]

- ¿Puedes sugerir razones por qué es útil el galvanismo?

A SHOCKING COMBINATION

You probably learned long ago that electricity and water are an extremely dangerous combination. This is because water (other than pure water) is an excellent conductor of electricity. But what about ice? Does water conduct electricity even when it is frozen? Michael Faraday asked this same question, and in this activity you will discover the answer just as he did.

Materials Needed

3 lengths of insulated wire, 30 cm each

2 strips of copper, 2.5 cm x 7.5 cm

milk or juice carton, 95 mL (1 qt)

6-volt battery

galvanometer

scissors

ice pick

wire cutter

salt

Procedure

1. Use the ice pick to punch a small hole in one end of each of the copper strips about 1 cm from the end. **CAUTION:** *Be careful when using sharp instruments.*

2. Remove the insulation from the ends of the connecting wires. Thread the end of one length of wire through the hole in one of the copper strips and twist it tightly back onto itself as shown in the accompanying diagram. Do the same with another length of wire and the remaining copper strip.

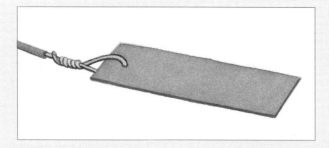

3. Use the scissors to carefully cut around the milk or juice carton about 7 cm from the bottom. Discard the top of the carton and make sure the bottom is clean.

4. Bend the copper strips so that they can hang on the sides of the carton. The bend should be closer to the end with the wire attached. With the wire on the outside of the container, hang the copper strips on opposite sides of the carton.

5. Angle the part of the strips inside the carton inward so that the two ends come within about 2.5 cm of each other.

6. Connect the wire hanging from one of the copper strips to the galvanometer. Then attach the wire from the other copper strip to one of the battery terminals. Use the remaining piece of wire to connect the galvanometer to the other battery terminal.

UNA COMBINACIÓN ELECTRIZANTE

Probablemente aprendiste hace mucho tiempo que la electricidad y el agua son una combinación muy peligrosa. Esto es porque el agua (no el agua pura) es muy buen conductor de electricidad. Pero, ¿qué pasa con el hielo? ¿Conduce electricidad el agua aun cuando está congelada? Michael Faraday se hizo la misma pregunta y en esta actividad descubrirás la respuesta que obtuvo.

Materiales necesarios

3 trozos de cable aislado de 30 cm cada uno

2 láminas de cobre de 2.5 X 7.5 cm

envase de cartón de leche o jugo de 95 mL (1 qt)

batería de 6 voltios

galvanómetro

tijeras

punzón para romper el hielo

cortaalambres

sal

Procedimiento

1. Usa el punzón de hielo para perforar un pequeño agujero a 1 cm de un borde de cada una de las láminas de cobre. **CUIDADO:** *Ten cuidado cuando uses instrumentos filosos.*

2. Quita la aislación a los extremos de los cables. Pasa un trozo de cable por el agujero de una de las láminas y enróllalo tal como se ve en el diagrama. Haz lo mismo con el otro trozo de cable y la otra lámina.

3. Con las tijeras corta cuidadosamente el cartón a unos 7 cm de la base. Desecha el resto del envase y asegúrate que la base esté muy limpia.

4. Dobla las láminas de cobre de modo que puedan colgar de los lados del envase. El pliegue debe estar cerca del borde con el cable. Luego, cuelga las láminas, con los cables hacia afuera, en lados opuestos del envase.

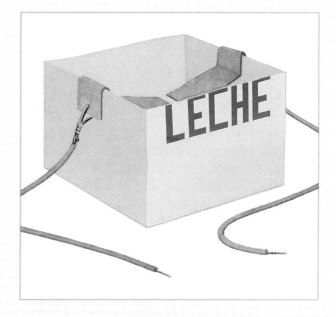

5. Forma un ángulo con las partes de adentro de las láminas de modo que sus bordes queden a 2.5 cm de distancia.

6. Conecta el cable de una de las láminas al galvanómetro. Luego, conecta el otro cable a uno de los polos de la batería. El último cable conéctalo del galvanómetro al otro polo de la batería.

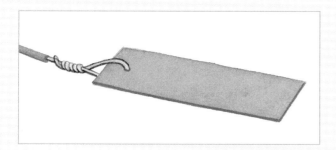

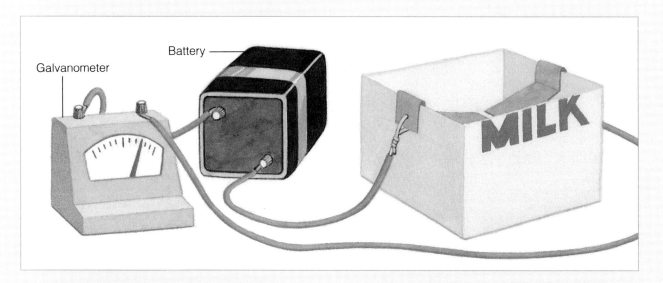

Galvanometer

Battery

MILK

7. Now all you need is something to complete the circuit—to bridge the gap between the copper strips. Fill the carton to about 2.5 cm from the top with ordinary tap water. Make sure the sections of the copper strips inside the carton are submerged in water.

At the same time, have a partner keep an eye on the galvanometer. You may or may not get a response depending on what part of the country you live in. If the water in your area is hard (has a high mineral content), it will conduct current. But if the water is soft, it may not be able to conduct enough current to deflect the galvanometer. **CAUTION:** *Don't be misled by this, however. Soft water can still conduct dangerous quantities of electricity in other circumstances.*

8. If the galvanometer needle did move, your local water conducts electricity and you can move on to the next step. If your galvanometer needle did not move, add salt to the water until it does.

9. Now detach the connections between the copper strips and the battery and galvanometer by untwisting the wires. Do not cut them because you will need them again. Place the carton, with the copper strips attached, in the freezer.

10. When the water in the carton is frozen solid, reconstruct the original circuit. Do you get a reading on the galvanometer with the frozen water? Keep an eye on the galvanometer as the ice melts. What do you observe?

■ What can you conclude from this experiment?

■ Compare your results with those of your classmates. Are your results the same? If not, can you suggest reasons why? Perhaps mistakes were made in the procedure. Can you hypothesize as to what mistakes may occur during this activity?

■ Why do you think you should never do such things as use your hair dryer near water or swim during a lightning storm?

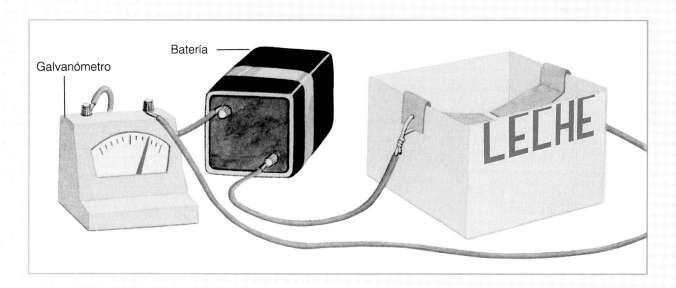

Galvanómetro

Batería

LECHE

7. Ahora lo único que necesitas es algo que complete el circuito—que una el espacio entre las láminas. Llena el envase con agua del grifo hasta 2.5 cm del borde de arriba. Asegúrate que las secciones de las láminas dentro del envase estén sumergidas.

Pídele a un(a) compañero(a) que mire el galvanómetro. Puede que haya una respuesta o no según la parte del país en que vivas. Si el agua de tu región tiene un alto contenido mineral, va a conducir la corriente. Pero si el agua es blanda, no va a poder conducir suficiente corriente para desviar el galvanómetro. **CUIDADO:** *Pero no te confíes de esto. El agua blanda puede conducir cantidades peligrosas de electricidad en otras circunstancias.*

8. Si la aguja del galvanómetro se mueve, el agua local conduce electricidad y puedes seguir con el próximo paso. Si la aguja no se mueve, agrega sal al agua hasta que se mueva la aguja.

9. Desconecta los cables de la batería y del galvanómetro; no los cortes porque los vas a necesitar otra vez. Coloca el envase con las láminas de cobre en el congelador.

10. Cuando el agua del envase esté congelada, monta de nuevo el circuito original. ¿Marca algo el galvanómetro cuando el agua está congelada? Sigue observándolo mientras se deshace el hielo. ¿Qué observas?

■ ¿Qué conclusión sacas de este experimento?

■ Compara tus resultados con los de tus compañeros. ¿Son iguales? Si no lo son, ¿se te ocurren razones por qué? Forma una hipótesis sobre qué errores pueden ocurrir durante esta actividad.

■ ¿Por qué crees que no deberías nunca usar un secador de pelo cerca del agua o nadar durante una tormenta con rayos?

A traditional compass is not the only device that can determine the direction of the Earth's magnetic field. A pair of cute little ducks can do the job too. That is if you design the ducks, of course. In this activity you will discover for yourself what happens when two magnets are placed together, and also how the magnets behave in reaction to the magnetic field of the Earth.

Materials Needed

2 steel pins	baking dish
strong magnet	scissors
sheets of colored paper	glue
2 cork disks, about 4 cm in diameter	magnetic compass (optional)

Steps to Follow

1. Fold a sheet of paper in half widthwise. Draw the outline of a duck. (You can draw anything you like, but for these instructions, it will be called a duck.)

2. Use the scissors to carefully cut the duck out of the paper. Make sure you cut through both pieces of paper so that you have two identical shapes when you are finished.

3. Rub a strong magnet over the two steel pins repeatedly so that the pins become magnetized.

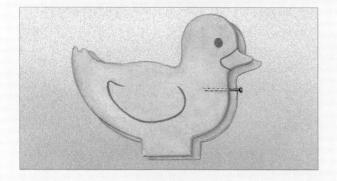

4. Place one pin between the duck cutouts. Glue the two pieces of paper together with the pin between them.

5. Repeat steps 1 and 2 to cut another two duck shapes. Glue the remaining magnetized pin between these duck cutouts, but this time place the magnetized pin facing in the opposite direction. For example, if you put the first pin's head near the duck's beak, put the second pin's head near the duck's tail.

6. Glue each figure upright on its own cork disk. (If you have trouble making it stand up, you may have to make a small base for it out of the remaining paper.) When the glue is dry, place the figures upright in a dish of water. Shake the dish slightly so that the figures move.

Observations and Conclusions

1. What happened to the ducks after a few minutes?

2. Can you explain why they moved as they did?

3. If you have a compass, compare the direction in which the ducks face with the direction of north on the compass.

4. Compare your results with those of your classmates. Are they the same as yours? If not, what may have gone wrong? Did anyone make unusual figures?

Pozo de actividades

Una brújula convencional no es el único aparato que puede determinar la dirección del campo magnético de la Tierra. Un par de patitos también pueden hacerlo. Pero sólo si tú diseñas los patos. En esta actividad vas a descubrir qué pasa cuando se colocan juntos dos imanes y cómo reaccionan al campo magnético de la Tierra.

Materiales

2 alfileres de acero

un imán poderoso

hojas de papel de color

2 discos de corcho de 4 cm de diámetro

fuente de hornear

tijeras

goma

brújula magnética (optativa)

Procedimiento

1. Dobla la hoja de papel por la mitad a lo ancho. Dibuja la silueta de un pato. (Puedes dibujar lo que quieras, pero en estas instrucciones le llamaremos pato.)

2. Con las tijeras recorta cuidadosamente el pato. Asegúrate de que recortas ambos papeles para que tengas dos formas idénticas cuando termines.

3. Frota varias veces los alfileres con el imán para que los alfieres se magneticen.

4. Coloca un alfiler entre las dos formas recortadas. Pega las dos piezas de papel con el alfiler entre ellas.

5. Repite los pasos 1 y 2 para cortar otros dos patos. Pega el otro alfiler magnetizado entre estos recortes, pero esta vez coloca el alfiler enfrentando la dirección opuesta. Por ejemplo, si pones la cabeza del primer alfiler cerca del pico del pato, coloca la cabeza del segundo alfiler cerca de su cola.

6. Pega cada figura sobre los discos de corcho. (Si tienes dificultad en pararlas, tendrás que hacer unas bases con el papel restante.) Cuando la goma esté seca, coloca las figuras en una fuente con agua. Agítala levemente para que las figuras se muevan.

Observaciones y conclusiones

1. ¿Qué le pasó a los patos después de unos minutos?

2. ¿Puedes explicar por qué se movieron en la forma en que lo hicieron?

3. Si tienes una brújula compara la dirección que miran los patos con la dirección norte de la brújula.

4. Compara tus resultados con los de tus compañeros. ¿Son igual a los tuyos? Si no, ¿qué puede haber salido mal? ¿Alguien hizo figuras insólitas?

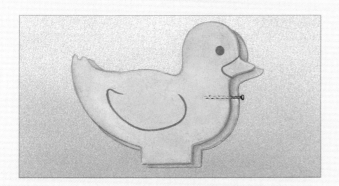

MAGNETIC PERSONALITY

It is sometimes difficult to imagine a phenomenon that exists but cannot easily be seen or felt—for example, the Earth's magnetic field. But the Earth's magnetic field is real and you are in it all the time! In this activity, you will experiment with the Earth's magnetic field.

Materials

crowbar
magnetic compass
hammer
sheet of paper
several paper clips

Procedure

1. Use the compass to determine the directions of north and south. Mark the directions on a sheet of paper.

2. Place the crowbar over the marks so that its ends point north and south. The north end should point slightly downward so you will need to place a book under the south end.

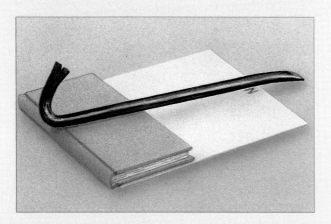

3. Place several paper clips on top of the crowbar. Observe what happens to them.

4. Now hit the crowbar solidly several times with the hammer. **CAUTION**: *Be careful when using the hammer. Do not swing it high and make sure that no one's hands or fingers are near where you hit it.* Wait a few minutes and then place the paper clips on the crowbar again. Observe what happens this time. If you do not observe any changes, hit the crowbar again.

Observations and Conclusions

1. What happened when you first placed the paper clips on the crowbar?

2. What happened to the paper clips after you hit the crowbar with the hammer?

3. How can you explain your observations?

4. Why do you think the crowbar had to be positioned with its north end pointing downward?

The Next Step

Take a second crowbar, or the same one after it is no longer magnetized, and again place it in a north-south position. Do not hit it this time. Simply let it remain in that position for several days to a week to find out if it becomes magnetized. If it does, what was the purpose of hitting the crowbar in the original activity?

Pozo de actividades

A veces es difícil imaginarse un fenómeno que existe, pero que no se puede ver ni sentir fácilmente, por ejemplo, el campo magnético terrestre. ¡Pero éste es real, y te encuentras en él todo el tiempo! En esta actividad vas a experimentar con el campo magnético terrestre.

Materiales

barreta de hierro
brújula magnética
martillo
hoja de papel
varios sujetapapeles

Procedimiento

1. Con la brújula determina las direcciones norte y sur. Márcalas en una hoja de papel.

2. Coloca la barreta sobre las marcas de modo que sus extremos señalen el norte y el sur. El extremo norte necesita estar en declive así que tienes que poner un libro bajo el extremo sur.

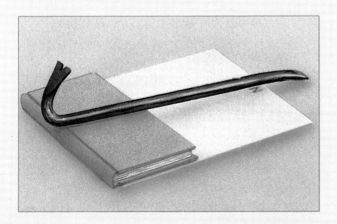

3. Coloca varios sujetapapeles sobre la barreta. Observa qué les pasa.

4. Golpea fuertemente varias veces la barreta con el martillo. **CUIDADO:** *Ten cuidado al usar el martillo. No lo levantes mucho y asegúrate que ni las manos ni los dedos de nadie estén cerca.* Espera unos minutos y luego vuelve a poner los sujetapapeles sobre la barreta. Observa lo que pasa esta vez. Si no ves ningún cambio, pégale otra vez.

Observaciones y conclusiones

1. ¿Qué pasó cuando pusiste los sujetapapeles sobre la barreta por primera vez?

2. ¿Qué pasó con los sujetapapeles después de pegarle a la barreta con el martillo?

3. ¿Puedes explicar tus observaciones?

4. ¿Por qué crees que tuviste que poner la barreta con el extremo norte señalando hacia abajo?

El próximo paso

Toma otra barreta, o usa la misma cuando no esté magnetizada, y coloca en la posición norte–sur. No la golpees esta vez. Simplemente déjala en esa posición varios días o una semana para comprobar si se magnetiza. Si lo hace, ¿cuál era el propósito de golpear la barreta en la actividad original?

SLUGGING IT OUT

Have you ever wondered how a vending machine differentiates between a real coin and a fake one, or a slug? As you may know, a vending machine accepts only real coins—not just any coin-sized piece of metal. In this activity you will construct a device that distinguishes between real coins and impostors.

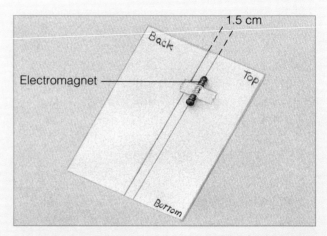

Materials

thin, stiff cardboard, about 25 cm x 30 cm

various coins

coin-sized iron washers

6-volt battery

electromagnet (If you cannot get one, you can build one by following the directions on page P67.)

small triangular piece of wood, with an altitude of about 2 cm and a base of about 2 cm

2 insulated wires, about 40 cm each

tape

glue

metric ruler

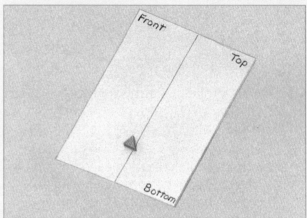

Procedure ⊪

1. Mark the cardboard to show front, back, top, and bottom. Draw a line down the center of both the front and back from top to bottom.

2. Turn the cardboard so that the back is facing you. Draw a line parallel to the center line but about 1.5 cm to the right of it. Tape the electromagnet on this line about one-third of the way down from the top.

3. Turn the cardboard so its front is facing you. Glue the triangular piece of wood onto the front of the cardboard. The bottom of the triangle should be about 8 cm from the bottom of the cardboard. The top of the triangle should be about 0.5 cm to the left of the center line.

4. Use alligator clips to connect the end of one of the wires to one terminal of the battery and the other end to the electromagnet.

5. Connect the second wire to the other end of the electromagnet.

6. Prop the cardboard against something sturdy at a 45° angle. To complete the circuit, attach the loose wire to the remaining terminal of the battery. **Note**: *Only do this momentarily each time you test a coin.* The electromagnet will drain a lot of energy from the battery.

7. From the top of the center line, let a coin slide down the cardboard. Observe what happens.

¿Te has preguntado alguna vez cómo un distribuidor automático diferencia las monedas verdaderas de las falsas? Como bien sabes, un distribuidor automático sólo acepta monedas verdaderas—no cualquier trozo de metal parecido a una moneda. En esta actividad vas a construir un aparato que distingue a las monedas verdaderas de las falsas.

Materiales

25 a 30 cm de cartón fino y tieso

varias monedas

arandelas de hierro de la medida de una moneda

batería de 6 voltios

electroimán (Si no puedes conseguir uno, constrúyelo siguiendo las instrucciones de la página P67.)

un trozo triangular de madera con un alto de 2 cm y una base de 2 cm

2 cables aislados de 40 cm cada uno

cinta adhesiva

goma

regla métrica

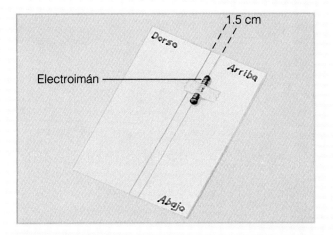

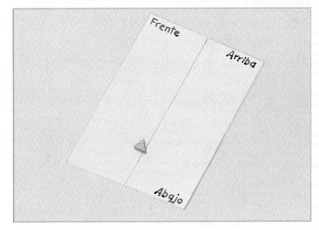

Procedimiento

1. Marca el cartón en cuatro puntos: frente, atrás, arriba, abajo. Traza una línea por el centro, tanto al frente como de atrás.

2. Da vuelta el cartón de modo que veas la parte de atrás. Traza una línea paralela a la del centro, a 1.5 cm hacia su derecha. Pega el electroimán en esta línea como se indica en el diagrama.

3. Gira el cartón de modo que veas el frente. Pega el trozo triangular de madera sobre el frente del cartón. La base del triángulo debe quedar a unos 8 cm del borde de abajo del cartón. La punta del triángulo debe quedar a unos 0.5 cm a la izquierda de la línea central.

4. Con unas pinzas de cocodrilo conecta un extremo de uno de los cables al polo de la batería y el otro al del electroimán.

5. Conecta el segundo cable al otro extremo del electroimán.

6. Apoya el cartón en un ángulo de 45° contra algo firme. Para completar el circuito, conecta el cable suelto al otro polo de la batería. **Nota:** *Haz esto brevemente cada vez que pruebes una moneda.* El electroimán consume mucha energía de la batería.

7. Deja deslizarse una moneda desde arriba y por la línea central del cartón. Observa qué sucede.

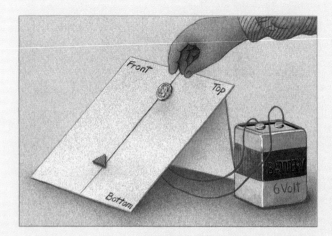

8. Slide a slug down the center line. Observe what happens.

9. Continue to slide several more slugs and coins down the center line. Look for a pattern in your observations.

Observations and Conclusions

1. Describe your observations in steps 7, 8, and 9.

2. How can you explain your observations?

Where It All Started

In the 1880s, it was believed that iron ore, the source of useful iron, was scarce. But Thomas Edison knew that this was not the case. The reason was because the valuable iron ore was mixed with worthless sand. Edison designed a processing plant that separated the iron ore from the sand in a device much like your slug rejector. Explain how such a device could have been used to achieve Edison's goal.

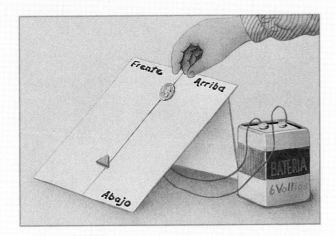

8. Desliza ahora una de las arandelas por la línea del centro. Observa qué pasa.

9. Sigue probando con varias monedas y otras arandelas por la línea del centro. Trata de encontrar un patrón en tus observaciones.

Observaciones y conclusiones

1. Describe tus observaciones en los pasos 7, 8 y 9.

2. ¿Cómo puedes explicar tus observaciones?

El comienzo

En 1880 se creía que el mineral de hierro, fuente de hierro utilizable, era escaso. Pero Thomas Edison pensaba que esto no era así. La razón se debía a que el valioso mineral de hierro estaba mezclado con arena. Edison diseñó una planta procesadora que separaba el hierro de la arena mediante un aparato muy parecido al detector de monedas falsas. Explica cómo puede haber sido usado tal aparato para lograr el objetivo de Edison.

At first glance, the binary system of numbers seems quite confusing. However, someone who knew only the binary system would find the number system with which you are familiar equally as confusing. Believe it or not, the number systems operate on the same basic principles. The only difference is how many different numerals there are, or the base of the number system. You are familar with a base 10 number system in which there are ten different numerals. The binary system is to the base 2. It contains only two numerals. In this activity you will become accustomed to recognizing and using the binary system.

Materials

several sheets of white construction paper
several sheets of black construction paper
scissors

Procedure

1. Form a group with three other classmates. Draw light bulbs (about 10 cm tall) on the sheets of construction paper. Draw as many as you can fit on the paper you have.

2. Use the scissors to carefully cut out each bulb.

3. The binary system has only two numerals, 0 and 1. In an electronic device, such as a calculator, a circuit or light is shut off to show a 0. In this activity, the black bulbs represent lights that are off, or 0s. A circuit or light is turned on to show a 1. The white bulbs represent lights that are on, or 1s.

4. Form numbers by standing next to each other and holding up the construction-paper bulbs. Practice counting to 8 until you get the hang of it. Make sure you each know how to read binary numbers by using the information in the number guide that follows.

Number Guide

In any number system, each place holds a power of the base of the system. For example, the first place is always the base of the system to the zero power. Any number to the zero power is equal to 1. So the numeral one (white bulb) in the first place represents the number 1. A zero (black bulb) represents a zero.

The second place is the base, in this case 2, to the first power, so 2 ($2^1=2$). The numeral one in the second place thus represents the number 2. Notice how each time you move one place to the left, the power increases by one. The number 3 is represented by showing a 1 and a 2 at the same time—a numeral one (1 in the first place) and a 2 (1 in the second place). All other numbers are formed by making combinations of 1s and 0s in that manner.

2^5	2^4	2^3	2^2	2^1	2^0
32	16	8	4	2	1

EL IDIOMA DE LAS COMPUTADORAS

A primera vista el sistema numérico binario parece muy confuso. Sin embargo, alguien que conociera sólo el sistema binario encontraría el sistema numérico que tú usas igualmente confuso. Aunque no lo creas, los sistemas numéricos se basan en los mismos principios básicos. La única diferencia radica en cuántos números hay, o la base del sistema numérico. Tú conoces un sistema numérico con base 10 que tiene diez números diferentes. El sistema binario tiene base 2. Contiene sólo dos números. En esta actividad te vas a acostumbrar a reconocer y a usar el sistema binario.

Materiales

varios pliegos de cartulina blanca
varios pliegos de cartulina negra
tijeras

Procedimiento

1. Forma un grupo con tres compañeros. Dibuja bombillas (de 10 cm de alto) en los pliegos de cartulina. Dibuja tantas como quepan en la cartulina.

2. Recorta cuidadosamente con las tijeras cada bombilla.

3. El sistema binario sólo tiene dos números, 0 y 1. En un aparato electrónico, como una calculadora, el 0 se representa por un circuito o luz apagado.En esta actividad las bombillas negras representan los ceros o las luces apagadas. El 1 se representa por un circuito o luz encendido. Las bombillas blancas representan las luces encendidas, o sea los unos.

4. Párense en una línea sosteniendo las bombillas de cartulina para formar números. Practiquen contar hasta 8 hasta que puedan hacerlo sin dificultad. Asegúrense que cada uno sepa leer números binarios usando la información en la guía de números a continuación.

Guía de números

En cualquier sistema numérico, cada lugar tiene una potencia de la base del sistema. Por ejemplo, el primer lugar siempre es la base del sistema a la potencia cero. Cualquier número a la potencia cero es igual a 1. Así, la cifra 1 (bombilla blanca) en el primer lugar representa el número 1. Un cero (bombilla negra) representa un cero.

El segundo lugar es la base, en este caso 2, a la primera potencia, o sea 2 ($2^1=2$). La cifra 1 en el segundo lugar representa el número 2. Fíjate cómo cada vez que te mueves un lugar a la izquierda, el número aumenta en uno. El número 3 se representa mostrando un 1 y un 2 a la vez—una cifra uno (1 en el primer lugar) y un 2 (1 en el segundo lugar). Todos los otros números se forman haciendo combinaciones de números 1 y 2 de esta manera.

2^5	2^4	2^3	2^2	2^1	2^0
32	16	8	4	2	1

5. Now it's time for some friendly competition. Join together with another group. Take turns holding up numbers and testing each other.

6. Once your two groups are satisfied with your mastery of the binary system, join together as one large group. You need more than four people to count to 16 and higher. Organize a game with the rest of your classmates in which teams (sizes will vary depending on the size of your class) will figure out binary numbers held up by other teams. You should set up rules that determine how points are scored, how long each contestant has to figure the number out, and how the contestants from each team should buzz in to answer.

Analysis

1. Rewrite the chart shown and extend it five more places.

2. How high can you count with one place? Two places? Five places? Seven places? Do you see a pattern?

3. A certain number of people (digits) are required to make each number. How can you determine how many people you need? How many people are needed to show the number 33?

4. Design a chart like the one shown for the base 10 number system. Do you see how they are similar?

5. Es hora de una competencia amistosa. Compitan con otro grupo tomando turnos para formar números y determinar cuánto saben.

6. Una vez que ambos grupos estén satisfechos con su dominio del sistema binario, formen un sólo grupo. Se necesitan más de cuatro personas para contar hasta 16 y más. Organiza un juego con el resto de tus compañeros en el cual equipos (el número de integrantes depende del tamaño de tu clase) descifran números binarios compuestos por otros equipos. Fijen las reglas para ganar puntos, el tiempo permitido para responder y cómo los jugadores deben anunciar sus respuestas.

Análisis

1. Escribe de nuevo la tabla adjunta y agrégale 5 lugares más.

2. ¿Hasta qué número puedes contar con un sólo lugar? ¿Con dos? ¿Con cinco? ¿Siete lugares? ¿Ves algún patrón?

3. Se necesita un cierto número de personas (dígitos) para expresar un número. ¿Cómo puedes calcular cuántas personas necesitas? ¿Cuántas personas se necesitan para hacer el número 33?

4. Diseña una tabla como la adjunta para el sistema numérico con base 10. ¿Ves en qué se parecen?

Appendix A

The metric system of measurement is used by scientists throughout the world. It is based on units of ten. Each unit is ten times larger or ten times smaller than the next unit. The most commonly used units of the metric system are given below. After you have finished reading about the metric system, try to put it to use. How tall are you in metrics? What is your mass? What is your normal body temperature in degrees Celsius?

Commonly Used Metric Units

Length   The distance from one point to another

meter (m)	A meter is slightly longer than a yard.
	1 meter = 1000 millimeters (mm)
	1 meter = 100 centimeters (cm)
	1000 meters = 1 kilometer (km)

Volume   The amount of space an object takes up

liter (L)	A liter is slightly more than a quart.
	1 liter = 1000 milliliters (mL)

Mass   The amount of matter in an object

gram (g)	A gram has a mass equal to about one paper clip.
	1000 grams = 1 kilogram (kg)

Temperature   The measure of hotness or coldness

degrees	0°C = freezing point of water
Celsius (°C)	100°C = boiling point of water

Metric–English Equivalents

2.54 centimeters (cm) = 1 inch (in.)
1 meter (m) = 39.37 inches (in.)
1 kilometer (km) = 0.62 miles (mi)
1 liter (L) = 1.06 quarts (qt)
250 milliliters (mL) = 1 cup (c)
1 kilogram (kg) = 2.2 pounds (lb)
28.3 grams (g) = 1 ounce (oz)
$°C = 5/9 \times (°F - 32)$

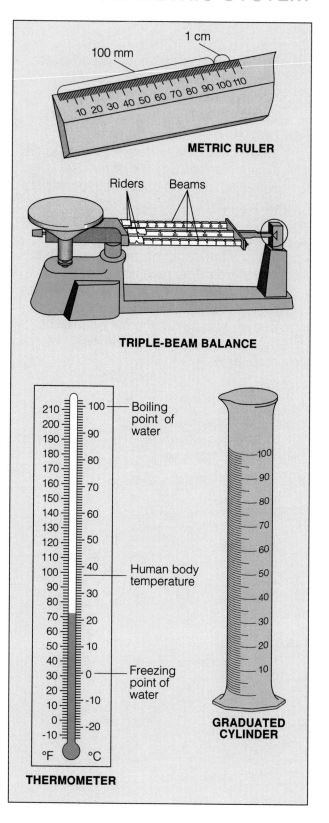

METRIC RULER

Riders   Beams

TRIPLE-BEAM BALANCE

Boiling point of water

Human body temperature

Freezing point of water

THERMOMETER

GRADUATED CYLINDER

Los científicos de todo el mundo usan el sistema métrico. Está basado en unidades de diez. Cada unidad es diez veces más grande o más pequeña que la siguiente. Abajo se pueden ver las unidades del sistema métrico más usadas. Cuando termines de leer sobre el sistema métrico, trata de usarlo. ¿Cuál es tu altura en metros? ¿Cuál es tu masa? ¿Cuál es tu temperatura normal en grados Celsio?

Unidades métricas más comunes

Longitud Distancia de un punto a otro

metro (m) Un metro es un poco más largo que una yarda.

1 metro = 1000 milímetros (mm)

1 metro = 100 centímetros (cm)

1000 metros = 1 kilómetro (km)

Volumen Cantidad de espacio que ocupa un objeto

litro (L) = Un litro es un poco más que un cuarto de galón.

1 litro = 1000 mililitros (mL)

Masa Cantidad de materia que tiene un objeto

gramo (g) El gramo tiene una masa más o menos igual a la de una presilla para papel.

1000 gramos = kilogramo (kg)

Temperatura Medida de calor o frío

grados 0°C = punto de congelación del agua

Celsio (°C) 100°C = punto de ebullición del agua

Equivalencias métricas inglesas

2.54 centímetros (cm) = 1 pulgada (in.)

1 metro (m) = 39.37 pulgadas (in.)

1 kilómetro (km) = 0.62 millas (mi)

1 litro (L) = 1.06 cuartes (qt)

250 mililitros (mL) = 1 taza (c)

1 kilogramo (kg) = 2.2 libras (lb)

28.3 gramos (g) = 1 onza (oz)

°C = 5/9 × (°F −32)

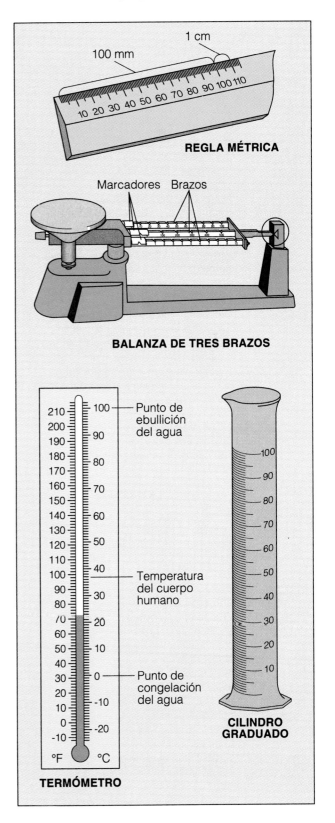

REGLA MÉTRICA

Marcadores Brazos

BALANZA DE TRES BRAZOS

Punto de ebullición del agua

Temperatura del cuerpo humano

Punto de congelación del agua

TERMÓMETRO

CILINDRO GRADUADO

Glassware Safety

1. Whenever you see this symbol, you will know that you are working with glassware that can easily be broken. Take particular care to handle such glassware safely. And never use broken or chipped glassware.
2. Never heat glassware that is not thoroughly dry. Never pick up any glassware unless you are sure it is not hot. If it is hot, use heat-resistant gloves.
3. Always clean glassware thoroughly before putting it away.

Fire Safety

1. Whenever you see this symbol, you will know that you are working with fire. Never use any source of fire without wearing safety goggles.
2. Never heat anything—particularly chemicals—unless instructed to do so.
3. Never heat anything in a closed container.
4. Never reach across a flame.
5. Always use a clamp, tongs, or heat-resistant gloves to handle hot objects.
6. Always maintain a clean work area, particularly when using a flame.

Heat Safety

Whenever you see this symbol, you will know that you should put on heat-resistant gloves to avoid burning your hands.

Chemical Safety

1. Whenever you see this symbol, you will know that you are working with chemicals that could be hazardous.
2. Never smell any chemical directly from its container. Always use your hand to waft some of the odors from the top of the container toward your nose—and only when instructed to do so.
3. Never mix chemicals unless instructed to do so.
4. Never touch or taste any chemical unless instructed to do so.
5. Keep all lids closed when chemicals are not in use. Dispose of all chemicals as instructed by your teacher.

6. Immediately rinse with water any chemicals, particularly acids, that get on your skin and clothes. Then notify your teacher.

Eye and Face Safety

1. Whenever you see this symbol, you will know that you are performing an experiment in which you must take precautions to protect your eyes and face by wearing safety goggles.
2. When you are heating a test tube or bottle, always point it away from you and others. Chemicals can splash or boil out of a heated test tube.

Sharp Instrument Safety

1. Whenever you see this symbol, you will know that you are working with a sharp instrument.
2. Always use single-edged razors; double-edged razors are too dangerous.
3. Handle any sharp instrument with extreme care. Never cut any material toward you; always cut away from you.
4. Immediately notify your teacher if your skin is cut.

Electrical Safety

1. Whenever you see this symbol, you will know that you are using electricity in the laboratory.
2. Never use long extension cords to plug in any electrical device. Do not plug too many appliances into one socket or you may overload the socket and cause a fire.
3. Never touch an electrical appliance or outlet with wet hands.

Animal Safety

1. Whenever you see this symbol, you will know that you are working with live animals.
2. Do not cause pain, discomfort, or injury to an animal.
3. Follow your teacher's directions when handling animals. Wash your hands thoroughly after handling animals or their cages.

¡Cuidado con los recipientes de vidrio!

1. Este símbolo te indicará que estás trabajando con recipientes de vidrio que pueden romperse. Procede con mucho cuidado al manejar esos recipientes. Y nunca uses vasos rotos ni astillados.
2. Nunca pongas al calor recipientes húmedos. Nunca tomes ningún recipiente si está caliente. Si lo está, usa guantes resistentes al calor.
3. Siempre limpia bien un recipiente de vidrio antes de guardarlo.

¡Cuidado con el fuego!

1. Este símbolo te indicará que estás trabajando con fuego. Nunca uses algo que produzca llama sin ponerte gafas protectoras.
2. Nunca calientes nada a menos que te digan que lo hagas.
3. Nunca calientes nada en un recipiente cerrado.
4. Nunca extiendas el brazo por encima de una llama.
5. Usa siempre una grapa, pinzas o guantes resistentes al calor para manipular algo caliente.
6. Procura tener un área de trabajo vacía y limpia, especialmente si estás usando una llama.

¡Cuidado con el calor!

Este símbolo te indicará que debes ponerte guantes resistentes al calor para no quemarte las manos.

¡Cuidado con los productos químicos!

1. Este símbolo te indicará que vas a trabajar con productos químicos que pueden ser peligrosos.
2. Nunca huelas un producto químico directamente. Usa siempre las manos para llevar las emanaciones a la nariz y hazlo sólo si te lo dicen.
3. Nunca mezcles productos químicos a menos que te lo indiquen.
4. Nunca toques ni pruebes ningún producto químico a menos que te lo indiquen.
5. Mantén todas las tapas de los productos químicos cerradas cuando no los uses. Deséchalos según te lo indiquen.

6. Enjuaga con agua cualquier producto químico, en especial un ácido. Si se pone en contacto con tu piel o tus ropas, comunícaselo a tu profesor(a).

¡Cuidado con los ojos y la cara!

1. Este símbolo te indicará que estás haciendo un experimento en el que debes protegerte los ojos y la cara con gafas protectoras.
2. Cuando estés calentando un tubo de ensayo, pon la boca en dirección contraria a los demás. Los productos químicos pueden salpicar o derramarse de un tubo de ensayo caliente.

¡Cuidado con los instrumentos afilados!

1. Este símbolo te indicará que vas a trabajar con un instrumento afilado.
2. Usa siempre hojas de afeitar de un solo filo. Las hojas de doble filo son muy peligrosas.
3. Maneja un instrumento afilado con sumo cuidado. Nunca cortes nada hacia ti sino en dirección contraria.
4. Notifica inmediatamente a tu profesor(a) si te cortas.

¡Cuidado con la electricidad!

1. Este símbolo te indicará que vas a usar electricidad en el laboratorio.
2. Nunca uses cables de prolongación para enchufar un aparato eléctrico. No enchufes muchos aparatos en un enchufe porque puedes recargarlo y provocar un incendio.
3. Nunca toques un aparato eléctrico o un enchufe con las manos húmedas.

¡Cuidado con los animales!

1. Este símbolo, te indicará que vas a trabajar con animales vivos.
2. No causes dolor, molestias o heridas a ningun animal.
3. Sigue las instrucciones de tu profesor(a) al tratar a los animales. Lávate bien las manos después de tocar los animales o sus jaulas.

One of the first things a scientist learns is that working in the laboratory can be an exciting experience. But the laboratory can also be quite dangerous if proper safety rules are not followed at all times. To prepare yourself for a safe year in the laboratory, read over the following safety rules. Then read them a second time. Make sure you understand each rule. If you do not, ask your teacher to explain any rules you are unsure of.

Dress Code

1. Many materials in the laboratory can cause eye injury. To protect yourself from possible injury, wear safety goggles whenever you are working with chemicals, burners, or any substance that might get into your eyes. Never wear contact lenses in the laboratory.

2. Wear a laboratory apron or coat whenever you are working with chemicals or heated substances.

3. Tie back long hair to keep it away from any chemicals, burners and candles, or other laboratory equipment.

4. Remove or tie back any article of clothing or jewelry that can hang down and touch chemicals and flames.

General Safety Rules

5. Read all directions for an experiment several times. Follow the directions exactly as they are written. If you are in doubt about any part of the experiment, ask your teacher for assistance.

6. Never perform activities that are not authorized by your teacher. Obtain permission before "experimenting" on your own.

7. Never handle any equipment unless you have specific permission.

8. Take extreme care not to spill any material in the laboratory. If a spill occurs, immediately ask your teacher about the proper cleanup procedure. Never simply pour chemicals or other substances into the sink or trash container.

9. Never eat in the laboratory.

10. Wash your hands before and after each experiment.

First Aid

11. Immediately report all accidents, no matter how minor, to your teacher.

12. Learn what to do in case of specific accidents, such as getting acid in your eyes or on your skin. (Rinse acids from your body with lots of water.)

13. Become aware of the location of the first-aid kit. But your teacher should administer any required first aid due to injury. Or your teacher may send you to the school nurse or call a physician.

14. Know where and how to report an accident or fire. Find out the location of the fire extinguisher, phone, and fire alarm. Keep a list of important phone numbers—such as the fire department and the school nurse—near the phone. Immediately report any fires to your teacher.

Heating and Fire Safety

15. Again, never use a heat source, such as a candle or burner, without wearing safety goggles.

16. Never heat a chemical you are not instructed to heat. A chemical that is harmless when cool may be dangerous when heated.

17. Maintain a clean work area and keep all materials away from flames.

18. Never reach across a flame.

19. Make sure you know how to light a Bunsen burner. (Your teacher will demonstrate the proper procedure for lighting a burner.) If the flame leaps out of a burner toward you, immediately turn off the gas. Do not touch the burner. It may be hot. And never leave a lighted burner unattended!

20. When heating a test tube or bottle, always point it away from you and others. Chemicals can splash or boil out of a heated test tube.

21. Never heat a liquid in a closed container. The expanding gases produced may blow the container apart, injuring you or others.

Una de las primeras cosas que aprende un científico es que trabajar en el laboratorio es muy interesante. Pero el laboratorio puede ser un lugar muy peligroso si no se respetan las reglas de seguridad apropiadas. Para prepararte para trabajar sin riesgos en el laboratorio, lee las siguientes reglas una y otra vez. Debes comprender muy bien cada regla. Pídele a tu profesor(a) que te explique si no entiendes algo.

Vestimenta adecuada

1. Muchos materiales del laboratorio pueden ser dañinos para la vista. Como precaución, usa gafas protectoras siempre que trabajes con productos químicos, mecheros o una sustancia que pueda entrarte en los ojos. Nunca uses lentes de contacto en el laboratorio.

2. Usa un delantal o guardapolvo siempre que trabajes con productos químicos o con algo caliente.

3. Si tienes pelo largo, átatelo para que no roce productos químicos, mecheros, velas u otro equipo del laboratorio.

4. No debes llevar ropa o alhajas que cuelguen y puedan entrar en contacto con productos químicos o con el fuego.

Normas generales de precaución

5. Lee todas las instrucciones de un experimento varias veces. Síguelas al pie de la letra. Si tienes alguna duda, pregúntale a tu profesor(a).

6. Nunca hagas nada sin autorización de tu profesor(a). Pide permiso antes de "experimentar" por tu cuenta.

7. Nunca intentes usar un equipo si no te han dado permiso para hacerlo.

8. Ten mucho cuidado de no derramar nada en el laboratorio. Si algo se derrama, pregunta inmediatamente a tu profesor(a) cómo hacer para limpiarlo.

9. Nunca comas en el laboratorio.

10. Lávate las manos antes y después de cada experimento.

Primeros auxilios

11. Por menos importante que parezca un accidente, informa inmediatamente a tu profesor(a) si ocurre algo.

12. Aprende qué debes hacer en caso de ciertos accidentes, como si te cae ácido en la piel o te entra en los ojos. (Enjuágate con muchísima agua.)

13. Debes saber dónde está el botiquín de primeros auxilios. Pero es tu profesor(a) quien debe encargarse de dar primeros auxilios. Puede que él o ella te envíe a la enfermería o llame a un médico.

14. Debes saber dónde llamar si hay un accidente o un incendio. Averigua dónde está el extinguidor, el teléfono y la alarma de incendios. Debe haber una lista de teléfonos importantes—como los bomberos y la enfermería—cerca del teléfono. Avisa inmediatamente a tu profesor(a) si se produce un incendio.

Precauciones con el calor y con el fuego

15. Nunca te acerques a una fuente de calor, como un mechero o una vela sin ponerte las gafas protectoras.

16. Nunca calientes ningún producto químico si no te lo indican. Un producto inofensivo cuando está frío puede ser peligroso si está caliente.

17. Tu área de trabajo debe estar limpia y todos los materiales alejados del fuego.

18. Nunca extiendas el brazo por encima de una llama.

19. Debes saber bien cómo encender un mechero Bunsen. (Tu profesor(a) te indicará el procedimiento apropiado.) Si la llama salta del mechero, apaga el gas inmediatamente. No toques el mechero. ¡Nunca dejes un mechero encendido sin nadie al lado!

20. Cuando calientes un tubo de ensayo, apúntalo en dirección contraria. Los productos químicos pueden salpicar o derramarse al hervir.

21. Nunca calientes un líquido en un recipiente cerrado. Los gases que se producen pueden hacer que el recipiente explote y te lastime a ti y a tus compañeros.

22. Before picking up a container that has been heated, first hold the back of your hand near it. If you can feel the heat on the back of your hand, the container may be too hot to handle. Use a clamp or tongs when handling hot containers.

Using Chemicals Safely

23. Never mix chemicals for the "fun of it." You might produce a dangerous, possibly explosive substance.

24. Never touch, taste, or smell a chemical unless you are instructed by your teacher to do so. Many chemicals are poisonous. If you are instructed to note the fumes in an experiment, gently wave your hand over the opening of a container and direct the fumes toward your nose. Do not inhale the fumes directly from the container.

25. Use only those chemicals needed in the activity. Keep all lids closed when a chemical is not being used. Notify your teacher whenever chemicals are spilled.

26. Dispose of all chemicals as instructed by your teacher. To avoid contamination, never return chemicals to their original containers.

27. Be extra careful when working with acids or bases. Pour such chemicals over the sink, not over your workbench.

28. When diluting an acid, pour the acid into water. Never pour water into an acid.

29. Immediately rinse with water any acids that get on your skin or clothing. Then notify your teacher of any acid spill.

Using Glassware Safely

30. Never force glass tubing into a rubber stopper. A turning motion and lubricant will be helpful when inserting glass tubing into rubber stoppers or rubber tubing. Your teacher will demonstrate the proper way to insert glass tubing.

31. Never heat glassware that is not thoroughly dry. Use a wire screen to protect glassware from any flame.

32. Keep in mind that hot glassware will not ap-

pear hot. Never pick up glassware without first checking to see if it is hot. See #22.

33. If you are instructed to cut glass tubing, fire-polish the ends immediately to remove sharp edges.

34. Never use broken or chipped glassware. If glassware breaks, notify your teacher and dispose of the glassware in the proper trash container.

35. Never eat or drink from laboratory glassware. Thoroughly clean glassware before putting it away.

Using Sharp Instruments

36. Handle scalpels or razor blades with extreme care. Never cut material toward you; cut away from you.

37. Immediately notify your teacher if you cut your skin when working in the laboratory.

Animal Safety

38. No experiments that will cause pain, discomfort, or harm to mammals, birds, reptiles, fishes, and amphibians should be done in the classroom or at home.

39. Animals should be handled only if necessary. If an animal is excited or frightened, pregnant, feeding, or with its young, special handling is required.

40. Your teacher will instruct you as to how to handle each animal species that may be brought into the classroom.

41. Clean your hands thoroughly after handling animals or the cage containing animals.

End-of-Experiment Rules

42. After an experiment has been completed, clean up your work area and return all equipment to its proper place.

43. Wash your hands after every experiment.

44. Turn off all burners before leaving the laboratory. Check that the gas line leading to the burner is off as well.

22. Antes de tomar un recipiente que se ha calentado, acerca primero el dorso de tu mano. Si puedes sentir el calor, el recipiente está todavía caliente. Usa una grapa o pinzas cuando trabajes con recipientes calientes.

Precauciones en el uso de productos químicos

23. Nunca mezcles productos químicos para "divertirte." Puede que produzcas una sustancia peligrosa tal como un explosivo.

24. Nunca toques, pruebes o huelas un producto químico si no te indican que lo hagas. Muchos de estos productos son venenosos. Si te indican que observes las emanaciones, llévalas hacia la nariz con las manos. No las aspires directamente del recipiente.

25. Usa sólo los productos necesarios para esa actividad. Todos los envases deben estar cerrados si no están en uso. Informa a tu profesor(a) si se produce algún derrame.

26. Desecha todos los productos químicos según te lo indique tu profesor(a). Para evitar la contaminación, nunca los vuelvas a poner en su envase original.

27. Ten mucho cuidado cuando trabajes con ácidos o bases. Viértelos en la pila, no sobre tu mesa.

28. Cuando diluyas un ácido, viértelo en el agua. Nunca viertas agua en el ácido.

29. Enjuágate inmediatamente la piel o la ropa con agua si te cae ácido. Notifica a tu profesor(a).

Precauciones con el uso de vidrio

30. Para insertar vidrio en tapones o tubos de goma, deberás usar un movimiento de rotación y un lubricante. No lo fuerces. Tu profesor(a) te indicará cómo hacerlo.

31. No calientes recipientes de vidrio que no estén secos. Usa una pantalla para proteger el vidrio de la llama.

32. Recuerda que el vidrio caliente no parece estarlo. Nunca tomes nada de vidrio sin controlarlo antes. Véase # 22.

33. Cuando cortes un tubo de vidrio, lima las puntas inmediatamente para alisarlas.

34. Nunca uses recipientes rotos ni astillados. Si algo de vidrio se rompe, notifícalo inmediatamente y desecha el recipiente en el lugar adecuado.

35. Nunca comas ni bebas de un recipiente de vidrio del laboratorio. Limpia los recipientes bien antes de guardarlos.

Uso de instrumentos afilados

36. Maneja los bisturíes o las hojas de afeitar con sumo cuidado. Nunca cortes nada hacia ti sino en dirección contraria.

37. Notifica inmediatamente a tu profesor(a) si te cortas.

Precauciones con los animales

38. No debe realizarse ningún experimento que cause ni dolor, ni incomodidad, ni daño a los animales en la escuela o en la casa.

39. Debes tocar a los animales sólo si es necesario. Si un animal está nervioso o asustado, preñado, amamantando o con su cría, se requiere cuidado especial.

40. Tu profesor(a) te indicará cómo proceder con cada especie animal que se traiga a la clase.

41. Lávate bien las manos después de tocar los animales o sus jaulas.

Al concluir un experimento

42. Después de terminar un experimento limpia tu área de trabajo y guarda el equipo en el lugar apropiado.

43. Lávate las manos después de cada experimento.

44. Apaga todos los mecheros antes de irte del laboratorio. Verifica que la línea general esté también apagada.

Glossary

alternating current: current in which the electrons reverse their direction regularly

amplifier: device that increases the strength of an electric signal

atom: smallest part of an element that has all the properties of that element

aurora: glowing region of air caused by solar particles that break through the Earth's magnetic field

battery: device that produces electricity by converting chemical energy into electrical energy; made up of electrochemical cells

binary system: number system consisting of only two numbers, 0 and 1, that is used by computers

bit: single electronic switch, or piece of information

byte: string of bits; usually 8 bits make up a byte

cathode-ray tube: type of vacuum tube that uses electrons to produce an image on a screen

central processing unit: part of a computer that controls the operation of all the other components of the computer

charge: physical property of matter that can give rise to an electric force of attraction or repulsion

chip: thin piece of silicon containing an integrated circuit

circuit: complete path through which electricity can flow

circuit breaker: reusable device that protects a circuit from becoming overloaded

conduction: method of charging an object by allowing electrons to flow through one object to another object

conductor: material which permits electrons to flow freely

current: flow of charge

diode: vacuum tube or semiconductor that acts as a rectifier

direct current: current consisting of electrons that flow constantly in one direction

disk drive: part of a computer that can act as an input device by reading information off a disk and entering it into the computer or as an output device removing information from a computer and storing it on a disk

doping: process of adding impurities to semiconducting materials

electric discharge: loss of static electricity as electric charges move off an object

electric field: area over which an electric charge exerts a force

electric motor: device that uses an electromagnet to convert electrical energy to mechanical energy that is used to do work

electromagnet: solenoid with a magnetic material such as iron inside its coils

electromagnetic induction: process by which a current is produced by a changing magnetic field

electromagnetic wave: wave made up of a combination of a changing electric field and a changing magnetic field

electromagnetism: relationship between electricity and magnetism

electron: subatomic particle with a negative charge found in an area outside the nucleus of an atom

electronics: study of the release, behavior, and control of electrons as it relates to use in practical devices

electroscope: instrument used to detect charge

force: push or pull on an object

friction: force that opposes motion that is exerted when two objects are rubbed together in some way

fuse: thin strip of metal used for safety because when the current flowing through it becomes too high, it melts and breaks the flow of electricity

galvanometer: device that uses an electromagnet to detect small amounts of current

generator: device that uses electromagnets to convert mechanical energy to electrical energy

hardware: physical parts of a computer

induced current: current produced in a wire exposed to a changing magnetic field

induction: method of charging an object by rearranging its electric charges into groups of positive charge and negative charge

input device: device through which data is fed into a computer

insulator: material made up of atoms with tightly bound electrons that are not able to flow freely

integrated circuit: circuit consisting of many diodes and transistors all placed on a thin piece of silicon, known as a chip

magnetic domain: region of a material in which the magnetic fields of individual atoms are aligned

magnetic field: area over which the magnetic force is exerted

magnetism: force of attraction or repulsion of a magnetic material due to the arrangement of its atoms

Glosario

aislante: material de átomos cuyos electrones están muy apretados y no pueden fluir libremente

amplificador: aparato que aumenta la fuerza de una señal eléctrica

aparato de estado–sólido: aparato que consiste de semiconductores, nacido del estudio de la estructura de los materiales sólidos

átomo: partícula más pequeña de un elemento que tiene todas las propiedades de ese elemento

aurora: región luminosa de aire causada por partículas solares que traspasan el campo magnético terrestre

batería: aparato que produce electricidad al convertir energía química en energía eléctrica; está compuesta por pilas electroquímicas

bitio: interruptor electrónico simple, o pieza de información

byte: cadena de bitios; en general, 8 bitios forman un byte

campo eléctrico: área sobre la cual una carga eléctrica ejerce una fuerza

campo magnético: área sobre la cual se ejerce una fuerza magnética

carga: propiedad física de la materia que puede generar una fuerza de atracción o de repulsión

chip: cristal fino de silicio que contiene un circuito integrado

circuito: vía completa por donde fluye la electricidad

circuito en serie: circuito cuyas partes están conectadas una tras otra; si una parte falla, la corriente no puede fluir

circuito integrado: circuito que consiste de muchos diodos y transistores puestos en un fino cristal de silicio, conocido como chip

circuito paralelo: circuito cuyas partes están en diferentes ramas; si una parte no funciona bien, la corriente puede fluir por las otras partes

conducción: método de cargar un objeto permitiendo el paso de los electrones entre dos objetos

conductor: material que permite el flujo libre de los electrones

corriente: flujo de carga

corriente alterna: corriente en la cual los electrones cambian de dirección repetidamente

corriente continua: corriente cuyos electrones fluyen constantemente en una dirección

corriente inducida: corriente producida en un cable expuesto a un campo magnético cambiante

descarga eléctrica: pérdida de electricidad estática por el movimiento de las cargas eléctricas de un objeto a otro

diferencia de potencial: diferencia de carga creada por los polos opuestos de una batería

diodo: tubo de vacío o semiconductor que actúa como un rectificador

dispositivo de entrada: dispositivo para entrar datos en una computadora

dispositivo de salida: parte de una computadora con la cual se pueden sacar datos de ella

dominio magnético: región de un material donde los campos magnéticos de sus átomos individuales están alineados

dopado: proceso de agregar impurezas a los materiales semiconductores

electricidad estática: movimiento de cargas de un objeto a otro sin ningún otro movimiento

electroimán: solenoide con un material magnético de hierro dulce en una espiral de cable

electromagnetismo: relación entre la electricidad y el magnetismo

electrón: partícula subatómica con carga negativa que se encuentra fuera del núcleo de un átomo

electrónica: estudio de la liberación, conducta y el control de los electrones en cuanto a su uso en aparatos prácticos

electroscopio: instrumento usado para detectar cargas

fotocélula: aparato que usa electrones emitidos por un metal durante el efecto fotoeléctrico que produce la corriente

fricción: fuerza que se opone al movimiento ejercido cuando dos objetos se frotan entre sí

fuerza: lo que empuja o tira de un objeto

fusible: lámina fina de metal que se derrite cuando la corriente es muy elevada, interrumpiendo el flujo de la electricidad

magnetosphere: region in which the magnetic field of the Earth is found

main memory: part of a computer that contains data and operating instructions that are processed by the central processing unit

modem: device that changes electronic signals from a computer into messages that can be carried over telephone lines

neutron: subatomic particle with no charge located in the nucleus of an atom

Ohm's law: expression that relates current, voltage, and resistance: $V = I \times R$

output device: part of a computer through which information is removed

parallel circuit: circuit in which different parts are on separate branches; if one part does not operate properly, current can still flow through the others

photocell: device that uses electrons emitted from a metal during the photoelectric effect to produce current

pole: regions of a magnet where the magnetic effects are the strongest

potential difference: difference in charge as created by opposite posts of a battery

power: rate at which work is done or energy is used

proton: subatomic particle located in the nucleus of an atom with a positive charge

rectifier: device that converts alternating current to direct current; accomplished by a vacuum tube or semiconductor called a diode

resistance: opposition to the flow of electric charge

semiconductor: material that is able to conduct electric currents better than insulators but not as well as true conductors

series circuit: circuit in which all parts are connected one after another; if one part fails to operate properly, the current cannot flow

software: set of instructions, or program, a computer follows

solenoid: long coil of wire that acts like a magnet when current flows through it

solid-state device: device, consisting of semiconductors, that has come out of the study of the structure of solid materials

static electricity: movement of charges from one object to another without further movement

superconductor: material in which resistance is essentially zero at certain low temperatures

thermocouple: device that produces electrical energy from heat energy

transformer: device that increases or decreases the voltage of alternating current

transistor: device consisting of three layers of semiconductors used to amplify an electric signal

triode: type of vacuum tube used for amplification that consists of a wire grid as well as its electrodes

vacuum tube: glass tube, in which almost all gases are removed, which contains electrodes that produce a one-way flow of electrons

voltage: potential difference; energy carried by charges that make up a current

galvanómetro: instrumento que usa un electroimán para detectar pequeñas corrientes

generador: instrumento que usa electroimanes para convertir energía mecánica en energía eléctrica

hardware: partes físicas de una computadora

inducción: método de cargar un objeto mediante el reordenamiento de sus cargas eléctricas en grupos de cargas positivas y negativas

inducción electromagnética: proceso en el cual se produce una corriente mediante un campo magnético cambiante

interruptor de circuito: dispositivo que protege un circuito de las sobrecargas y que se vuelve a usar

ley de Ohm: expresión que relaciona la corriente, el voltaje y la resistencia: $V = I \times R$

magnetismo: fuerza de atracción o repulsión de un material magnético debido a la alineación de sus átomos

magnetosfera: región donde se encuentra el campo magnético de la Tierra

memoria principal: parte de la computadora que contiene datos e instrucciones de funcionamiento que son procesados por el procesador central

modem: aparato que cambia señales electrónicas de una computadora en mensajes que pueden ser llevados por líneas telefónicas

motor eléctrico: aparato que usa un electroimán para convertir energía eléctrica en energía mecánica que se usa para ejecutar trabajo

neutrón: partícula subatómica sin carga que se encuentra en el núcleo de un átomo

onda electromagnética: onda producida por un campo eléctrico cambiante y un campo magnético cambiante

polo: región de un imán donde los efectos magnéticos son más fuertes

potencia: velocidad a la cual se realiza trabajo o se usa energía

procesador central: parte de una computadora que controla el funcionamiento de todos los demás componentes

protón: partícula subatómica con carga positiva que está dentro del núcleo de un átomo

rectificador: aparato que convierte corriente alterna en corriente continua, gracias a un tubo de vacío o un semiconductor llamado diodo

resistencia: oposición al flujo de la carga eléctrica

semiconductor: material capaz de conducir corrientes eléctricas mejor que los aislantes pero no tan bien como los conductores

sistema binario: sistema numérico, que consiste de sólo dos números, el 0 y el 1, usado en las computadoras

software: serie de instrucciones, o programa, que una computadora sigue

solenoide: cable largo y enrollado, que actúa como un imán cuando pasa corriente por él

superconductor: material cuya resistencia es prácticamente cero a ciertas temperaturas muy bajas

termocupla: aparato que produce energía eléctrica de energía calorífica

transformador: aparato que aumenta o reduce el voltaje de la corriente alterna

transistor: aparato de tres capas de semiconductores usado para amplificar una señal eléctrica

triodo: tipo de tubo de vacío usado para la amplificación formado por una rejilla y sus electrodos

tubo de rayos catódicos: tipo de tubo de vacío que usa electrones para producir una imagen en una pantalla

tubo de vacío: tubo de vidrio, al que se le han quitado la mayoría de los gases; contiene electrodos que producen un flujo unidireccional de electrones

unidad de disco: parte de una computadora que puede actuar como un dispositivo de entrada, al leer información de un disco para entrarla a la computadora, o como un dispositivo de salida, sacando información de ella y archivándola en un disco

voltaje: diferencia de potencial; energía llevada por las cargas que componen una corriente

Index

Índice

Credits

Cover Background: Ken Karp
Photo Research: Omni-Photo Communications, Inc.
Contributing Artists: Illustrations: Brian Battles/Christine Prapas, Art Representative; Warren Budd Assoc. Ltd.; Gerry Schrenk; Martinu Schneegass; James Scott Taylor. Charts and graphs: Function Thru Form
Photographs: 4 top: Phil Degginger; bottom left: Dennis Purse/Photo Researchers, Inc.; bottom right: Michael Philip Manheim; 5 top: Dr. Jeremy Burgess/Science Photo Library/Photo Researchers, Inc.; bottom: NASA; 6 top: Lefever/Grushow/Grant Heilman Photography; center: Index Stock Photography, Inc.; bottom: Rex Joseph; 8 top: Kobal Collection/Superstock; bottom: Jerry Mason/Science Photo Library/Photo Researchers, Inc.; 9 Hank Morgan/Science Source/Photo Researchers, Inc.; 12 Robert Western/Tony Stone Worldwide/Chicago Ltd.; 15 Fundamental Photographs; 16 Michael Philip Manheim; 18 Phil Jude/Science Photo Library/Photo Researchers, Inc.; 19 top: North Wind Picture Archives; bottom: Tony Stone Worldwide/Chicago Ltd.; 20 left: G. V. Faint/Image Bank; right: A. d'Arazien/Image Bank; 23 Paul Shambroom/Photo Researchers, Inc.; 25 left: J. Alex Langley/DPI; right: Henry Grossman/DPI; 26 Ron Scott/Tony Stone Worldwide/Chicago Ltd.; 27 Bob Evans/Peter Arnold, Inc.; 28 Gary Gladstone/Image Bank; 29 Phil Degginger; 32 Brian Parker/Tom Stack & Associates; 34 Paul Silverman/Fundamental Photographs; 37 Ken Karp; 43 R. J. Erwin/Photo Researchers, Inc.; 44 and 45 Fundamental Photographs; 46, 47 left and right, 48, 49 top and bottom, and 51 Richard Megna/Fundamental Photographs; 52 GE Corporate Research and Development; 53 Dr. E. R. Degginger; 54 top: Granger Collection; bottom: Francois Gohier/Photo Researchers, Inc.; 55 Science Photo Library/Photo Researchers, Inc.; 57 Jack Finch/Science Photo Library/Photo Researchers, Inc.; 58 Max-Planck-Institut Fur Radioastronomie/Science Photo Library/Photo Researchers, Inc.; 64 and 65 Kaku Kurita/Gamma-Liaison, Inc.; 68 left: Dick Durrance II/Woodfin Camp & Associates; right: Ken Karp; 69 Don Klumpp/Image Bank; 76 left: Brian Parker/Tom Stack & Associates; right: D.O.E./Science Source/Photo Researchers, Inc.; 77 Richard Megna/Fundamental Photographs; 79 Dr. E. R. Degginger; 81 top and bottom: Dr. Jeremy Burgess/Science Photo Library/Photo Researchers, Inc.; center: CNRI/Science Photo Library/Photo Researchers, Inc.; 85 U. S. Department of the Interior, National Park Service, Edison National Historic Site/Omni-Photo Communications, Inc.; 86 and 87 Joel Gordon; 88 top left: Hank Morgan/Rainbow; top right: Mitchell Bleier/Peter Arnold, Inc.; bottom left: Dennis Purse/Photo Researchers, Inc.; bottom right: Walter Bibikow/Image Bank; 90 Ken Karp; 91 Robert Matheu/Retna Limited; 92 and 93 Ken Karp; 94 left: Chuck O'Rear/Woodfin Camp & Associates; center: Alfred Pasieka/Peter Arnold, Inc.; right: Joel Gordon; 96 top left: Biophoto Associates/Photo Researchers, Inc.; top right: Petit Format/Guigoz/Steiner/Science Source/Photo Researchers, Inc.; center: Morton Beebe/Image Bank; bottom: Stephenie S. Ferguson; 98 Culver Pictures, Inc.; 99 Dan McCoy/Rainbow; 102 left: IBM; right: Granger Collection; 103 top: Srulik Haramaty/Phototake; bottom left: NASA; bottom right: Gregory Sams/Science Photo Library/Photo Researchers, Inc.; 104 Ken Karp/Omni-Photo Communications, Inc.; 105 Eric Kroll/Omni-Photo Communications, Inc.; 111 Phil Degginger; 112 left and right: IBM Research; 113 Chris Rogers/Stock Market; 114 Peter Poulides/Tony Stone Worldwide/Chicago Ltd.; 115 left: Mike Borum/Image Bank; right: Barry Lewis/Tony Stone Worldwide/Chicago Ltd.; right inset: Scott Camazine/Photo Researchers, Inc.; 116 top left: Hank Morgan/Photo Researchers, Inc.; right: Ken Lax/Photo Researchers, Inc.; bottom left: Tony Freeman/Photoedit; 118 left: Dan McCoy/Rainbow; right: Dick Luria/Science Source/Photo Researchers, Inc.; 119 Roger Du Buisson/Stock Market; 120 Kaku Kurita/Gamma-Liaison, Inc.